Na toca dos leões

Fernando Morais

Na toca dos leões

A história da W/BRASIL,
uma das agências de propaganda
mais premiadas do mundo

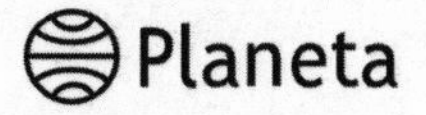

Capa e projeto gráfico
Helio de Almeida

Foto de capa e das camisetas
Thereza de Almeida

Preparação
Cláudio Marcondes

Revisão
Túlio Kawata

Diagramação
Tânia Maria dos Santos

As imagens publicadas neste livro
são da W/Brasil e do arquivo pessoal do autor.

Dados Internacionais de Catalogação na Publicação (CIP)
(Câmara Brasileira do Livro, SP, Brasil)

Morais, Fernando
NA TOCA DOS LEÕES A história da W/BRASIL,
uma das agências de propaganda mais
premiadas do mundo / Fernando Morais.
– São Paulo : Editora Planeta do Brasil, 2005.

ISBN 85-7665-052-5

1. Publicidade 2. W/Brasil (Agência
de propaganda) – História I. Título. II. Título:
A história da W/BRASIL, uma das agências
de propaganda mais premiadas do mundo.

05-1709 CDD-659.112509

Índices para catálogo sistemático:
1. W/Brasil : Agência de propaganda : Publicidade :
História 659.112509

2005

EDITORA PLANETA DO BRASIL LTDA.
Al. Ministro Rocha Azevedo, 346, 8º andar
01410-000 São Paulo/SP
vendas@editoraplaneta.com.br

"As pessoas não são apenas o que são realmente, mas o que imaginam ser e o que os outros imaginam que elas sejam."

Ferreira Gullar

1 São oito da manhã. Cem pessoas se juntam
para fazer uma das melhores agências do mundo. 13

2 O pneu furou e ele virou um dos maiores
publicitários brasileiros. Era 1º de abril. 45

3 O louco da sombrinha vermelha descobre
a propaganda: "Taí, esse negócio eu acho legal". 69

4 Um catalão atravessa o oceano e chega
ao Brasil. Ele vai desafiar a General Foods. 91

5 Washington-Petit, a maior dupla de todos
os tempos da propaganda brasileira. Opinião de Petit. 113

6 Gabriel resolve trocar a propaganda
pela realização de um sonho: ser pintor. 133

7 Um jovem pálido e delicado vai entrar para o *Livro
Guinness dos Recordes*: é Carlinhos Moreno, o Garoto Bombril. 163

8 Diante de um Francis Bacon, Gabriel desiste
de ser pintor e se junta ao *dream team* da DPZ. 189

9 Agora quem manda no Parque São Jorge são
os jogadores: entra em campo a Democracia Corintiana. 211

10 Uma notícia sacode o mercado. Washington
deixa a DPZ e se associa aos suíços: nasce a W/GGK. 235

Sumário

11 Aos seis meses de vida, a W/GGK ganha seu primeiro prêmio: ela é a "Agência do Ano". 257

12 Nem Lula, nem Collor, nem Maluf. Campanha política, só uma, e ainda assim "na mais absoluta moita". 283

13 A W/Brasil se dá ao luxo de dispensar bons clientes: vai começar o bate-boca. 309

14 A agência espalha filhotes pelo mundo: nascem a W/Espanha, W/USA e W/Portugal. 335

15 Homens com roupas da Polícia Federal arrancam Washington do carro: é um seqüestro. 367

16 Desde o começo do ano o bando varejava a vida de Washington, agora chamado de "Átila", "Franklin", "Novedad"... 397

17 Durante quase dois meses, "Átila"permanece num cubículo, com as luzes acesas e música no volume máximo. 421

18 Diante da pistola de um PM, o refém graceja: "Abaixa isso, meu. Eu sou o Washington Olivetto, corintiano". 455

Epílogo 483

Entrevistados 493

Sobre o autor 495

Salvo quando indicado, os valores constantes deste livro estão expressos em reais ou dólares de dezembro de 2004. Os indicadores adotados para conversão foram extraídos do livro de Clarice Pechman, *O dólar paralelo no Brasil* (2ª ed. São Paulo, Paz e Terra, 1984), das tabelas do Banco Central do Brasil (www.bcb.gov.br) e da S. Morgan Friedman (http://westegg.com/inflation).

Este livro

Este livro conta a história da agência de propaganda W/Brasil desde bem antes de sua fundação, em 8 de julho de 1986, até o dia 2 de fevereiro de 2002, quando terminou o seqüestro de seu idealizador e sócio majoritário, Washington Olivetto. No Epílogo estão registradas informações a respeito de fatos ocorridos (ou descobertos) entre fevereiro de 2002 e dezembro de 2004.

Além dos entrevistados, citados ao final, agradeço àqueles que me acudiram durante o processo de pesquisa e redação final deste livro. Ao Ricardo A. Setti, um dos maiores jornalistas deste país, pelas sucessivas e repetidas leituras que fez de cada capítulo, esvurmando bobagens e imprecisões e enriquecendo muito a qualidade do texto final; à jornalista Célia Harari Valente, responsável por muitas das entrevistas produzidas para o livro, cuja persistência como perguntadora levou alguns personagens à irritação, outros às lágrimas; à jornalista Silvia Correa, que me lembrou velhos craques da reportagem policial, como Otávio "Pena Branca" Ribeiro e Inajar de Souza; ao ex-foca Marcus Simieli, pelas pesquisas e entrevistas que realizou; ao futuro foca Mauro Meserani, pela ajuda na organização da montanha de papéis, documentos e fotografias referentes ao seqüestro; às assistentes de Washington, Gabriel e Javier – Daniela Romano, Fernanda Sansone, Andréa Chammas e Íris Del Picchia –, pelo carinho e paciência que dedicaram a meu trabalho ao longo desses meses.

E agradeço também a Agílio Monteiro Filho, Aloysio Nunes Ferreira Filho, Anthero Meirelles Neto, Antonio Sergio Ribeiro, Bizuka Corrêa, Camila Morais Cajaíba, Celso Dario Unzelte, Celso Periolli, Claudio Humberto da Rosa e Silva, Claudio Marcondes, Cláudio Tognolli, Dácio Nitrini, Dílico Covizzi, Eric Nepomuceno, Fabiana Freitas, Fábio Montenegro, Francisco Lucio Franco, Hélio de Almeida, Homero

Olivetto, Iberê Bandeira de Mello, Jaime Soares, José "Pepe" de las Heras Hurtado (e a sua equipe, formada por Chico, Elizeu, Álvaro, Amaury, Anastácio, Fladson, Gegê, Gicélio, Gilberto, Jeferson, Luciano, Marlos, Otoniel, Régis, Reinaldo, Sérgio, Shaulim, Valdick e Wellington), Lúcia Haddad, Marcelo Duarte, Marcelo Martins de Oliveira, Marcio Valente, Marília Morais Cajaíba, Mário Prata, Marisilda Valente, Martha Vianna, Mylton Severiano, Patrícia Chamlian, Rachel Gazolla, Ricardo Noblat, Rubens Lara, Sebastião Salgado, Susana Camargo, Tânia Maria dos Santos, Wilson Moherdaui e Wagner Homem.

E, claro, agradeço à Ritinha pela paciência, e à Marina, além de tudo, pela leitura implacável que fez de todo este livro em primeira mão.

Fernando Morais

Saco de Sorocotuba, dezembro de 2004

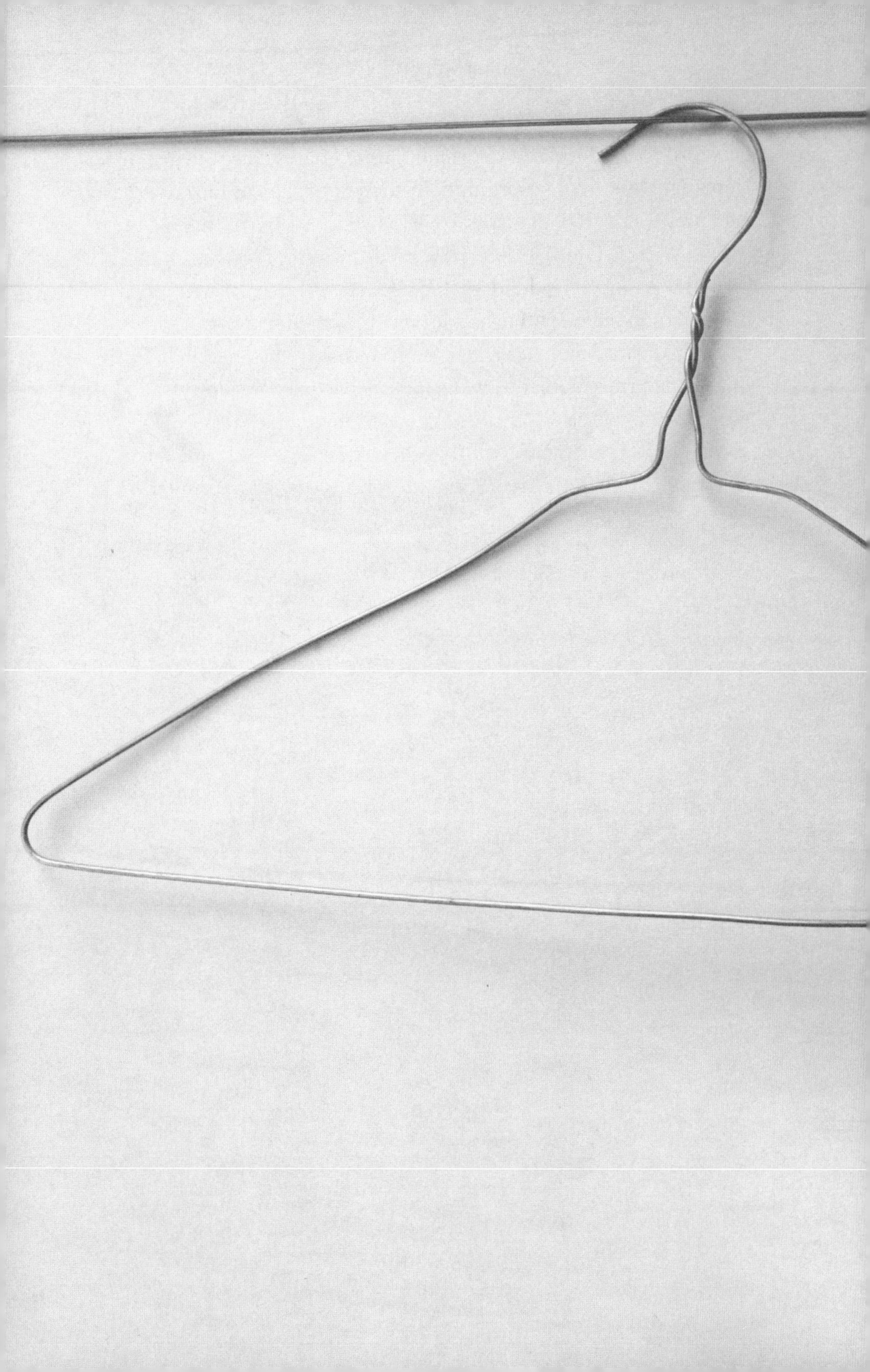

PERDIZES
PUC
PACAEMBU
HIGIEMOPONS
PACAEMBU
CONSOLAÇÃO
W/Brasil Publicidade
R. Novo Horizonte, 78 - Tel.
São Paulo SP Brasil

São oito da manhã. Cem pessoas
se juntam para fazer uma
das melhores agências do mundo.

O despertador toca às cinco e meia da madrugada, mas o frio e o sono são mais fortes que o barulho da campainha e Elaine volta a dormir. Como acontece quase todos os dias, quando faltam dez minutos para as seis, Manuel "Pernambuco" desconfia do silêncio no quarto da filha e bate à porta para acordá-la. Ela se esforça para sair da cama, toma um banho quente de quinze minutos, bebe uma xícara de café bem quente e um suco de morango de caixinha. Confere se não falta nada dentro da bolsa e, antes de sair, pega uma jaqueta preta e a pasta com os cadernos e apostilas do primeiro ano do curso de Publicidade e Propaganda que freqüenta depois do trabalho. Pede a benção ao pai, que se despede com um "vai com Deus, filha".

Ainda está escuro, chuvisca e faz um frio cortante nesta manhã de segunda-feira no Jardim Redil, em Itaquera, zona Leste da capital paulista. A passos rápidos Elaine anda duas quadras até o ponto final da van-lotação que, por R$ 1,70, vai transportá-la durante quinze minutos até a estação de metrô Corinthians-Itaquera, última parada da linha 3. É o momento de pico da enorme estação, que nesse período do dia costuma receber até 60 mil passageiros por hora. Ali a esperam centenas de pessoas se acotovelando em uma fila que leva dez minutos para chegar à catraca. Com tanta gente, ela só consegue lugar na terceira composição que passa, quinze minutos depois. Quando arranja assento vazio, no trajeto de meia hora até a estação Marechal Deodoro, no bairro central de Santa Cecília, Elaine retira do ouvido direito o minúsculo aparelho que lhe corrige uma pequena deficiência auditiva e cerra os olhos. É o recurso que usa para poder desfrutar de mais alguns minutos de sono sem ser incomodada pelo ruído do ambiente. Sono de verdade, não, apenas um cochilo. Afinal, todas as vezes que dormiu para valer ela acabou deixando passar o ponto em que deveria descer. Quando chega na praça Marechal Deodoro, Elaine vai à barraquinha de um ambulante e paga 25 centavos por um copinho plástico com café preto, que ela sorve vagarosamente enquanto caminha até o ponto de sua última condução antes de chegar ao trabalho, um ônibus que subirá a avenida Angélica em direção à Paulista. Dali a pouco, perto das oito da manhã, ela estará entrando no moderno prédio de quatro andares da agência de publicidade W/Brasil, encravado em uma pequena rua sem saída entre as avenidas Angélica e Paulista. É ali que Elaine Nascimento, 23 anos, trabalha há dois anos como auxiliar de contabilidade. Apesar de haver madrugado, ela não é a primeira a chegar: lá está Hernani de Castro Caetano, 32 anos, coordenador do departamento de contas a pagar, este sim, o primeiro, que abre o prédio todos os dias entre sete e sete e meia da manhã. Essa via-crúcis de ônibus, metrôs e lotações, que consome duas horas do dia de Elaine todas as manhãs (e mais duas à noite) e subtrai cerca de R$ 200 mensais de seu salário, tem uma explicação: de todos os funcionários da W/Brasil, ela é a que mora mais longe da agência – mais precisamente, a trinta quilômetros de distância.

Na hora que Elaine desembarca do metrô, sempre em torno das sete e meia da manhã, o despertador está tocando em um apartamento da rua Piauí, no bairro de Higienópolis, a poucas quadras de distância da W/Brasil. É ali que vive Gleidys Salvanha, 34 anos, há dez gerente de mídia da agência. Ela salta da cama para o banho de chuveiro morno, ao fim do qual molha o rosto com água fria ("faz bem para a pele"). Toma café preto, come pão com requeijão, mamão e cereais. Lê a *Folha de S.Paulo*, folheia o *Diário de S. Paulo* e só então retorna ao banheiro para secar os cabelos. Às quinze para as nove está pronta: veste uma calça tipo *corsário* (no meio da canela), camisa lilás e sapatos de salto agulha e bico fino, na mesma cor da camisa. No pulso usa um relógio Armani. Pega a bolsa, um casaco, algumas revistas semanais e um par adicional de sapatos baixos ("para o caso de o pé doer"), dá um beijo na filha Sophia, de dezesseis meses, e avisa à empregada que, como acontece quase sempre, deverá almoçar em casa – um dos privilégios de ser o funcionário da W/Brasil que mora mais perto do trabalho. Daria para ir e voltar a pé, mas ela desce à garagem do prédio, entra em um reluzente jipe Cherokee e, cinco minutos depois, pontualmente às nove da manhã, o veículo está rangendo pneus no piso emborrachado do estacionamento da agência. É nessa hora que chega a maioria dos 105 funcionários – entre eles os três donos: Washington Olivetto, Gabriel Zellmeister e Javier Llussá Ciuret.

Ao contrário de Elaine e Gleidys, Washington não precisou de despertador. Não importa a que horas vá dormir (como ontem, em que fez um típico programa de domingo paulistano e comeu pizza com amigos até duas da madrugada), às sete e meia da manhã ele está de pé. Morando a menos de quinze minutos do trabalho, sempre tem uma hora livre antes de começar o dia. Bem disposto, apesar de não praticar exercícios físicos, toma um reforçado café da manhã preparado por Waldomiro Wilhelms, o "seu Miro", grisalho dublê de cozinheiro, copeiro e telefonista da casa. Como quase nunca almoça, essa refeição pode ser a única até o fim da tarde, quando beliscará alguma coisa na agência. Enquanto come, percorre página por página os principais jornais do país – *O Estado de S. Paulo*, a *Folha de S.Paulo*, *O Globo* e o *Jornal do Brasil.* Quando fecha o último caderno do último jornal já são oito e vinte, hora do banho. Ele reaparece vestido de Washington Olivetto: sob o austero, britânico blazer de lã risca de giz, usa uma camiseta preta, desbotada, estampada com uma caricatura em tons violeta do rosto de uma mulher japonesa. Veste calça cinza e tem nos pés sapatos da Kenneth Cole, loja nova-iorquina freqüentada por modernos de todo o mundo, "sem ser uma casa restrita a milionários", esclarece.

Tentando descobrir onde deixou os óculos de leitura, anda apressadamente de um lado para o outro da ampla sala toda branca, cortada por uma escada em caracol que leva ao pavimento superior. Ele caminha de um jeito desengonçado, agitando muito os braços. Quase totalmente grisalhos e meio ralos, os cabelos são longos e cuidadosamente desalinhados. Um leve prognatismo lhe dá em alguns momentos um ar entre o arrogante e o enfezado – defeitos que nem os inimigos enxergam nele. Washington fala como uma matraca (especialmente se for a seu próprio respeito) e não esconde que adora os holofotes, mas a fama não fez dele uma pessoa soberba. Parece estar o dia todo de bom humor. Sem fazer dietas nem ginástica, ele consegue há alguns anos manter o peso de 74 quilos, razoável para quem mede declarado 1,72 metro. O registro torna-se relevante quando se sabe que sua estatura já foi objeto de polêmica pública. Em meados dos anos 70 a revista *Veja* publicou que ele media 1,61 metro. Em 1985, ao fazer com ele uma reportagem de capa, a *Veja-São Paulo* garantia que ele crescera um centímetro, passando a medir 1,62 – estatura que prevaleceu até 1988, quando o jornalista Juca Kfouri, em uma longa entrevista com Washington para a revista *Playboy*, encerrou a discussão em nada salomônico 1,71 metro. Foi nessa reportagem que ele se queixou – com uma frase publicitária, claro – do nanismo a que fora condenado pela revista. "A *Veja* cometeu uma grande injustiça comigo", reclamou, "mas ela já me deu tanto, que esses dez centímetros que me tirou ficam de graça" (aos amigos, em rigoroso *off*, ele garante que o jornalista que fez a primeira medição estava de porre durante a entrevista).

Washington apanha uma velha pasta de couro preta, da grife Louis Vuitton, separa algumas cigarrilhas da marca Café Creme Mila (que já fumava antes de se saber que eram as preferidas do presidente Lula), vê se está tudo na mão – CDs, celular, bloco de anotações, carteira – e, ao se dirigir ao elevador, despede-se de Miro, pega uma sacola plástica cheia de recortes, jornais e revistas e bebe mais uma xícara de café. Já está na porta quando toca o telefone. É Homero, trinta anos, filho de seu primeiro casamento e diretor de comerciais para cinema e TV, pedindo informações sobre um filme que vai dirigir para a W/Brasil. Despede-se de sua mulher, a produtora de cinema Patrícia Viotti, com quem está casado desde 1988. Toma o elevador e no subsolo do prédio o espera Ivan, segurança e motorista de uma Blazer preta, blindada e com os vidros cobertos por insulfilme. São cuidados que começaram em 2002, quando Washington passou quase dois meses nas mãos de um grupo de seqüestradores. Até então, ele andava em um velho Ômega nacional guiado pelo veterano motorista Antonio, que jamais pusera as mãos em uma arma de fogo. Antes de dizer bom-dia, lamenta a derrota do Corinthians, o time preferido de ambos, para o Fluminense na tarde do dia anterior:

– Perdemos de novo, não é, Ivan?

Mesmo com o trânsito infernal das manhãs de segunda-feira em São Paulo, hoje agravado pela chuva, o veículo não leva mais do que quinze minutos para chegar à agência, onde os espera um pequeno grupo de seguranças jovens, discretamente armados e vestidos de terno escuro, camisa engomada e gravata. O movimento de pessoas na entrada do prédio é grande: é nessa hora que chega a maioria dos funcionários da empresa. Ao lado da porta do elevador há uma pequena placa de aço fosco onde estão gravadas duas informações de afixação obrigatória em todos os prédios com elevador da cidade:

AVISO AOS PASSAGEIROS: ANTES DE ENTRAR NO ELEVADOR, VERIFIQUE SE O MESMO ENCONTRA-SE PARADO NESTE ANDAR.

É VEDADA, SOB PENA DE MULTA, QUALQUER FORMA DE DISCRIMINAÇÃO EM VIRTUDE DE RAÇA, SEXO, COR, ORIGEM, CONDIÇÃO SOCIAL, IDADE, PORTE OU PRESENÇA DE DEFICIÊNCIA E DOENÇA NÃO CONTAGIOSA POR CONTATO SOCIAL NO ACESSO AOS ELEVADORES DESTE EDIFÍCIO.

No alto da placa, e no mesmo corpo de letra, uma advertência adicional foi acrescentada por ordem de seu sócio Gabriel Zellmeister:

(ESTAS MENSAGENS DESNECESSÁRIAS E MAL ESCRITAS ESTÃO AQUI EM OBEDIÊNCIA À LEI 9512 E AO DECRETO-LEI 36.434).

Os guardas da portaria só parecem relaxar quando Washington entra no elevador. Dos quatro andares do prédio alugado, só o primeiro, onde está instalada a empresa Nextel, não é ocupado pela W/Brasil. No segundo funcionam o centro de processamento de dados, o atendimento de mídia, o setor de manutenção, a administração financeira, o departamento de recursos humanos e mais nove salas: quatro fechadas e com proteção acústica para projeções de filmes, *spots* e *jingles*, uma delas com acústica de estúdio de gravação, e cinco salas abertas. No quarto pavimento foi construído um pequeno auditório para palestras e entrevistas coletivas à imprensa, cercado dos dois lados por paredes envidraçadas que dão para dois terraços, dos quais se podem ver duas São Paulo diferentes: um deles dá para o surpreendente verde e para os telhados do casario do vale do Pacaembu, bairro ainda preservado da especulação imobiliária. O outro está virado para o paredão de arranha-céus da avenida Angélica. Entre os dois terraços foi instalada uma letra *W* de cor branca, com cinco metros de altura, grudada a uma bandeira do Brasil de quase quarenta metros quadrados, letreiro visível a vários quarteirões de distância, mesmo à noite.

No segundo andar fica a "entrada social" da agência – é ali que descem clientes e visitas. Poucos passos adiante do elevador o visitante depara-se com um insólito totem cravado no *hall* de passagem. É uma espécie de aquário quadrado de vidro blindex, com um metro de largura, mais de dois metros de altura, e uma só abertura, no alto. Amontoados dentro dele – isso mesmo, jogados, como numa lata de lixo – estão os 902 prêmios arrebatados pela agência em seus dezoito anos de vida, entre eles alguns dos mais disputados do mundo. Na "lixeira de prêmios" inventada por Gabriel estão, na verdade, duplicatas dos troféus, pois desde 1990 a agência decidiu ofertar os originais aos clientes – ou seja, as empresas para as quais os comerciais foram produzidos. Ali jazem 21 Leões (sete de ouro, cinco de prata, nove de bronze), nove discos (cinco de ouro, três de prata, um de platina), sessenta medalhas do "Prêmio Colunistas" (31 de ouro, dezoito de prata, "Agência do Ano", "Profissional do Ano" e "Profissional da Década") – estes dois atribuídos pessoalmente a Washington –, três Corujas do "Prêmio Caboré", 49 Lâmpadas de ouro e prata do Festival Brasileiro do

Filme Publicitário, seis troféus do prêmio "Meio&Mensagem", 512 medalhas do Anuário do Clube de Criação de São Paulo (28 de ouro, quarenta de prata, 77 de bronze e mais dezenas de menções e destaques), dezesseis prêmios "Jornal do Brasil", destinados apenas a anúncios em jornal, um Prêmio NTV – Nippon Television, para "o melhor comercial do mundo", uma medalha de ouro e outra de bronze no Festival de Nova York, um Grand Prix no Festival d'Angers, 42 Pombos (25 de ouro, cinco de prata, quatro de bronze e oito menções honrosas) do FIAP – Festival Ibero-Americano de Propaganda, 28 Árvores de prata concedidas pelo "Prêmio Abril de Publicidade", 48 prêmios "Profissionais do Ano", concedidos pela Rede Globo de Televisão, 43 prêmios do Festival de Cinema Publicitário do Rio de Janeiro, 24 prêmios do Festival Internacional de Propaganda, quatro Clio Awards (um Grand Clio, dois de ouro e um de bronze) e onze Lâmpadas do Festival Brasileiro do Filme Publicitário Internacional (três de ouro, cinco de prata, dois do júri popular e uma do Grand Prix). E, por último, mas não menos importantes, duas modestas menções honrosas no "Prêmio Jeca Tatu", concedido por um concorrente, a extinta agência CBB&A, do falecido publicitário Renato Castelo Branco, que premiava as campanhas que mais contribuíssem para a preservação da cultura popular brasileira.

No terceiro andar, entre o atendimento e a criação, do lado direito do elevador, fica o setor de rádio e TV, comandado por Reinaldo Bassi Sbrissa, o "Neno", e sua assistente Liliane Pulz, a "Lili". Em frente deles fica "o café", um balcão com oito elegantes banquetas Bertoia, de aço cromado e couro, duas geladeiras com refrigerantes, água, cerveja, várias garrafas de café, leite e chá, onde as pessoas costumam fazer reuniões informais, em pé mesmo. À direita do elevador fica o setor de atendimento, o elo de ligação entre a agência e os clientes. À esquerda, a alma do negócio: a criação. Em um enorme salão aberto, sem paredes ou divisórias, cerca de trinta pessoas muito jovens, entre as quais há apenas quatro mulheres, começam a se instalar em mesas dispostas em grupos de quatro, umas de frente para as outras, todas

Na lixeira dos prêmios,
quase mil troféus abocanhados em
dezoito anos de trabalho.

equipadas com terminais Macintosh ligados à rede da agência: são os assistentes e diretores de criação, estagiários, redatores e diretores de arte. Não fosse a presença das três assistentes, Daniela Romano, Andréa Chammas e Fernanda Sansone – Dani, Déia e Fê –, seria impossível distinguir as mesas de trabalho dos donos das demais.

Sorridente e chacoalhando os braços, Washington vai dando bom-dia a quem encontra pelo curto caminho entre o elevador e a mesa. Dani recebe-o com duas boas notícias: a primeira é uma braçada de flores enviada por um amigo para festejar sua escolha para padrinho da loja da FNAC de Brasília, seguindo uma velha tradição da empresa de chamar uma dupla de artistas para "batizar" cada nova casa. Seu colega nesse apadrinhamento foi o cantor Ney Matogrosso. A segunda é que seu livro *Os piores textos de Washington Olivetto*, uma coletânea de crônicas e artigos, voltou à lista de *best-sellers* da revista *Veja*. Ele se vira para o salão, faz uma mesura de maestro agradecendo aplausos e dá uma gargalhada: "Virei compadre da Catherine Deneuve, que é a madrinha da loja da FNAC na Avénue Champs Elisées, em Paris". Continua em direção à sua mesa, grudada à da única pessoa a usar gravata naquela metade do andar: seu sócio e amigo Gabriel Zellmeister, que também acaba de chegar.

Um ano mais velho que Washington, alto, magro como um caniço, cabelos e barba cor de fogo, nariz aquilino – traços que lhe emprestam um certo ar de personagem de Van Gogh, ou vaga semelhança com o dramaturgo Samuel Beckett quando jovem –, ele também levantou por volta das sete e meia da manhã, mas começou a semana com o pé esquerdo. Logo cedo soube que havia estourado o encanamento do prédio onde mora, atrás do clube A Hebraica, em Pinheiros, e que teria de tomar um banho gelado. Minutos depois ele está à mesa do café. Veste um terno escuro com listas azuis, camisa azul-clara, gravata preta com listas e sapatos de verniz. Não é só na roupa que Gabriel é diferente de Washington. Discreto e silencioso, é raro vê-lo dando uma das gargalhadas espalhafatosas do sócio. Tem a voz tão grave e baixa que conversar com ele ao telefone torna-se uma tarefa para ouvidos de tísico. Não freqüenta badalações sociais e raramente dá entrevistas, o que pode ser medido por uma rápida varredura em um desses *sites* de busca na Internet: seu nome aparece 250 vezes, contra mais de 5 mil registros de Washington. Sua única extravagância conhecida são as motocicletas: depois de passar por várias BMW e por uma Harley Davidson de segunda mão (comprada do apresentador Jô Soares quando este abandonou a mania), hoje ele pilota uma Ducati 999S amarela, um bólido de 136 cavalos capaz de chegar a trezentos quilômetros por hora, velocidade superior à de um Boeing 777 ao decolar.

Já são quase nove horas. Enquanto bebe café e come pão com manteiga, cereais, mortadela e mamão, Gabriel passa os olhos nos cadernos de Economia e nas colunas sociais de Mônica Bergamo, da *Folha de S.Paulo*, e César Giobbi, do *Estadão*. Fuma o primeiro cigarro Galaxy do dia, toma o elevador que vai levá-lo à garagem do prédio e, apesar de ter sido vítima de uma tentativa de seqüestro, seis anos antes do ocorrido com Washington, ele dispensa segurança pessoal e vai guiando o próprio carro, um Ômega blindado, em um trajeto que nunca dura mais de meia hora.

Nesta segunda-feira o terceiro parceiro de Gabriel e Washington não virá à agência. O catalão Javier Llussá Ciuret, 68 anos, pulou da cama por volta das sete da manhã, tomou café, comeu uma fruta, queijo minas e um copo d'água. Meia hora depois deixou o apartamento do bairro de Alto de Pinheiros, onde mora com a mulher, Zvonka, a poucas quadras do prédio em que vive o único filho homem do casal, Javier Romano, de 35 anos. A filha mais velha e a caçula, Fernanda (37 anos) e Fabíola (32), moram no exterior. A do meio, Juliana, de 34 anos, vive na Vila Madalena, bairro vizinho de Pinheiros, onde dirige a loja em que vende os produtos de sua Marcenaria Llussá, sofisticada empresa de móveis de *design* exclusivo.

Tão reservado quanto Gabriel, Javier é quem toca o lado *hard* da agência. Com vasta experiência na área de planejamento e marketing, fez carreira na Kibon, montou com amigos a fábrica de sorvetes Gelato, foi diretor de planejamento e depois superintendente da DPZ Propaganda. É vice-presidente da W/Brasil desde o nascimento da agência e, a partir de 1998, passou a acumular a presidência da Holding Prax, criada para gerir todos os negócios do trio. Diferentemente da W/Brasil, na qual Washington detém 60%, ficando os demais 40% divididos igualmente entre Gabriel e Javier, na Prax o comando está dividido entre os três, em partes iguais. Gerindo verbas publicitárias de cerca de R$ 1 bilhão de reais anualmente, a Prax hoje controla, além da W/Brasil, a agência de *webdesign e* TI PopCom Blue Eagle, e detém entre 30% e 40% das agências Parra Promoções, Lew, Lara e Escala, esta sediada em Porto Alegre. Com o surgimento da *holding*, Javier dedica a maior parte de seu tempo à prospecção de novos negócios, o que levou os três a enveredar por atividades sem qualquer ligação com a propaganda, como a indústria de embalagens BigDrum, especializada na produção de cones de papel para sorvetes, e uma indústria de bebidas. Em 1998 a Prax adquiriu 55% da Dubar, uma tradicional e popular fábrica fundada no começo do século passado pela cervejaria Antarctica. Um de seus mais conhecidos produtos era o Fogo Paulista, um destilado feito a partir de infusão de ervas com teor alcoólico suficiente para derrubar um paquiderme. A bebida virou pôster, celebrizou-se e correu mundo em 1970, quando a cantora norte-americana Janis Joplin passou o Carnaval no Brasil e se deixou fotografar na praia da Macumba, no Rio, com os seios à mostra e bebendo no gargalo uma garrafa de Fogo Paulista – uma das quatro que ela confessou consumir diariamente durante a viagem. Meses depois, quando Janis Joplin morreu de *overdose* de heroína, nos Estados Unidos, o semanário *Pasquim* assegurou, com humor macabro, que nas vísceras da roqueira tinham sido localizados resíduos de algo identificado como "*Saint Paul's fire*" – o brasileiríssimo Fogo Paulista. O plano original era modernizar a Dubar, lançar alguns produtos novos, como o absinto Lautrec e a vodca Zvonka (assim batizada em homenagem à mulher de Javier), e depois revendê-la. O negócio se revelou tão rendoso, porém, que até hoje continua sob o controle dos três publicitários, produzindo cerca de 250 mil caixas de bebida por ano. Nos últimos meses Javier tem revezado sua jornada de trabalho entre a sede da Prax, em Pinheiros, e a agência, onde ele deixou uma mesa reservada para si e outra para sua secretária Íris del Picchia, a mais antiga funcionária da W/Brasil, ambas instaladas na metade engravatada do terceiro andar.

Sem a agitação, mas com a aparência de uma grande e moderna redação de jornal, o salão dos sem-gravata é responsável por um volume total de verbas de R$ 350 milhões, aproximadamente 35% do movimento total da Holding Prax. Deste lugar conhecido apenas como "a criação", nos últimos doze meses saíram anúncios suficientes para encher 621 páginas inteiras de revistas e de 195 páginas de jornais, 78 *outdoors*, 48 *spots* para rádio e 101 filmes para TV e cinema, com duração variável entre 15 e 240 segundos – o que significa que, se fossem somados, esses comerciais dariam cinco curtas-metragens de dez minutos de duração cada um. Isso sem falar dos mais de duzentos folhetos, cartazes e *displays*, embalagens e marcas. Esse mistifório de textos, imagens e áudios foi produzido para os atuais 35 clientes da agência, que vão desde gigantes como o Unibanco, a indústria de cosméticos Natura, a Sadia Alimentos e a fábrica de calçados Grendene, até empresas médias como o Café Santa Clara, a Universal Music ou a Stan Imóveis. Foi essa produção que colocou a W/Brasil entre as maiores agências do país, em faturamento, e uma das três mais premiadas do mundo. Nada mau para uma empresa que, ao abrir suas portas, em julho de 1986, tinha duas dezenas de funcionários, dez clientes e estava em um longínquo 47º lugar no *ranking*.

Mas não é apenas no item faturamento que a W/Brasil desperta admiração e inveja na concorrência. O diferencial, como costumam dizer os publicitários, está aqui, "na criação". Aqui nasceram alguns personagens que se incorporaram ao cotidiano do consumidor, como a adolescente do sutiã, cujo bordão ("O primeiro sutiã a gente nunca esquece"), segundo levantamento realizado para este livro, já foi adaptado mais de 3 mil vezes para títulos de jornais e declarações de polí-

Janis Joplin com a garrafa de Fogo Paulista, hoje propriedade da Prax, assim como a vodca Zvonka (ao lado).

ticos e personalidades. Coisas como "o primeiro voto a gente nunca esquece" (Cristovam Buarque, então governador do Distrito Federal), "a primeira alcachofra a gente nunca esquece" (o brasilianista Matthew Shirts, no *Estadão*), ou "a primeira Ferrari a gente nunca esquece" (Ayrton Senna). Nas eleições de 2004 a ex-prefeita de São Paulo, Luísa Erundina, de novo candidata ao cargo, recorreu ao bordão para um *spot* de rádio que dizia: "A primeira prefeita a gente nunca esquece". Mas a consagração viria com Pelé, que escreveu n'*O Globo* que "a primeira Copa a gente nunca esquece". O comercial produziu tamanho impacto que, em 2003, dezesseis anos depois de criado, acabou sendo parodiado por outro fabricante de sutiãs, a Wonderbra, que encheu as ruas de *outdoors* divididos em duas partes. Na primeira vinha a frase incompleta "O primeiro soutien [*sic*] a gente nunca..." e, na segunda metade, a foto de uma bela jovem de sutiã, com o fim da frase: "...Ih, esqueci". O quase plágio mereceria um anúncio resposta da Valisère, publicado em quatro páginas da revista *Caras*, em que lamentava a iniciativa do concorrente: "É triste ver uma frase que entrou para o dia-a-dia do brasileiro ser deturpada dessa maneira oportunista e grosseira".

Mas foi com a utilização de personagens reais que a criação da W/Brasil marcou seus gols mais lembrados. Anúncios feitos por ela colocaram políticos, como Paulo Maluf e Leonel Brizola, fazendo comerciais de sapatos Vulcabrás na televisão. Noutro filme, os criadores da agência convenceram o industrial Antonio Ermírio de Moraes, um homem de quase 1,90 metro, a se encolher para mostrar que até ele cabia dentro de um automóvel Fiat. Quando trabalhava nos anúncios de um novo modelo da motocicleta Kasinski de 350 cilindradas, a dupla formada por Rodrigo Leão e Fábio Meneghini animou o dono da fábrica, Abraham Kasinski, de 82 anos de idade, a aparecer na TV como um autêntico motoboy, pilotando uma moto em alta velocidade e dando cavalos-de-pau em uma pista de corrida – cenas vividas, naturalmente, por um dublê. Em uma série de comerciais para as camisetas Hering, Olivetto conseguiu colocar na televisão, batucando em

Kasinski, aos 82 anos: cavalos-de-pau na TV para vender sua nova moto.

caixas de fósforos e cantando versos do samba *Com que Roupa*, de Noel Rosa, desde o cirurgião Ivo Pitanguy até o pugilista Maguila, passando pelos cantores Jorge BenJor, Baby Consuelo e Erasmo Carlos, o jogador de futebol Renato Gaúcho, o escritor João Ubaldo Ribeiro, os atores José Celso Martinez Correia, Fernanda Montenegro, Camila Pitanga, Monique Evans e o carnavalesco Joãosinho Trinta – um ecumênico elenco encerrado por... Washington Olivetto. Em 1987, quando a agência ainda se chamava W/GGK, o redator Nizan Guanaes e o diretor de arte Kélio Rodrigues puseram nas rádios brasileiras o presidente mundial da Sony, Akio Morita, e o cantor espanhol Julio Iglesias pedindo contribuições aos brasileiros para o projeto de restauração do Pelourinho, em Salvador. Mas a glória viria em maio de 2000, quando os telespectadores do horário nobre depararam com o bilionário americano Bill Gates, criador e dono da Microsoft, fazendo propaganda para o Unibanco nos intervalos das novelas. Como a Microsoft e o banco estavam iniciando uma parceria, os contatos da agência com Gates foram facilitados e o combinado com seus assessores foi que ele leria um texto em inglês de menos de dez segundos, que na versão final do anúncio seria legendado. Eram apenas 38 palavras:

> *O Unibanco e a Microsoft estão juntos num sistema de home-banking que é simplesmente demais. Você deveria ter um. É como ter um banco inteiro em cima da sua mesa.*

Nesse momento ele fazia um ar de dúvida e arrematava, olhando para outra câmera:

> *Por que meu banco não pensou nisso antes?*

Na hora de aprovar o texto com a equipe de produção enviada do Brasil para a sede da Microsoft na Califórnia, Bill Gates topou enxertar um caco dirigido a "Renata e Luiz André", os personagens que viviam o "casal Unibanco". Isto acertado, os técnicos o esperaram com tudo pronto em um estúdio alugado. Em um cenário que reproduzia o escritório de Gates, a luz e o áudio já tinham sido medidos e testados, e diante da cadeira onde ele se sentaria foi instalado o *teleprompter* – aparelho que permite à pessoa, olhando para a lente da câmera, ler o texto sem que o telespectador perceba. O homem mais rico do mundo tinha concedido apenas cinco minutos para a gravação: era chegar, ler o texto e ir embora. Quando ele pôs os pés no estúdio os brasileiros gelaram: sem saber que o dono da Microsoft mede 1,78 metro, eles haviam montado o estúdio para alguém com mais de 1,90 metro, que supunham ser a estatura dele. Cheios de dedos, os técnicos explicaram-lhe que, como a câmera e o *teleprompter* teriam de ser abaixados em alguns centímetros, os iluminadores precisariam de pelo menos mais quinze minutos para reajustar a luz. Gates percebeu o desconforto da equipe e tomou a iniciativa, sorridente:

– No problem, guys. Will there be a phone directory here, no?

Lista telefônica? Mas para que ele queria uma lista telefônica? Para ligar para alguém? Não, ele respondeu: para sentar em cima. Bastava empilhar alguns daqueles calhamaços sobre o assento da cadeira e pronto, o problema estava solucionado. Seus dois pés iam ficar balançando no ar, mas isso a câmera não ia pegar. O resultado final compensou o esforço: semanas depois os telespectadores foram surpreendidos com o que parecia ser apenas mais um comercial da série "casal Unibanco". Renata está na sala de casa vendo TV quando Bill Gates aparece na tela. Ela chama o marido para ver o americano fazer propaganda do banco, de novo em inglês, com legendas em português:

– O Unibanco e a Microsoft estão juntos num sistema de home-banking que é simplesmente demais. Você deveria ter um.

Luiz André se espanta:

– *Mas esse aí não sou eu! É o Bill Gates!*

Renata:

– *Quem?*

– *O dono da Microsoft. Rê, então nós não somos mais o novo casal Unibanco?!*

Em uma tirada cheia de *nonsense*, Bill Gates os interrompe:

– *Eu gostaria de dizer "oi" para o novo casal Unibanco. Renata e Luiz André, oi!*

Renata:

– *Sou eu!*

Antes que o ano terminasse, o filme tinha arrebatado o prêmio do Clube de Criação de São Paulo e o "Profissionais do Ano", atribuído pela Rede Globo. Nem todas as grandes sacadas, claro, conseguiam gente com o bom humor e a disposição de Gates. Em 1990 a W/Brasil fazia a propaganda das indústrias Guararapes, que tinham lançado a Wollens – uma camisa social de boa qualidade e preço baixo. "Uma camisa de bancário?", perguntou Washington ao gerente de marketing da Guararapes que lhe passava o *briefing*. "Isso mesmo", respondeu o cliente. A idéia nasceu na hora:

– Então vamos fazer um comercial com o bancário padrão, o bancário-símbolo, aquele que começou de baixo e construiu o maior banco brasileiro: Amador Aguiar, o dono do Bradesco. Se ele topar, só para o pessoal do banco a gente vende 40 mil camisas. É um negócio da China.

Para quem já tinha Antonio Ermírio, Akio Morita e Paulo Maluf no *cast*, pareciam favas contadas. Mesmo sabendo que Aguiar era um

Espantado, Luiz André diz a Renata: "Mas esse aí não sou eu! É o Bill Gates!". Era ele mesmo.

homem conservador, que não permitia que os funcionários do Bradesco usassem barba ou tivessem os cabelos abaixo do lóbulo da orelha, Washington foi a caráter à Cidade de Deus, bairro de Osasco (SP), onde fica a sede do banco: sapatos coloridos combinando com a gravata, meias listradas e cabeleira desgrenhada. Uma funcionária o conduziu até um acanhado cômodo anexo ao salão da diretoria, onde havia dois sofás pequenos e uma mesa, sobre a qual ele viu um naco de parmesão, uma faca de cortar queijo, uma garrafa térmica e duas xícaras. Atrás da mesa, de camisa social sem gravata e usando sapatos sem meias, o banqueiro o esperava. Washington foi direto ao ponto: a agência já convencera outras personalidades a encenar anúncios e agora tinha um cliente, que fabricava uma camisa social, e queria homenageá-lo como símbolo dos bancários e do trabalho... Amador Aguiar ouviu tudo em silêncio. Quando achou que era chegada a hora, Washington aprontou o bote:

– Eu imaginei que o senhor seria a pessoa ideal para aparecer nessa propaganda. Inclusive escrevi este textinho aqui, mas o senhor pode mexer nele à vontade. Posso ler?

Diante do assentimento do banqueiro, ele deu tudo de si naquela interpretação de trinta segundos:

> *Todo mundo diz que eu trabalho muito, e realmente o trabalho é a minha vida. Agora estou aqui fazendo esta publicidade, mas isso é trabalho. Deu trabalho para mim e para as pessoas que estão aqui filmando. É um anúncio desta camisa que estou usando. Uma camisa boa, o preço que pedem por ela é correto e, afinal, todo mundo deve trabalhar ajeitado, bem arrumado. Com uma camisa destas, por exemplo. O dinheiro que eu receber por este anúncio vou doar para uma instituição de caridade. Então, se comprar uma camisa destas, além de estar muito bem servido, você vai ajudar a fábrica a crescer, a dar mais empregos para mais pessoas. Ah, e ainda vai ajudar uma instituição de caridade, não é mesmo?*

O garoto-propaganda Antonio Ermírio: como colocar um homem de 1,90 metro dentro de um Fiat.

Retomou o fôlego e perguntou:

– O senhor gostou?

Amador Aguiar sorriu:

– Sim, gostei. Muito bonito.

Washington se animou:

– Quer dizer que o senhor topa fazer o comercial?

Não, Amador Aguiar não topava. E explicou que era uma pessoa discreta, quase reclusa:

– Ninguém nem sabe como eu sou, como é a minha cara. Eu raramente viajo para não ser visto em aeroportos. Desculpe, mas não posso aceitar. Imagine, meu filho, eu aparecendo na televisão na hora do jantar.

Washington ainda insistiu mais uma, duas vezes, e afinal jogou a toalha. Quando se preparava para sair, o banqueiro o conteve com a mão:

– Se você prometer que não fala mais nisso, eu o convido para ficar aqui mais um pouco e compartilhar comigo este delicioso parmesão que acabei de receber. Aceita?

A conversa durou mais uma hora e meia, regada a parmesão e café de garrafa térmica. Falaram de propaganda, bancos e negócios, mas o anúncio não saiu. O que Washington chama de lema da W/Brasil ("Nós não convivemos com o impossível") tinha sido batido. Contudo, não foi apenas em cima de nomes consagrados que a W/Brasil construiu seu sucesso. Ao contrário, alguns dos astros mais requisitados pela televisão e pela publicidade da atualidade estrearam fazendo comerciais para a agência quando ainda eram desconhecidos do público. Além de Carlos Moreno, o "Garoto Bombril", que entrou para o *Livro Guinness de Recordes* pelo tempo de permanência no ar, a W/Brasil lançou o ator Victor Fasano (que aparecia comprando *lingerie* Valisère para a namorada), a adolescente Patrícia Lucchesi (celebrizada pelo comercial do primeiro sutiã), a atriz Letícia Spiller (comercial para as lojas Fotoptica) e a modelo Fernanda Lima (chocolates Garoto). E, claro, o "casal Unibanco", que em dez anos de vida foi encenado sucessivamente por Felipe Pinheiro e Kátia Bronstein, Bianca Byington e Pedro Cardoso, Drica Moraes e João Camargo, Luiz Fernando Guimarães e Deborah Bloch até chegar ao último, vivido por Miguel Falabella e Deborah Bloch. Nas mãos da criação da agência até um animal ganhou ares de celebridade: o cachorro dachshund amestrado que trabalhou em diversos filmes para a fábrica de amortecedores Cofap, no começo da década de 1990 (na verdade, vários cachorros muito parecidos se sucederam ao longo do tempo).

Gabriel Zellmeister lembra que uma das mais bem-sucedidas estrelas atuais, a atriz Ana Paula Arósio, fez sua primeira aparição pública em um comercial para a indústria de cosméticos O Boticário quando tinha apenas treze anos de idade. E não é só das beldades que ele guarda recordações. Em 1988, a Associação Nacional de Produtores Fonográficos solicitou à W/Brasil uma campanha para estimular a compra de discos como presente para o Dia dos Namorados que se avizinhava. Ele pediu à produtora uma garota de uns doze anos, muito feia, que diria as seguintes palavras diante da câmera:

No Dia dos Namorados dê um disco de presente. Disco faz o maior sucesso. Eu só não dou um disco de presente para o meu namorado, porque eu não tenho namorado.

Quando trouxeram a modelo escolhida, Gabriel se espantou. Ele jamais vira uma pessoa tão feia. Com doze graus de miopia e outros tantos de astigmatismo, a menina era nariguda, tinha uma verruga no nariz, os dentes tortos e falava com fortíssimo sotaque caipira. Além do mais, tinha espinhas. O publicitário se preocupou com o estigma que marcaria a garota depois que ela aparecesse na televisão como a "menina feia":

– Ela ia virar alvo de gozação dos colegas, ficaria marcada para sempre. O diretor, Júlio Xavier, e eu desistimos do anúncio como tinha sido imaginado. Se ela queria faturar um pouco com sua própria feiúra, o problema era dela. Nós estávamos fora. Decidimos que contra-

As estrelas lançadas pela agência tanto podiam ser um dachshund amestrado como uma beldade de 13 anos chamada Ana Paula Arósio.

taríamos uma menina bonita e a transformaríamos em feia com maquiagem e recursos técnicos.

E não foi só na frente das lentes que a W/Brasil produziu novos talentos em dezoito anos de atividade. Aqui engatinharam diretores de comerciais que acabariam se notabilizando como realizadores de longas, como Flávia Moraes, Cláudio Torres, Andrucha Waddington, João Moreira Salles e, os mais badalados de todos, Walter Salles Jr. e Fernando Meirelles, que concorreram ao Oscar como diretores de *Central do Brasil* e *Cidade de Deus.* Com esse invejável portfólio é compreensível que o sonho de nove entre dez jovens publicitários e estudantes de comunicação de todo o Brasil seja o mesmo: descobrir o caminho das pedras que leva ao cobiçado terceiro andar deste prédio. Um dos craques do restrito time de *superstars* da propaganda nacional, o baiano Nizan Guanaes, conta o que sentiu quando recebeu um telefonema de Washington, ainda na DPZ, logo depois de receber um prêmio para a campanha "Vem pra Caixa você também" – ou seja, quando ele, trabalhando na Artplan, já não era mais um calouro.

> *Me disseram que o Washington tinha cabalado votos para a premiação da minha campanha sem saber quem era o autor. Dias depois do anúncio do prêmio, o telefone tocou na Artplan. Era ele, que só me fez uma pergunta: "Você quer trabalhar comigo?". Eu pensei: esse cara está me gozando. É como ser chamado para jogar no Chicago Bulls! Em um só ano o Washington ganhou oito Leões em Cannes! Você imagina o que é um filme que ganha oito Oscar? É um negócio assombroso. A gente finge que é normal porque o Brasil é assim, mas é um feito fabuloso. Mas então esse cara me chama. Eu queria morrer. Foi como se uma bomba atômica explodisse no meio da tarde. Era um daqueles convites que ninguém responde dizendo que vai pensar. Não tinha o que pensar. Aceitei na hora.*

Como Washington e Gabriel não costumam disparar telefonemas a torto e a direito contratando novos nizans, o caminho normal para chegar lá é disputar uma das duas vagas permanentes de estagiário na criação – uma de redator e uma de diretor de arte –, privilégio cobiçado por jovens publicitários e estudantes de comunicação de todo o Brasil e até do exterior (em 2001 passou três meses por lá um redator vindo de Portugal). De vez em quando algum notável de outra área (ou o filho de um grande amigo dos donos) fura a fila e rouba uma das vagas, como aconteceu com a atriz Regina Casé, com o apresentador Luciano Huck, o jornalista Telmo Martino e a colunista e colunável Regina Ermírio de Moraes, todos ex-estagiários da agência. Cada candidato arranja um jeito de se apresentar. O paulista Gabriel Mahler, hoje redator da Grey&Trace de Madri, na Espanha, conta que, quando tinha quinze anos e ainda estava no colégio, viu Washington em um aeroporto, aproximou-se dele e pediu um estágio na agência:

– Ele prometeu que daria quando eu fosse adulto. Dez anos depois eu voltei lá, cobrei dele e consegui um estágio de três meses.

Nem todos têm a mesma sorte. Depois de fazer incontáveis vezes, a pé, o trajeto entre sua casa, no bairro do Sumaré, e a W/Brasil, em busca de um estágio, a estudante Patrícia Lobo perdeu as esperanças e mandou para Washington um presente insólito: embalado em uma elegante caixa de papelão brilhante, o publicitário recebeu o esbodegado par de tênis que ela gastou nas idas e vindas à agência, acompanhado de um bilhete: "Estou cansada de gastar sola de tênis à procura de um estágio na W/Brasil". Outro exemplo é de Antonie Nyenhuis, que tentou quatro vezes, sem sucesso, conquistar uma das vagas de estagiário. Na quinta recebeu um telefonema da agência acenando com a possibilidade de ser convocado dali a quatro meses. "Foi um dos dias mais felizes da minha vida", ele se recorda. "Fiquei três semanas sem sair de casa, esperando o telefone tocar." O telefone não tocou. Antonie acabou indo parar em uma agência pequena, e ao fim desistiu do sonho de trabalhar na W/Brasil ou em qualquer outra agência. Morando em Petrópolis, aos 34 anos ("quase o dobro da idade da W"), sua preocupação atual é conseguir um editor para o romance que está finalizando. A trama conta a história de um publicitário que passa

A embalagem dos tênis da estudante Patrícia Lobo, gastos nas caminhadas em busca de um estágio na W/Brasil.

anos trancado em casa, ao lado de um telefone, aguardando um convite de estágio de Washington Olivetto que nunca vem.

A atual dupla de felizardos é formada pelos estudantes Alexandre Sequera, vinte anos, redator, e Aldine Saad, dezenove, diretora de arte. Ao contrário do que costuma acontecer com a maioria dos estagiários, ele foi descoberto pela agência. Carioca, deixara a casa dos pais, no Rio, para estudar na Miami Ad School, pertencente à ESPM – Escola Superior de Propaganda e Marketing, na capital paulista. Um dia apareceu por lá o diretor de criação da W/Brasil, Ricardo Freire (também titular da coluna "Xongas", publicada pela revista *Época*), para avaliar trabalhos escolares dos alunos. Ao ver os textos de Alexandre, Freire imediatamente ofereceu-lhe o estágio. Aldine cursa o segundo ano do Instituto Municipal de Ensino Superior na cidade de São Caetano do Sul, no ABC, onde vive. Hoje ela e Alexandre participaram da criação de campanhas para a ONG Projeto Próximo Passo, destinadas a levantar recursos para tratamento de crianças deficientes, produziram um *display* para a nova coleção das sandálias Melissa e trabalharam em campanhas para a fábrica de chocolates Garoto (a prova infantil "Dez Milhas Garoto") e para as lojas FNAC ("Geração Inverno Aconchegante"). Amanhã vão participar de uma filmagem e assistir à gravação de um *spot* para rádio.

Como se já fossem da casa, os estagiários tinham direito a participar de um costume da agência, abolido "por razões de saúde", segundo Gabriel: o expediente se encerrava sempre às seis da tarde com uma *happy hour* em torno das mesas de Washington e Gabriel. Quem ficasse bebia de graça e podia escolher entre uísque escocês, energizante Red Bull, cervejas e vodca Zvonka. Na primeira semana de funcionamento da boca-livre, para que todos soubessem que o expediente tinha chegado ao fim – e que estava na hora de começar a beber –, às seis da tarde o sistema de som transmitia para todo o andar uma fita produzida por Washington: sobre a *Ave Maria* de Gounod ele mixou um barulho de pedras de gelo caindo em um copo. Hoje o papo pós-expediente permanece, mas a seco. É comum o patrão preparar surpresas "para a galera", como mandar comprar cem sorvetes e distribuí-los a todos, no verão, ou, no inverno, pedir bandejas e bandejas de uma iguaria inesquecível: as coxinhas de frango do Frangó, tradicional botequim da Freguesia do Ó, bairro popular da capital.

Ainda há umas dez pessoas conversando fiado quando chega Javier, depois de um dia inteiro no escritório da Prax. Cabelos grisalhos, andar lento e ar bonachão, ele cumprimenta os sócios, saúda as demais pessoas, pega um salgadinho e os três se afastam alguns passos do grupo e passam a conversar sozinhos, em pé e em voz baixa, encostados em uma parede. Está em curso mais uma reunião da diretoria. Foram raras as vezes em que eles, em toda a história da agência, tiveram uma reunião formal, marcada por secretárias, com os três trancados em uma sala. "O que não dá para resolver em pé, no meio do corredor", explica o implacável Javier, "é porque não tem solução".

Já passou das sete da noite, a maioria dos funcionários foi embora, alguns faxineiros começam a fazer a limpeza do andar. Quase todos os computadores estão desligados – apenas aqui e ali se podem ver algumas pessoas diante da luz azul das telas, finalizando anúncios. Washington, Gabriel e Javier continuam reunidos no mesmo lugar, conversando em voz baixa. Se alguém pudesse ouvir o que os três falam, certamente iria concordar com uma pergunta para a qual nem os amigos nem o mercado publicitário têm resposta: como é possível que uma empresa tenha dado tão certo tendo como sócios pessoas tão diferentes entre si como os três donos da W/Brasil?

W/Brasil Verão 95

2

O pneu furou e ele virou um dos maiores publicitários brasileiros. Era 1º de abril.

Em uma ensolarada manhã de quinta-feira, 1º de abril de 1971, um automóvel Karmann-Ghia vermelho, modelo esportivo da Volks que fazia muito sucesso desde o início dos anos 60, descia vagarosamente a rua Itambé, no bairro de Higienópolis, em São Paulo. Na direção ia um rapaz de dezenove anos, cuja aparência revelava o que era a moda jovem naquele começo dos anos 70: jardineira jeans *sem camisa por baixo, tufos incipientes de barba espalhados pelo rosto, gaforinha castanha desgrenhada até os ombros. Nos pés sem meias, tamancos holandeses com alças de cor azul-acetinado. Quando passava no trecho entre as ruas Sergipe e Piauí, o motorista sentiu um tranco, encostou o carro na primeira vaga e descobriu que o pneu estava furado. Incompetente confesso para atividades manuais, saiu em busca de um telefone para pedir socorro. A primeira porta que encontrou aberta estava ali, a cinco passos de onde o carro adernara. Era uma casinha modesta, geminada com a vizinha, sobre cuja porta havia uma placa pequena onde estava escrito* HGP – Publicidade. *O rapaz bateu os tamancos nos cinco degraus que levavam à portaria, mas na hora h mudou de idéia. Em vez de pedir para usar o telefone, respondeu sem pestanejar ao delicado "o que o sr. deseja?" da recepcionista:*

– Falar com o dono.

Naquele exato instante passava por ali Juvenal Azevedo – um dos donos –, que estranhou primeiro a indumentária e depois a atitude do visitante:

– Eu sou o dono. O que é que o senhor quer?

– Olha, eu queria que o senhor me desse uma oportunidade de trabalho aqui. Eu quero trabalhar em publicidade, estou até estudando isso...

Azevedo continuava sem entender direito, e o sujeito matracando:

– Acho que posso bolar uns anúncios geniais para o senhor, tenho certeza de que vou ser muito bom nisso...

O dono da agência dava a conversa por encerrada e retornava a seus afazeres quando o estranho fez a última tentativa e confessou que mentira:

– Só entrei aqui porque furou o pneu do meu carro na sua porta. Acho melhor o senhor me dar esse emprego, porque meu pneu não costuma furar duas vezes no mesmo lugar.

Ganhou o emprego, garante Juvenal:

– Pode começar hoje mesmo como estagiário. Se der certo, a agência te contrata.

Menos de dois anos depois, o tipo colorido e extravagante que a pequena Harding Gimenez Publicidade acabara de acolher, então um medíocre e desinteressado estudante de Comunicações, seria celebrado como um dos papas da propaganda no Brasil. Seu nome: Washington Olivetto.

Com pequenas variações aqui e ali, a história do pneu do Karmann-Ghia já deve ter sido publicada dezenas, talvez centenas de vezes em jornais e revistas daqui e do exterior. E o mais surpreendente é que ela parece ser mesmo verdadeira, a despeito de ter ocorrido em um 1º de abril, dia universalmente consagrado à mentira. Confrontada com as testemunhas localizáveis da época, não parece haver dúvidas: o Golden Boy da propaganda brasileira, como ele é chamado, começou sua brilhante carreira por mera casualidade. O que significa que, se o pneu do carro tivesse furado na porta de uma padaria, ele hoje talvez fizesse concorrência não à DPZ ou à Almap, mas ao grupo Pão de Açúcar. A verdade, no entanto, é que o colorido rapazola mal sabia o que era exatamente ser publicitário. De suas raras aparições nas salas de aula da FAAP – Fundação Armando Álvares Penteado, onde estudava Comunicações, apenas dois personagens deixaram lembranças. Um de-

Washington no começo
da carreira: cabeleira de *hippie*,
Maiakovski e Caetano.

les era o professor Rodolfo Konder, jornalista ligado ao Partido Comunista, um boa-pinta cujos olhos verdes encantavam as alunas – mas cuja pregação não seduziu o *hippie* sentado invariavelmente nas últimas cadeiras e que, contrastando com os bem cortados jaquetões de Konder, costumava aparecer na faculdade com uma capa plástica de liquidificador na cabeça, à guisa de chapéu.

Do alto de sua precoce pretensão, Washington achava que todos os professores "estavam por fora" e cada vez mais se convencia de que seu caminho pelo mundo ia atalhar os bancos de faculdade. Outro nome que chamou logo sua atenção foi o do redator Neil Ferreira, prodígio da propaganda que apareceu na FAAP para fazer uma palestra. Washington ficou impressionado com a agilidade mental e a articulação daquele sujeito magrinho, de calça *jeans* de veludo e cabelos cacheados, que além de inteligente fazia também muito sucesso com as mocinhas. "Na minha cabeça", diria muitos anos depois, "a lembrança do Neil era o que mais se aproximava do que eu supunha ser um publicitário." Fora isso, zero. Ele não tinha a menor noção de quem eram os papas da propaganda, quem trabalhava onde, nada. Jamais tinha olhado para um anúncio senão com olhos de consumidor.

Com o passar dos anos Washington acabaria acreditando que sua indiferença inicial pela profissão era apenas aparente, pois o destino já teria decidido que ele veio ao mundo para ser publicitário. O primeiro e, na opinião dele, óbvio sinal disso é a data de seu nascimento: 29 de setembro de 1951, dia de são Gabriel Arcanjo, santo considerado padroeiro dos publicitários por ter sido o escolhido para anunciar ao mundo que a Virgem Maria ia ser a mãe de Jesus. Até os quatro anos de idade, a infância de Washington não teve nada de especial em relação à de qualquer menino paulistano de classe média. Bisneto, por parte de pai, e neto, por parte de mãe, de imigrantes italianos oriundos da Ligúria, no norte da Itália, quando ele nasceu a família vivia na City Lapa, um bairro de classe média recém-urbanizado na região Oeste da capital paulista. Na lembrança dele, o lugar era o fim do mundo, "um matagal no final da Estrada da Boiada", nome que era dado àquela que hoje é uma movimentada avenida da Lapa. Seus pais eram a dona de casa Antonia e o vendedor Virso – assim mesmo, com V, dada a impossibilidade de o avô Paulo pronunciar a letra W do nome que pretendeu dar ao filho. Em imprudente reincidência, foi o velho Paulo quem decidiu que o primeiro neto iria se chamar Washington Luís – sujeitando o garoto ao risco de se chamar Váshingto. O nome era uma homenagem a Washington Luís Pereira de Souza, presidente da República entre 1926 e 1930, deposto por Getúlio Vargas na Revolução de 1930, a quem o avô conhecera durante uma viagem do chefe de Estado a Piracicaba, cidade paulista em que nasceu Paulo Olivetto.

Dono de grande habilidade manual, dom que herdou do pai e não transmitiu ao único filho homem, Virso Olivetto acabaria revelando especial talento para uma atividade que, esta sim, seria legada a Washington: vendas. A integral dedicação à profissão (ele estava desde a adolescência no ramo) tirou-lhe o tempo para estudar e ele só viria a terminar um curso superior, o de Direito, depois de maduro e pai de família. Mas não tinha do que se queixar. Ao contrário: o que ganhava como representante de grandes empresas de tintas e pincéis, como a Tigre e a Tintas Cil, era mais do que suficiente para oferecer conforto à família, educar bem os filhos, viver em casa própria e até ser dono de um *Preféque* – como eram conhecidos os pequeninos Ford Prefect, fabricados na Inglaterra. Sim, era um mecânico frustrado, mas Virso se orgulhava de exibir na lapela o broche de brilhantes que recebera por ter sido, por três anos consecutivos, o mais eficiente vendedor da Pincéis Tigre. A pequena estatura (ele era um pouco mais baixo que o filho) nunca o impediu de ser um esportista. Exímio nadador, troncudo e brigão, Virso chegou a ser campeão brasileiro de braço-de-ferro.

A condição de filho único foi um privilégio que para Washington durou até os quatro anos de idade, quando nasceu Ivani, sua única irmã, registrada com esse nome em homenagem à novelista Ivani Ribeiro. Até então o garoto reinara soberano não apenas na própria casa, mas por extensão na da tia Lígia, irmã mais velha de Virso. Casada com o também vendedor e também *oriundo* Armando Meloni, ela era diretora de uma autarquia médica e, sem poder ter filhos, acabaria cobrindo o sobrinho de todos os agrados – o que deixava os pais temerosos de que ele pudesse se converter numa criança mimada. Foi o marido de Lígia quem despertou em Washington a paixão que ele carregaria a partir de então: o futebol. Jogador de vôlei do Corinthians, em fevereiro de 1955 Armando convidou o menino para assistir à final da Copa IV Centenário de Futebol, que seria disputada no estádio do Pacaembu entre o Corinthians e o Palmeiras. Na véspera do jogo, o tio comprou para ele um minifardamento completo de goleiro, com tudo – inclusive as joelheiras – idêntico ao de Gilmar, o titular do arco do Timão. O resultado medíocre (o jogo terminou 1 a 1, com o Corinthians sagrado campeão por pontos) não impediu que Washington saísse do estádio convertido para sempre num fanático e radical corintiano.

A vida dos Olivetto corria sem maiores transtornos até que, no final de 1955, quando tinha quatro anos, Washington amanheceu um dia tomado por uma febre excepcionalmente alta. Depois de tentar as soluções domésticas, e preocupada com o significado daquilo, Antonia se socorreu da cunhada Lígia. Expedita, a tia levaria poucos minutos para sair da Aclimação, onde vivia, e chegar à casa da City Lapa. Colocou o sobrinho no carro e levou-o para o Hospital das Clínicas, onde, horas depois, as duas receberam o diagnóstico que todo pai daquela época temia um dia ouvir:

– Pode ser poliomielite. Ele tem de ser internado.

Mais do que qualquer outra doença, o fantasma da poliomielite assombrava pais e mães pelo mundo afora por uma única razão: não havia cura para o mal, cuja principal seqüela era a paralisia permanente de um ou mais membros do corpo. O maior avanço que a medicina tinha obtido até então, na luta contra o terrível vírus, era a vacina Salk, descoberta anos antes pelo cientista norte-americano Jonas Salk, mas sabidamente um produto de discutível eficácia. O remédio que derrotaria definitivamente a pólio – a vacina Sabin, descoberta pelo norte-americano de origem russa Albert Sabin – só viria a ser testado em algumas regiões do mundo, e sob rigoroso controle da Organização Mundial de Saúde, dois anos depois, em 1957. E só chegaria ao público em 1961, seis anos após a suspeita de contaminação de Washington.

Como não havia certeza se ele tinha ou não a doença e se ela era contagiosa, a primeira e mais dramática prescrição foi decretada ainda no hospital: tão logo tivesse alta, Washington teria de ser separado da irmãzinha recém-nascida, Ivani, para evitar que ela também se contagiasse. Sem que jamais se viesse a saber se o garoto tinha de fato contraído o vírus, a verdade é que ele não conseguia mais andar, e assim permaneceu um ano imobilizado numa cama. Retirado da casa dos pais, Washington passou a viver com os tios Armando e Lígia – providência que não era tão má, lembraria ele cinicamente cinqüenta anos depois, já que o padrão de vida dos tios era superior ao de Virso e Antonia. Apesar das intermináveis sessões de fisioterapia, do asfixiante tira-e-põe de cobertores quentes sobre o corpo (mesmo sob verões escaldantes), apesar de não poder se locomover sozinho, Washington parecia ainda não ter percebido que era diferente dos outros meninos. A cruel revelação ocorreu num domingo, quando os tios o levaram a um circo. No final da função, os palhaços Arrelia e Pimentinha deram as mãos a meninos e meninas da idade dele e saíram puxando o colorido e barulhento cordão em volteios pelo picadeiro. À única e solitária exceção de Washington, todas as demais crianças entraram na roda. Só então ele entendeu por que, ao contrário dos outros, só usava meias, sem sapatos: quem não pode andar não precisa de sapatos. Dessa descoberta ficaria apenas, garante ele, a lembrança de que "aquele foi um dia muito ruim".

Preocupados em oferecer ao garoto os serviços dos melhores especialistas no assunto, pais e tios gastaram o que tinham e o que não tinham nos caríssimos tratamentos a que ele era submetido. Para diminuir o enfado que a vida reclusa impunha a uma criança de quatro anos, Washington era cercado de mimos e paparicos especiais: o primeiro brinquedo movido a pilhas que ele viu, por exemplo, foi um presente dado pelos tios: uma miniatura importada de um Ford Thunderbird, cuja capota abaixava e levantava a um comando do dono. Além disso, a tia tentava distraí-lo contando historinhas e colocando discos na vitrola, nome dado à época aos aparelhos de som. Ensinou-o a ler e escrever com tal rapidez (e eficiência) que, mal completara cinco anos, Washington já havia devorado, um por um, os dezessete volumes da obra infantil de Monteiro Lobato. Depois vieram os coloridos e ilustradíssimos moicanos de James Fenimore Cooper e o *Winnetou* de Karl May, mas o que ficaria para sempre na memória seriam Emília, o Visconde de Sabugosa e os demais personagens do Sítio do Pica-Pau Amarelo. A sonoplastia também parece ter dado resultados: não era incomum Washington surpreender médicos e fisioterapeutas cantando o baião *Kalú*, de Humberto Teixeira ("Kalú, Kalú/ Tire o verde desses óio de riba d'eu..."), ou o melodramático bolero *Risque*, de Ary Barroso ("Risque, meu nome do seu caderno/ Já não suporto esse inferno/ Do nosso amor fracassado..."), imortalizado pela voz de Linda Batista.

Mais forte que a dor de se saber diferente foi a alegria de voltar a ser igual. Washington não se esquece do dia em que, no meio de uma consulta corriqueira com o médico Valdomiro Lefebvre, começou a dar passos sem a ajuda de ninguém. Deu um, dois, três... e saiu andando pelo consultório da rua Oscar Freire. Ao fim de um ano terrível, o castigo chegara ao fim. Ele ainda teria de usar botas ortopédicas corretivas por algum tempo, mas o que importava era que seria de novo um menino normal, que não dependia mais de ninguém para andar e correr, como qualquer outro da sua idade. Passados quase cinqüenta anos do episódio, o publicitário ainda se lembraria daquilo com algum otimismo:

– Eu desaprendi a andar. Fazia tão pouco tempo que eu aprendera a andar, quando a doença me pegou, que ficar um ano parado me fez esquecer como era. Mas, fazendo as contas, saí no lucro. Saí sabendo ler e escrever e com uma vontade louca de fazer esportes.

Quando Washington deixou o doce exílio com os tios, a família havia se mudado para uma casa maior, no bairro do Tatuapé, na zona Leste de São Paulo. Ele então foi matriculado num colégio de freiras da rua Tuiuti, o Educandário Espírito Santo. O drama que o filho tinha vivido não tornou Virso um pai menos exigente. "Você está mimado demais", repetia sempre, "e não pode esquecer que o importante nesta vida é estudar e trabalhar". Eram advertências desnecessárias, já que o ano inteiro de leitura o colocava à frente da maioria dos colegas.

Aos seis anos, Washington foi vítima, segundo suas palavras, "de uma outra febre que assolava o Brasil, chamada Mário Mascarenhas". Mais que uma moda, Mário Mascarenhas foi um fenômeno musical que se incorporou à cultura da classe média brasileira entre meados da década de 1940 e final da seguinte. Acordeonista festejado, com formação nos Estados Unidos, casado com a vedete Conchita Mascarenhas, ele inventara um método rápido e infalível de aprendizado de acordeom. Incapaz de atender à demanda de interessados, Mascarenhas criou um sistema que décadas depois seria conhecido como *franchising*: autorizava músicos renomados a aplicarem seu método de ensino, desde que fosse mantida a pomposa marca original de "Academia de Artes Mário Mascarenhas". Primeiro surgiram "academias" no Rio, onde o músico vivia, depois foi criada a de São Paulo e logo vieram outras em várias capitais brasileiras. No fim, professores de música de todos os cantos se apropriaram do método e passaram a aplicá-lo em seus alunos. Virso e Antonia tomaram conhecimento da existência de Mário Mascarenhas (e de seu miraculoso método) quando, encantados, o viram na televisão regendo centenas de crianças em um estádio, todas tocando acordeom. O casal nunca tivera dúvidas a respeito dos pendores musicais do filho – afinal, não era toda criança de quatro, cinco anos que conseguia cantar, com afinação, versos dramáticos e cafonas extraídos de boleros de David Nasser e Ari Barroso. E o endereço certo para os talentos musicais buscarem seu destino não era outro senão o de dona Diva, professora particular que adotava o método Mário Mascarenhas, para onde o menino foi encaminhado.

Tão seguros estavam os pais dos dotes do rebento que compraram para ele o que era considerado o *top* de linha em matéria de acordeons: um Scandalli de 120 baixos (isso quando se aconselhava às crianças iniciarem com os chamados "pé-de-bode", de modestos oito baixos). Só quando Washington abriu o presente é que os pais perceberam que haviam exagerado: artista e instrumento eram quase do mesmo tamanho. O certo é que aos doze anos o menino, depois da formação inicial na Mário Mascarenhas, tornou-se o mais jovem diplomado da turma de acordeonistas do Conservatório Musical Heitor Villa-Lobos. No dia da formatura, em cerimônia realizada no Teatro Municipal de São Paulo, Washington foi escolhido para tocar um solo, executando *O Guarani*. A julgar por testemunhos da época, inclusive do próprio, nenhum verbo seria mais adequado que "executar", para o estrago feito por ele na obra do ilustre compositor campineiro. Naquela única apresentação pública nasceu e morreu o acordeonista Washington Olivetto. Mas ainda assim o tempo não fora perdido: afinara sua sensibilidade musical, aprendera um pouco de teoria e até conseguia, com facilidade, ler partituras. E, ainda que não tivesse se tornado um músico, pelo menos fora integrado ao mundo musical – o que exerceria grande influência na sua carreira de publicitário. "Herdei dos tempos de conservatório", diria ele muitos anos depois, "a beleza das melodias que ouvia pelos corredores."

Após frustrar o sonho familiar de ter um virtuose em casa, Washington tentaria realizar o seu projeto pessoal: praticar esportes. Desde que voltara a andar habituou-se a uma rotina diária: acordava às seis da manhã, corria para a quadra de basquete do Corinthians e ali ficava durante uma hora, sozinho, fazendo arremessos. Às sete horas voltava para casa, tomava banho e ia para a escola. Apesar de sua baixa estatura para um esporte onde triunfam os gigantes, ele queria isso mesmo: ser um astro do basquete. Gostava também de futebol, e nas horas vagas batia bola como um centroavante medíocre, mas seus ídolos de então eram Wlamir Marques, Amaury Passos, Rosa Branca e outros ases do selecionado brasileiro de basquete que em 1959 venceria um campeonato mundial. Especialmente Wlamir, a quem viu jogar, numa das visitas ao avô em Piracicaba, onde também vivia o atleta, e que viria conhecer depois, quando o jogador transferiu-se do XV de Novembro local para o Corinthians (o neto de Wlamir, Fernando, estagiou na W/Brasil). Assim como a do músico, a carreira do atleta também ia durar pouco: durante um jogo no Colégio São Luiz, na avenida Paulista, Washington sofreu uma falta que arrebentou o menisco do seu joelho direito, tirando-o definitivamente de campo.

De todas as experiências da infância, a que mais apareceria na adolescência, porém, seria o prazer da leitura. Apesar de péssimo aluno, lia na escola o que mandavam – seja no Colégio Agostiniano, onde fez o que então se denominava Ginasial, ou no Paes Leme, onde cursou o hoje extinto Clássico – e lia o que ele mesmo ia descobrindo. O problema é que, terminado o colégio, ele não sabia direito o que fazer da vida. Sem opção definida, atirou a esmo, prestando quatro vestibulares: de Comunicações na USP (que ainda não oferecia curso específico de Publicidade), de Psicologia na PUC, e de Publicidade e Propaganda na FAAP e numa pequena faculdade instalada na rua Pará, em Higienópolis, e que depois se transformaria na atual Anhembi. Só não conseguiu entrar na PUC, e acabou optando por fazer dois cursos simultaneamente: de manhã freqüentava – quando dava, claro – o da rua Pará, e de noite o da FAAP.

Como prêmio pela vitória nos vestibulares, Washington ganhou do pai um Fusca verde. Um carro de segunda mão, mas o suficiente para as paqueras na saída da escola. Pouco tempo depois a sorte o ajudaria a pular alguns degraus na escala do *status* automobilístico. Deu-se que o tio Armando, bem-sucedido na vida, acabara de comprar o tal Karmann-Ghia vermelho, carro para deixar qualquer um de boca aberta – menos tia Lígia, que considerava simplesmente um desfrute o marido, um cinqüentão bem-apanhado, andar para cima e para baixo num carro esportivo de dois lugares. E, ainda por cima, vermelho. Tantas ela fez que acabou convencendo o marido a comprar para si um carro novo, mais discreto e supostamente mais adequado a um ho-

Acima,
Washington
no dia do batizado,
com a avó Judite,
a tia Lígia,
a mãe e o tio Armando.
Ao lado, no colo
da mãe.

No alto, Washington com o pai, Virso.
Abaixo: no Rio, com o tio Armando
e no dia da primeira comunhão.

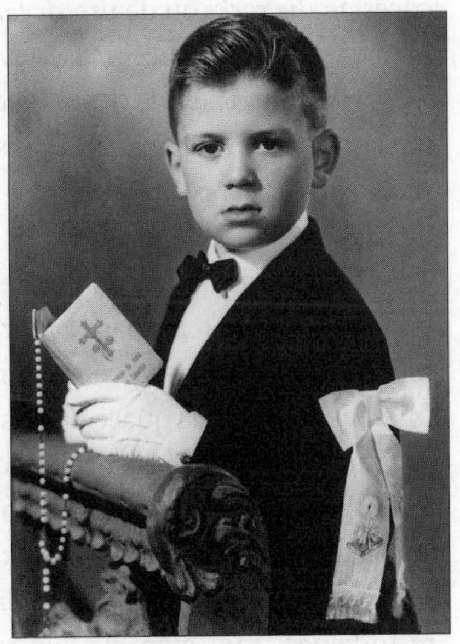

mem da sua idade. Sim, mas o que fazer do bendito Karmann-Ghia? Foi assim que aquela "jóia", como eram chamados os carrões de então, caiu no colo do estudante Washington Olivetto. E foi esse o veículo cujo pneu furou em abril de 1971 na porta da HGP Propaganda.

Até virar estrela da propaganda, Washington fez o que faziam os jovens da sua idade que não tinham ido para a militância política: amava os Beatles e os Rolling Stones, fumava maconha e haxixe, tomava LSD e consumia uma maçaroca cultural que ia do poeta russo Vladimir Maiakovski ao bruxo Carlos Castañeda, passando pelo concretismo de Décio Pignatari, pela poesia *underground* de Roberto Piva e pela arte lisérgica do pintor Antonio Peticov – tudo isso ao som da guitarra dos baianos. "Eu estava na turma que batia palma pro Caetano, no Tuca, em 68", ele relembraria tempos depois, "enquanto a maioria estava na turma dos que jogavam tomate nele." Jamais chegou perto de cocaína, e com o tempo descobriu sozinho que nenhuma das drogas que consumira na juventude chegava aos pés de um bom uísque escocês *on the rocks* ou de um *dry martini* estalando de gelado. E embora não se ligasse em política, estava antenado no que acontecia no Brasil, sofria com o fato de o país viver sob uma ditadura brutal, sabia que havia censura e gente sendo perseguida. Mas, como parte de sua geração, preferia a contracultura – e não a metralhadora – como arma de mudança.

Diz a lenda que já no primeiro trabalho ele ganhou um prêmio por um anúncio feito para a fábrica de televisores ABC, dias após começar no emprego – o prêmio seria uma prosaica garrafa de licor. Não foi bem assim, mas quase. Havia de fato em São Paulo um concurso organizado pelo colunista Cícero Silveira, do jornal dominical *Shopping News*, que premiava o criador do melhor anúncio da semana com a tal garrafa de licor, mas na verdade Washington só a ganharia com seu segundo trabalho. O primeiro foi um anúncio para a seguradora Indiana – que, além de não receber prêmio algum, quase passou despercebido, pois seria veiculado uma única vez, muitos meses depois de criado, e ainda assim em uma edição da desconhecida revista *Etapas*, de circulação restrita aos sócios do clube paulista Sírio Libanês, cuja capa tinha sido dedicada ao casamento de Cláudio Afif Domingos, um dos filhos do dono da seguradora. O título dizia: "Seguro é como whisky. Se é bom não dá dor de cabeça." O detalhe curioso é que o anúncio é ilustrado com a foto de uma garrafa de uísque Haig ao lado de um copo com pedras de gelo, em um involuntário *merchandising* em que a marca do uísque aparece maior que o nome do anunciante. A primeira garrafa do licor Cointreau veio com outro anúncio, feito para os colchões Epeda, do qual Washington se considera apenas meio pai, já que foi um trabalho coletivo. Era a foto de uma louraça ao lado de uma cama com colchão Epeda sob o título: "Não estrague tudo na hora de ir para a cama". A oportunidade para ele ganhar a *sua* garrafa de licor iria chegar com o Dia das Mães de 1971. No anúncio para outro cliente da agência, a fábrica de televisores ABC, ao lado da foto de uma simpática velhinha, o título dizia: "Dê um televisor ABC para a primeira mulher da sua vida". Escolhido o melhor anúncio da semana, assegurou ao estreante a cobiçada garrafa de Cointreau – que seria apenas a primeira. Nas semanas seguintes podia até faltar água na casa do publicitário. Cointreau, jamais, tal a profusão de garrafas do licor que ele abiscoitou. O reconhecimento foi imediato, e, antes que o mês chegasse ao fim, o patrão o chamou:

– Vamos te contratar.

O salário de R$ 2800 mensais não era o melhor do mundo, mas dava para ele dispensar a mesada que recebia dos pais. Abriu mão da contribuição de Virso, e continuou recebendo apenas a da santa tia Lígia. Washington apostava mesmo era no vaticínio feito por Juvenal ("você ainda vai ser um grande redator") e sabia que sua hora estava chegando. Seduzido pelo trabalho, desapareceu da faculdade para madrugar às sete e meia da manhã na porta da agência, antes mesmo que chegasse a funcionária encarregada de abrir a porta, e de lá só sair com noite fechada. "Sempre afinzão de trabalhar", ele se lembraria depois. "Se eu pudesse, ficava lá sábado e domingo também." A efervescência

No primeiro anúncio de Washington, um involuntário *merchandising* para o uísque Haig.

que ele provocou na agência fez Juvenal chamá-lo de novo para uma conversa em meados do ano. O patrão jogou limpo com o garoto:

– Nesta agência não vai acontecer grande coisa. É um pecado um cara como você ficar perdido aqui e nós não vamos ter como te segurar. Faça uma pasta com os anúncios que você criou aqui e vá atrás de uma agência grande, procure os bons diretores de criação, mostre seu trabalho...

Bons diretores de criação? Mas ele não conhecia nenhum. Aliás, Washington não conhecia ninguém na profissão. Publicitário, para ele, continuava sendo Neil Ferreira, que falara para os alunos da faculdade. Juvenal propôs dispensá-lo uma hora antes do final do expediente, todo dia, para que tentasse algo melhor. E contava nos dedos da mão os nomes dos craques da propaganda em cujas portas aconselhava bater:

– Procure o próprio Neil, procure o Ercílio Tranjan, o Hans Dammann, o Sergino. Leve suas coisas para o Alex ver.

"Alex" era como o gentio tratava sua santidade Alexandre José Periscinoto, o supremo sacerdote da propaganda criativa no Brasil, o homem da Alcântara Machado, uma agência que conseguia o milagre de ser a um só tempo grande e inteligente. Foi ele quem transplantou para o Brasil a revolução criativa que vivia a propaganda americana, liderada pela mitológica DDB – Doyle, Dane & Bernbach. Passados quarenta anos, o publicitário baiano Nizan Guanaes resumiria em poucas palavras o que a agência representou para a propaganda brasileira:

– A Almap mudou tudo, tal e qual a Bossa Nova, que aposentou os vozeirões, os versos empolados, e deu uma interpretação refinada ao samba.

Pois lá foi o cabeludo e cabeçudo estreante, levando sob a bata indiana seu portfólio – uma pastinha de papelão contendo os anúncios publicados e também os recusados que ele criara em sessenta dias de profissão – para o submeter ao colégio de cardeais da propaganda brasileira. Aparentemente movido por um ego já bastante desenvolvido, ele procurou primeiro, claro, o Vaticano – a Almap, a agência do Alex. Não foi agraciado com uma audiência papal, mas teve o privilégio de mostrar seus recortes e *layouts* para um craque do primeiro time de então: o esquálido e sorridente Sergino de Oliveira, diretor de criação da agência, que adorou o portfólio, mas não tinha verba para contratar ninguém. "A próxima vaga que surgir aqui", prometeu, "é sua, não se preocupe." A segunda porta parecia o oposto da primeira: ao contrário da Alcântara, que ocupava vários andares na avenida Paulista, esta era uma casinha branca de janelas e portas vermelhas, no começo da avenida Angélica, onde funcionava a Lage, Dammann Publicidade. Seu sócio-criador, Hans Dammann, um irônico alemãozão de fala mansa e modos aristocráticos, iniciava uma experiência que seria seguida por muitos de seus colegas – inclusive, muitos anos depois, pelo calouro que o procurava: trocar o patrão pelo negócio próprio. Mas Washington só percebeu que seu nome já estava correndo a praça quando entrou na sala de Ercílio Tranjan, diretor de criação da Denison:

– Não precisa se apresentar, o Juvenal e o Hans já me falaram de você. Deixa eu ver sua pasta.

Barba preta e humor de comunista (condição, aliás, de que era acusado), Ercílio Tranjan era o exemplo acabado da chamada "geração dos subversivos", publicitários de sucesso que eram assolados por problemas de consciência por estarem ajudando a consolidar um sistema que, ao fim e ao cabo, sustentava a ditadura militar. À medida que lia, Ercílio se mexia na cadeira, inquieto, como se recordaria depois:

– A Denison não estava contratando, mas fiquei tão impressionado que peguei o telefone e fui ligando para todos os amigos que imaginei. Para todos, repetia a mesma história: "Você tem que ver o trabalho desse garoto. É absolutamente fora de série".

Washington ainda conseguiu mostrar sua pasta para Neil Ferreira (que deixara a Norton, como Hans, para trabalhar na Proeme, de Enio Mainardi), para Luis Bueno d'Horta, diretor de criação da Standard Propaganda, e para Sérgio Graciotti, que acabava de ser contratado como diretor de criação da Lince Publicidade, agência que perdera 80% da conta do Banco Itaú para a recém-nascida DPZ e decidira investir em talentos criativos. No fim, Washington tinha nas mãos duas propostas concretas de trabalho: uma era da Standard, a outra da Lince. Como as ofertas de salário eram parecidas, ele preferiu a equipe de Graciotti, tido como um dos melhores criadores de comerciais para TV do país. A Lince, que funcionava num casarão da então pacata avenida Pacaembu, a poucas centenas de metros do estádio de futebol do mesmo nome, fora fundada vinte anos antes por Berco Udler, um refinado artista plástico nascido em Odessa, na Rússia, em 1923. Ao imigrar para o Brasil, trabalhou como caricaturista do *Diário da Noite* e em 1949 publicou seu primeiro álbum, com prefácio assinado pelo crítico Sérgio Milliet. Sua paixão pela pintura e pela gravação (ele chegou a ter obras expostas na Bienal e no MAM de São Paulo) acabaria contribuindo para que investisse, em sua atividade comercial, em talentos como Sérgio Graciotti, Jacques Lewkowicz, Clóvis Calia e agora no precoce Olivetto. Sim, ele mesmo. Exatos 120 dias após conseguir seu primeiro emprego, ele fora contratado por R$ 7500, um salário quase três vezes maior que o da HGP. Como o dia 1º de agosto, quando se iniciava o contrato, caía num domingo, Washington se preparou para começar na segunda, dia 2. "Sempre afinzão de trabalhar", chegou ao Pacaembu às oito da manhã, e estranhou a movimentação de pessoas e carros na entrada da agência àquela hora. Custou a acreditar quando lhe disseram para tocar para o cemitério israelita: o jovial Berco Udler, seu novo patrão, acabara de morrer de infarto.

A agência passou a ser tocada pela viúva, Mirta Udler, mas a orientação criativa dada pelo marido não mudou em nada. Graciotti constituiu duas duplas de criação: uma formada por Olivetto e pelo diretor de arte Nelo Pimentel, e a outra por Jacques Lewkowicz e Clovis Calia. Em seu terceiro mês de Lince (e sétimo de profissão), Washington viu-se diante da oportunidade de ter um comercial seu produzido de verdade – até então ele só chegara aos *table-tops*, uma indicação esquemática de como deve ser o filme. Agora era para valer. O cliente, fabricante das torneiras Deca, estava lançando um produto chamado mecanismo de vedação substituível, nome complicado para uma borrachinha que o usuário trocava quando a torneira estivesse vazando. O primeiro roteiro feito por Washington foi exibido aos colegas de criação, unânimes em dizer que era uma idéia original, bem sacada. Sua proposta mostrava uma torneira vista de baixo, de cujo cano caía um pingo a cada segundo. Então se filmaria aquilo com superclose para ficar grande, estourado na tela. E na hora em que cada gota caísse, ela se fundiria e virava um rio, virava uma cachoeira, virava um oceano, virava isso, virava aquilo. Uma voz em *off* anunciava: "A Deca está lançando a sua torneira com MVS, mecanismo de vedação substituível, que faz com que sua torneira esteja sempre nova" (e o pingo caindo, e fundindo-se nas cachoeiras). "Por isso, a partir de agora, se a sua torneira Deca vazar", continuava o *off*, "é porque você esqueceu de fechar." Aparecia uma mão que fechava a torneira, sendo que o último pingo seria chupado para dentro do cano. Tudo filmado com lente macro, para causar impacto. Quando foi submeter o roteiro ao diretor de criação, Washington entendeu por que Graciotti era o mais respeitado criador de comerciais de TV. "Do caralho", disse ele, "mas tira a cachoeira, tira o rio, o mar, tira essas coisas. Deixa só o pingão caindo e depois sendo chupado para dentro da torneira."

Aprovado pelo cliente, o filme foi entregue a uma das mais festejadas produtoras de então, a Blimp, dirigida por Guga de Oliveira, que deixara a direção de rádio e TV da Almap para criar sua própria empresa. Quando Washington voltou a ouvir falar do comercial do pingo d'água, meses depois, quase caiu da cadeira. Alguém, ele não se lembra quem, entrou na sala e anunciou:

– Seu comercial do pingo d'água acaba de ganhar o Leão de Bronze do Festival de Cannes de 1971!

Era a segunda vez que o nome do Brasil era pronunciado no pódio do mais importante festival de propaganda – cuja sede, originalmente, era em Veneza (de onde nasceu a inspiração para que um leão fosse o troféu). Na primeira, no ano anterior, fora a mesma Lince que recebera idêntico Leão por um comercial feito pelos irmãos Ruy e Laerte Agnelli para os amortecedores Cofap. Refeito do susto, Washington reagiu com uma frase de publicitário:

– Mas é meu primeiro filme e eu só tenho vinte anos! Quem errou: eu ou o júri?

Gracejos à parte, o certo é que o Leão conquistado em Cannes lhe assegurou aquilo que ele teoriza chamando de "extrapolar a visibilidade da mídia específica para a mídia geral". Ou seja, deixar de aparecer apenas em colunas de assuntos publicitários para entrar na mídia dos negócios, do comportamento e da cultura. No começo de 1972 ele já era visto como *a* revelação da propaganda brasileira. Recebeu uma nova investida de Luis d'Horta, que tentou seduzi-lo com mais e mais dinheiro para trocar a Lince pela Standard. Cada convite significava um gordo aumento, o que fez com que seu salário saltasse de R$ 7500 para R$ 18 mil em poucos meses. Um ano depois do episódio do pneu furado ele já multiplicara por dez seu ganho mensal.

Mesmo com o sucesso batendo todos os dias à sua porta, a Lince acabaria se ressentindo da ausência de seu fundador, Berco Udler. A experiência com Mirta Udler à frente da administração não dera certo, e o caminho apontava para uma fusão com outra agência como forma de sobrevivência. A escolha acabaria recaindo sobre uma empresa de porte entre o pequeno e o médio, mas muito provocativa e graficamente moderna, chamada Júlio Ribeiro/Mihanovich. Fruto da associação de dois craques – Júlio Ribeiro, um dinâmico administrador de agências, e Armando Mihanovich, pioneiro da diáspora que trouxe ao Brasil grandes diretores de arte argentinos –, a JR/M era lembrada como uma agência com o bom gosto gráfico da DPZ e o talento da Almap para televisão. Decidida a associação, Washington mudou-se com o pessoal da avenida Pacaembu para uma mansão branca na esquina da avenida Europa com a rua Groenlândia, no coração dos Jardins, onde todos passariam a conviver sob o teto da nova empresa, a JRM/Lince, que logo depois seria rebatizada como Casabranca. Foi lá que Olivetto conheceu um diretor de arte onze meses mas velho que ele, chamado Gabriel Zellmeister.

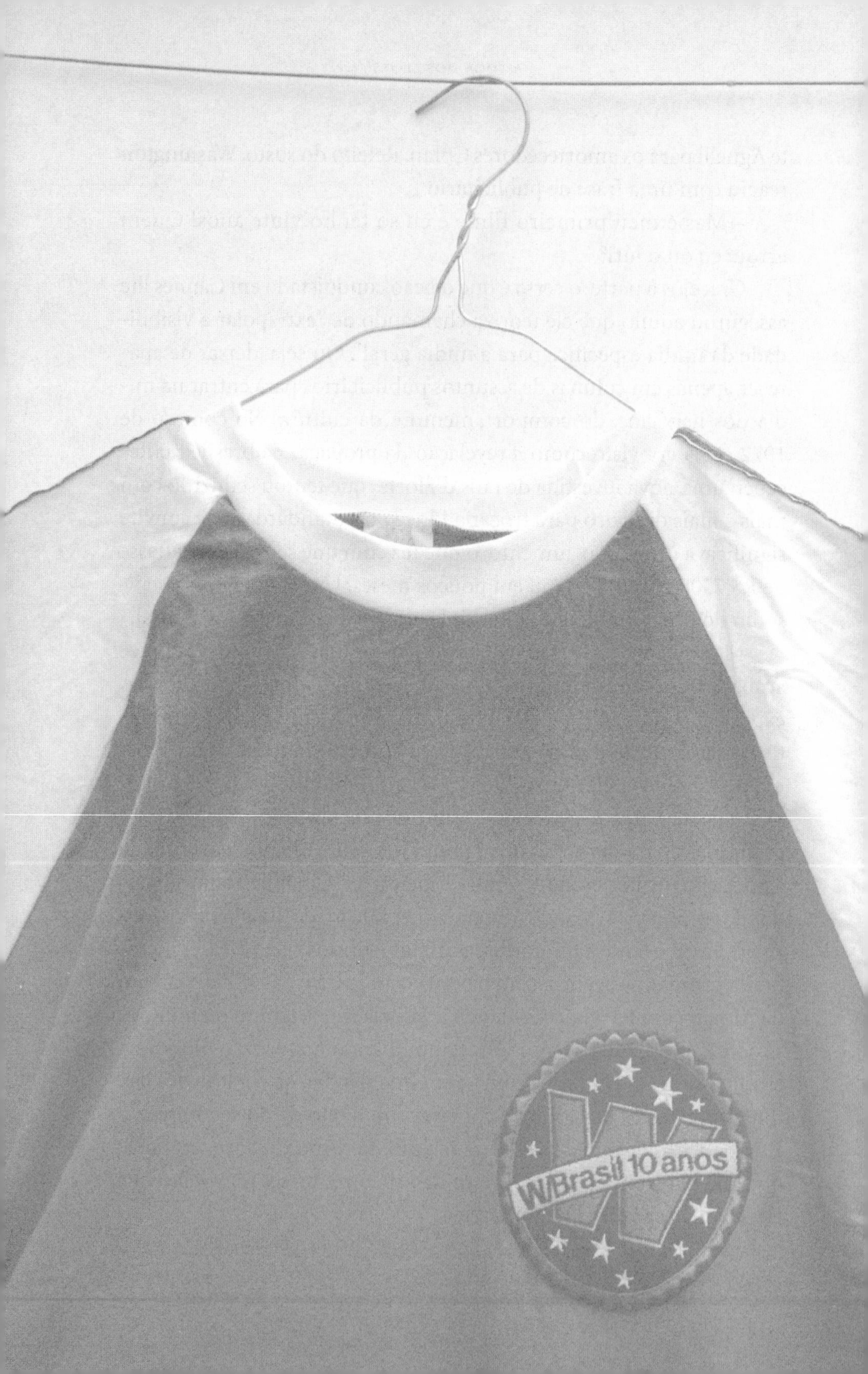
W/Brasil 10 anos

3

O louco da sombrinha vermelha
descobre a propaganda:
"Taí, esse negócio eu acho legal".

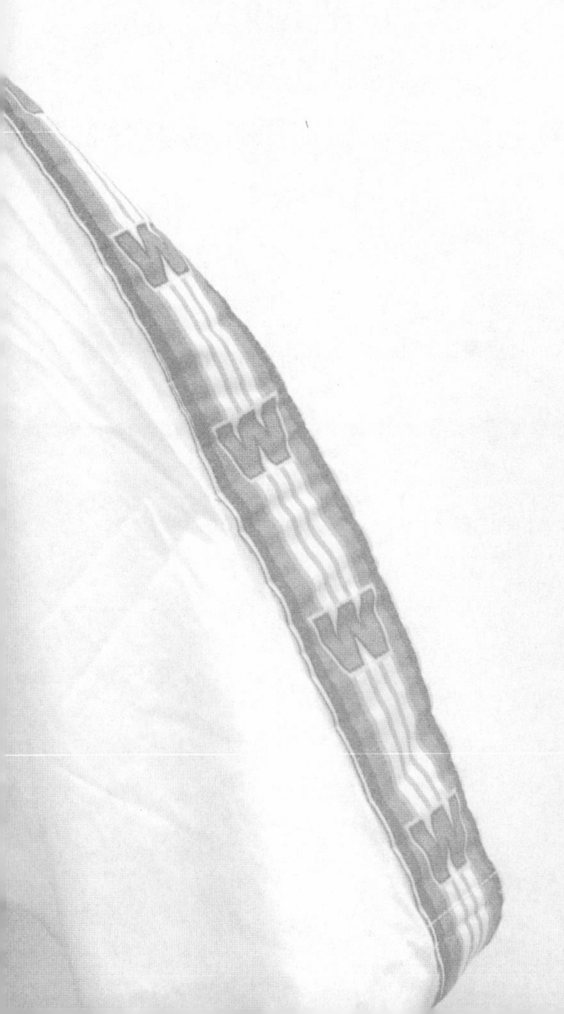

Apesar de serem quase da mesma idade, Gabriel Zellmeister e Washington Olivetto tinham histórias bem diferentes. Quando um bateu na porta da Harding Gimenez buscando um estágio, o outro já acumulava quatro anos de estrada, rodados em diferentes agências. A primeira delas foi a Delta Propaganda, uma pequenina empresa espremida em algumas salas da rua Matias Aires, no bairro da Consolação. Ali Gabriel, antes mesmo de completar dezoito anos, estreou em 1968 sua Carteira Profissional de Menor novinha em folha com um contrato de "auxiliar de estúdio" e salário mensal de R$ 300.

O silencioso e taciturno paulistano Gabriel Douglas Zellmeister vinha de uma família judia marcada por tragédias. Os pais, Sigmund Czellmajstr e Ruth Wolff, ele polonês, ela de origem alemã, se conheceram em um hospital militar, durante a Segunda Guerra Mundial, ela trabalhando como enfermeira e ele como médico. Apesar de jovens, ambos carregavam sentidas cicatrizes da vida. Sigmund fora preso em 1939, quando cursava o último ano de Medicina, por protestar contra o Pacto Germano-Soviético, com o qual a URSS e a Alemanha nazista dividiram a Polônia entre si. Levado a um tribunal, esmurrou o juiz e foi condenado a dez anos de prisão nos confins gelados da Sibéria. Quando já tinha cumprido metade da pena, viu-se convocado pelo exército de ocupação soviético para prestar serviços como capitão-médico num hospital de campanha na fronteira da Alemanha com a Polônia. Certo de que em qualquer outro lugar teria mais chances de fugir do que nas intransponíveis neves siberianas, Sigmund recebeu de bom grado a mudança. Foi lá que se enamorou de Ruth, que também vinha de duras perseguições: depois de penar temporadas em vários campos de concentração, ela conseguira fugir clandestinamente num trem fazendo-se passar por enfermeira, atividade que passou a exercer improvisadamente, mesmo sem conhecer nada do ofício. Em 1997, quando estava à beira da morte, Ruth deu ao filho Gabriel uma singela e profunda explicação sobre o que tinham sido aqueles tempos:

– Num vagão ou num hospital de campanha, sem instrumentos, remédios e sequer um anestésico leve, a maioria daqueles feridos estava irremediavelmente condenada à morte. Nessa situação, alguém que apenas rasga uma camisa menos suja para fazer uma nova atadura, que apenas acaricia a cabeça de um jovem soldado sem pernas se esvaindo em sangue e pânico, que segura a mão durante os últimos quinze minutos de um moribundo, ou que apenas limpa com água a ferida de um recém-nascido era tão eficiente – e bendito – quanto um médico. Até porque isso seria o máximo que qualquer médico poderia fazer numa situação daquelas.

Da paixão para a gravidez foi um pulo, e ao saberem que estavam esperando um filho, os dois decidiram fugir. Na primeira oportunidade escaparam juntos do hospital, com documentos falsos conseguidos por amigos, e partiram para uma marcha de mais de mil quilômetros que, saindo de Treptow, então território alemão, cruzaria parte da Polônia, da então Checoslováquia e da Áustria, e atravessaria o Adriático, para só então bater em Florença, na Itália, cidade que era vista como "boa para o comércio" e onde, sonhavam, o casal poderia tentar construir sua vida. A alegria pelo nascimento de Gabriela, uma linda menininha ruiva, seria brutalmente cortada: antes de completar um mês de vida a criança morreu, vítima de infecção hospitalar. Além da tragédia familiar, Sigmund foi detido pela polícia italiana quando negociava pedras de isqueiro contrabandeadas e corria o risco de ser entregue ao comando militar soviético e enviado para a Sibéria para cumprir o resto da sua pena. Quem acabou solucionando o problema foi Ruth, que negociou com os policiais italianos a liberdade do marido. A cidade perdera o encanto para o casal, e os dois decidiram partir para os Estados Unidos. As vigilantes autoridades norte-americanas, porém, não acreditaram naquela rocambolesca história do polonês fugido das forças soviéticas e, sob suspeita de ser espião, Sigmund viu-se impedido de embarcar para os Estados Unidos. Tomaram outro vapor e, supondo estar pisando em Buenos Aires, desembarcaram no Rio de Janeiro, mas para curta permanência. Atraído pela pujança de São Paulo e pela possibilidade de fazer negócios na cidade, logo depois o casal se mudaria, em caráter definitivo, para a capital paulista. Em algum ponto da fuga – na Itália ou na Alemanha –, Sigmund e Ruth trocaram o sobrenome Czellmajstr por Zellmeister, sem saber que criavam ali o nome de uma família só existente no Brasil.

A atividade de Sigmund como vendedor de relógios e bijuterias era suficiente para garantir o sustento da família que, anos depois da chegada ao Brasil, já vivia em uma casa própria de dois dormitórios no bairro do Itaim. Em 1947 nasceu Daniel André e, dois anos depois, Marco Rubens. Gabriel Douglas só nasceria em outubro de 1950. Em 1954 chegaria ao Brasil a avó materna, Martha Wolff, vinda de Israel – para onde tinha se mudado com o marido Julius após o fim da guerra e depois de perderem as esperanças de recuperar suas propriedades na Alemanha, confiscadas antes pelos nazistas e em seguida pelos russos. Martha deixou Israel após a morte de Julius, que não resistira à devastação provocada por várias doenças acumuladas em anos de trabalhos forçados, na Alemanha nazista. Pouco tempo após a chegada da sogra ao Brasil, Sigmund morreu em um acidente de automóvel na Via Dutra, em uma viagem de São Paulo para o Rio. Até a morte do pai, o polonês era a língua oficial da família – inclusive para as crianças. Português se aprenderia na escola, mas em casa o polonês era a língua oficial. A viuvez da filha mudou os planos da avó, que resolveu ficar definitivamente no Brasil para ajudar Ruth a criar os três meninos. Essa mudança familiar produziu outra alteração no dia-a-dia da casa: estava decretado o fim do polonês, a partir de então substituído pelo alemão como o primeiro idioma doméstico.

Além da ditadura idiomática, a presença da avó iria trazer para casa a notícia de um fantasma até então desconhecido para Gabriel: o anti-semitismo. A síndrome provocada por décadas de *pogroms* – os ataques e massacres organizados contra comunidades judaicas na Europa Central e Oriental –, campos de concentração e de extermínio de judeus ainda estava muito viva na memória da mãe e, sobretudo, na da avó. Os três garotos foram criados como se vivessem a iminência de uma nova guerra, martelados dia e noite pela mesma ladainha: "não se apeguem", "não façam amigos", "não se vinculem a ninguém, nós podemos ter de fugir" e "qualquer hora a gente está mudando" eram sentimentos incentivados e alimentados. Tamanho era o terror reinante na família que um dia a avó, que mal falava português, entrou em casa com os olhos saltando das órbitas e fuzilou o neto caçula com uma pergunta:

– Por que em todos os caminhões de lixo da cidade está escrita a palavra "judeu"?

Gabriel abriu e porta da rua a tempo de ver o caminhão que recolhia o lixo da vizinhança. Na carroceria estava pintada, em letras enormes, a frase "Ajudem a manter a cidade limpa". A única palavra que a velha Martha conseguira captar foi "ajudem", de fato muito parecida com *juden* – "judeus", em alemão. Para ela, a associação não deixava dúvidas: aos judeus, o lixo.

Levada pela viuvez a se responsabilizar pela educação dos filhos, Ruth assumiu os negócios do falecido marido, mas não se adaptou ao comércio de jóias, mudando-se após alguns anos para o ramo de vendas de óculos, armações, lentes bifocais, próteses para olhos e máquinas óticas para fazer lentes. Quando Gabriel fez sete anos foi matriculado numa escola pública. A mais próxima de sua casa era o Grupo Escolar Aristides de Castro, perto da avenida Santo Amaro, aonde Martha levou o franzino netinho, lavado e passado, no primeiro dia de aula. A contragosto, e por imposição da avó, Gabriel foi obrigado a entrar na escola sobraçando uma pouquíssimo masculina sombrinha vermelha. Enquanto os bedéis separavam novatos de veteranos, Gabriel pôde perceber que o ambiente ali era barra-pesada. "Só tinha bandido", ele se recordaria anos depois. "Havia alunos ali que eram filhos de assaltantes, bandidos mesmo." Tão logo sua classe foi formada, um baixinho parrudo que já repetia o ano pela segunda vez deixou claro que ali quem mandava era ele. Como prova de que não estava brincando, escolheu para vítima exatamente o magrelo cabeça-de-fogo que não largava a sombrinha de maricas. Caminhou na direção de Gabriel e, inesperadamente, passou a mão na sua bunda, dando uma gargalhada. O novato engoliu o ódio, agarrou-se à constrangedora sombrinha e continuou firme. Na fila para entrar no prédio, mais uma provocação: desta vez foi um tapinha na cara. No fundo da alma, Gabriel não se lembra de sentir medo, mas vergonha de se ver, ele, tão tímido, convertido no centro da caçoada geral. As filas indianas subiam em direção às classes do segundo andar quando o valentão, no penúltimo degrau, passou o pé por detrás de Gabriel, fazendo-o rolar escadaria abaixo.

A memória do garoto registraria poucos momentos do episódio. O primeiro é quando, caído no chão, ao pé da escada, ele olha para cima e vê dezenas de meninos e meninas às gargalhadas. Na segunda lembrança, Gabriel está em cima do agressor, martelando violentamente a cabeça dele com a sombrinha, que se desfazia a cada golpe, confundindo o vermelho do tecido com o sangue que esguichava do rosto do menino, que não reagia mais. Na terceira, estão todos – ele, a mãe, a diretora da escola, a polícia e a arma do crime, a sombrinha em frangalhos – na sala da diretora da escola, em que fora registrada a queixa de agressão pela mãe do outro garoto. A vítima, dizia a queixa, não conseguiu estar presente por se encontrar hospitalizada com diversas fraturas no crânio. Como punição pelo espancamento do valentão, Gabriel foi transferido para outra escola estadual, a Martim Francisco, na Vila Nova Conceição, onde estudou até o final do Primário e fez o exame de admissão ao Ginásio. E para lá levou consigo a fama de "agressivo". Ninguém jamais se atreveria a mexer de novo com o cabeça-de-fogo. No máximo, quando Gabriel passava pelos corredores, cochichavam uns com os outros: "Cuidado, esse é o louco da sombrinha vermelha".

Por via das dúvidas, ele tratou de se equipar com armamento idêntico ao da maioria dos meninos do bairro: cabo de aço enrolado na cintura e dois pequenos punhais presos nas canelas, sob as meias. A julgar pelo cotidiano de Gabriel, porém, tal arsenal era dispensável: avesso às turmas e patotas, sua vida era ir de casa para a escola e da escola para casa. E em casa ele passava quase todo o tempo lendo. Em português, polonês e alemão, lia tudo o que lhe davam. Quando terminou o Primário, a mãe o matriculou no Liceu Pasteur, tradicional instituição de ensino franco-brasileira, o que permitiria a ele, já fluente em três línguas, aprender também o francês. No fundo de seu tímido silêncio, Gabriel não tinha dúvidas a respeito do que queria ser e fazer na vida. Antes mesmo de ser submetido ao primeiro teste vocacional ele já tinha certeza de que iria ser desenhista, artista, arquiteto ou projetista, um criador, enfim. Nessa época Ruth namorava um alemão, Werner, que como ela também cultivava a fotografia como *hobby* – o que abriu portas para que desde cedo Gabriel adquirisse intimidade com câmeras, laboratórios, ampliadores e a literatura importada que o casal assinava. Quando não estava no laboratório, nos fundos da casa, estava desenhando. Desenhava mal, reconhece, mas fazia aquilo com enorme prazer.

É por essa época que a família sofre um novo baque. Marco Rubens, o filho do meio, então com apenas treze anos de idade, anuncia a todos a decisão de mudar para Israel e viver em um *kibutz*. Inspirados nos colcoses, as fazendas coletivas surgidas na Rússia depois da Revolução de 1917, os primeiros *kibutzin* foram implantados na região no começo do século XX. Com fortes tonalidades socialistas, a experiência atraiu milhares de jovens judeus vindos de vários cantos do mundo – os *olim chalutzim*, ou "imigrantes pioneiros". Todos interessados em conhecer de perto a tal sociedade dedicada ao auxílio mútuo e à justiça social, com forte vida comunitária que incluía até o compartilhamento da educação dos filhos. Ali vigorava um sistema socioeconômico baseado na propriedade coletiva e no cumprimento do princípio segundo o qual "cada um dá de acordo com sua capacidade e recebe de acordo com sua necessidade". Em 1948, ano da criação do Estado de Israel, havia cerca de 150 *kibutzin* funcionando em todo o país. Quando Marco Rubens lá chegou, eram quase trezentos. Mesmo sabendo que poderia escolher um *kibutz* formado exclusivamente por famílias de judeus brasileiros, como o Bror Chail, o garoto preferiu outro, o Kfar Szold, composto por imigrantes vindos da Europa Oriental.

A tristeza provocada pela ausência de Marco era quebrada com freqüência pela abundante e entusiasmada correspondência que ele mantinha com a família. Como acontecia com a maioria dos jovens que chegavam a um *kibutz*, ele se deixou fascinar pela experiência de viver o sonho de uma sociedade igualitária. Tantas e tão repetidas virtudes acabariam convertendo mais um membro da família Zellmeister: em meados de 1966 foi a vez de Daniel André, de dezoito anos, fazer as malas com destino ao mesmo *kibutz* onde vivia o irmão. Mais radical que o outro, comunicou que não apenas se mudaria para lá, mas ia decidido a se alistar nas Forças Armadas israelenses, permanentemente em conflito com os vizinhos árabes. Meses depois era ele quem escrevia para a família contando que seus planos tinham dado certo: já estava engajado no exército e fora destacado para servir na base de Qiryat Shemona, no extremo norte da Galiléia. Seu quartel ficava em uma ponta do território israelense que avançava como um pequeno chifre por entre as fronteiras do Líbano, a oeste, e da Síria a leste (os sírios ainda estavam de posse das colinas de Golan, que perderiam para Israel meses depois).

A chegada de Daniel à região coincidiu com um perigoso acirramento das tensões entre israelenses e árabes. Em 1959, um engenheiro de barba rala, óculos escuros e a calva sempre coberta por um turbante, chamado Iasser Arafat, criara uma organização palestina nacionalista, Al Fatah, que pregava o confronto militar direto com Israel para recuperar os territórios perdidos para os judeus. Intransigentes, seus dirigentes não reconheciam a existência do Estado de Israel, reivindicavam para si o mesmo território originalmente destinado pelas Nações Unidas a Israel e uma de suas palavras de ordem era a ameaça de "jogar os judeus no mar". Desde sua fundação, a Fatah funcionava semiclandestinamente, como mais uma das incontáveis siglas de organizações que depois se abrigariam sob o guarda-chuva da OLP – Organização para a Libertação da Palestina. Cada ataque terrorista contra instalações ou cidadãos israelenses era respondido com dura retaliação por Tel-Aviv. A temperatura política na região atinge níveis críticos quando o ministro da Defesa e futuro ditador da Síria, o general Hafez Assad, anunciou que seu país passaria a apoiar a Fatah na luta contra Israel – o que na prática significava transformar o território sírio em base de ataques terroristas contra posições israelenses. Isso aconteceu no final de 1966, quando Daniel servia na base de Qiryat Shemona – ou seja, ele estava bem em cima de um barril de pólvora prestes a voar pelos ares. Esses ataques faziam parte de uma estratégia de tirar os israelenses de sua posição defensiva, empurrando-os para um contra-ataque que, imaginavam, levaria os países árabes a se unirem contra Israel em uma guerra declarada. Não deu certo.

Em meados de novembro daquele ano, ao receber um estranho telefonema de alguém que se dizia da embaixada de Israel no Brasil, querendo falar com sua mãe, Gabriel apenas perguntou:

– O que aconteceu com meu irmão?

O sujeito gaguejou do outro lado da linha e desligou o telefone abruptamente. No dia seguinte, dois homens de paletó e gravata apareceram na porta da casinha do Itaim. Pressentindo más notícias, Gabriel procurou despistar a avó para atendê-los do lado de fora, sem que ela ouvisse a conversa. Quando ele se dirigia aos dois estranhos, Ruth chegou de repente. Maus pressentimentos fizeram-na interromper abruptamente uma viagem – estava na praia de Pernambuco, perto do Guarujá –, e ela chegou ao portão da casa apenas alguns minutos após os porta-vozes da embaixada israelense. Movida por algum instinto, a mãe nem perguntou quem eram eles:

– Quero saber quando e como meu filho Daniel morreu.

Eles só podiam responder parte da pergunta: ele morrera dois dias antes, ainda não se sabia como. A embaixada os enviara para evitar que a família fosse informada da tragédia pelos jornais. Os detalhes da morte viriam em seguida. Daniel transportava em um veículo militar um dos oficiais do estado-maior do ministro da Defesa de Israel, general Moshe Dayan, quando passaram sobre um local que havia sido coalhado de minas pelos palestinos. A explosão foi tão violenta que só restaram fragmentos dos corpos e do jipe. O governo israelense comunicou que oferecia à mãe uma passagem de avião para que ela pudesse enterrar os restos do filho no pequeno cemitério do *kibutz* de Kfar Szold.

Ao voltar de Israel, além da dor de ter sepultado um filho, ainda mais em circunstâncias tão dramáticas, Ruth trazia um novo problema para casa. Revoltado com a morte do irmão mais velho (e também sentindo-se co-responsável pela morte, já que fora um dos maiores entusiastas da ida dele para Israel), o filho do meio, Marco, se transferira para uma brigada de elite de pára-quedistas com um único objetivo: matar terroristas palestinos e vingar o atentado que tirara a vida de Daniel. Certa de que aquele seria o caminho para outra tragédia, a família começou a se movimentar para trazer de volta ao Brasil o rapaz, então com dezessete anos. O problema só foi solucionado depois que Ruth conseguiu fazer um telefonema pessoal para a primeira-ministra de Israel, Golda Meir, que autorizou o desengajamento militar de Marco e seu retorno ao Brasil (a operação foi facilitada pelo fato de que, na ocasião, Marco repousava em hospital em conseqüência de ferimentos de batalha). Os temores dos Zellmeister eram justificados: o atentado que matou Daniel desencadeou uma sucessão de ataques de parte a parte, atmosfera que acabaria levando o Egito a bloquear o golfo de Aqaba, impedindo o acesso de navios israelenses ao mar Vermelho. Com isso, Israel deflagrou, em junho de 1967, a chamada Guerra dos Seis Dias, atacando de surpresa o Egito, a Síria e a Jordânia. O conflito terminou com a vitória israelense e a conquista do deserto do Sinai, da Faixa de Gaza, da Cisjordânia, das colinas de Golan e da zona Oriental de Jerusalém.

As más notícias pareciam não ter fim. A família ainda não se refizera da perda de Daniel quando Gabriel caiu doente. Sua magreza preocupava mãe e avó, que o atochavam com doses cavalares de injeções de complexos vitamínicos. Uma dessas injeções estava contaminada e ele contraíra uma hepatite infecciosa. O repouso obrigatório de vários meses fez com que fosse reprovado no Liceu, onde cursava o terceiro ano ginasial. Assim como acontecera com Washington, os meses em que ficou preso à cama também não seriam inteiramente perdidos, já que ele aproveitou a inatividade para ler e se informar. Lia e desenhava o dia todo. Recuperado da doença, fez um curso de Madureza (correspondente na época ao atual Supletivo – uma alternativa legal pela qual se podia terminar todo o Ginasial ou o Colegial em apenas um ano). As dificuldades da família para pagar seus estudos o fizeram decidir: não voltaria à escola, mas ia arranjar trabalho. Um detalhe que acabou sendo muito útil no seu início da carreira foi o fato de que, aos catorze anos, já havia feito e concluído um curso de datilografia com ótimos resultados: ele era capaz de digitar mais de 180 toques por minuto, quase a marca de um profissional. Assim, redigia seus textos, fazia documentos e contratos muito rapidamente. Com seu primeiro salário ele compraria uma máquina Olivetti Studio 44, que guarda até hoje como relíquia.

A primeira tentativa na busca de emprego foi em uma pequena editora de livros didáticos que precisava de um desenhista. Fez um teste e foi avisado: "Pode tirar sua carteira de trabalho de menor, você foi aceito". Ele ia ganhar por desenho produzido. Ao entrar na sala onde trabalharia – uma edícula úmida e escura, com a luz das janelas obstruída por pilhas de livros mofados, iluminada por uma única lâmpada amarela pendurada no teto – descobriu que não ia durar muito naquele lugar. Durante três dias lá ficou ele desenhando bonequinhos para ilustrar livros de histórias infantis. No quarto dia se encheu e avisou para o patrão – que era uma mulher:

– Chega, peço demissão, não quero mais.

Ela ainda tentou segurá-lo:

– Se é por causa do salário, eu pago mais.

Ele disse que não era nada daquilo, desconversou e saiu para a rua mais aliviado. Afinal, descobrira uma coisa que *não queria* fazer. Com esses pensamentos na cabeça olhou casualmente para um colorido *out-*

door de dezesseis folhas, enorme, o maior existente na época, e falou para seus botões:

– Taí, esse negócio de propaganda eu acho legal. Vou ver onde se faz isso.

Pergunta daqui e dali, Gabriel acabou chegando à Escola de Artes Gráficas Felício Lanzara, mantida pelo Senai em São Paulo, onde se matriculou em cursos de serigrafia, gravação direta em buril (para confecção de matrizes em ponta seca para selos postais e moedas), desenho, pintura e fotolitografia. Estudava à noite e de dia ganhava alguns trocados desenhando retratos de pessoas. Aproximou-se dos artistas plásticos da comunidade japonesa, foi aluno de Yutaka Toyota, por cujas mãos freqüentou o primeiro time da arte nissei no Brasil, como Kazuo Wakabayashi, Manabu Mabe e Tomie Ohtake, com os quais aprendeu sobretudo a trabalhar com as cores. Quando terminou os cursos na Felício Lanzara, Gabriel se inscreveu no curso de três anos do Iadê – Instituto de Artes e Decoração, instalado na ponta da avenida Paulista, quase no Pacaembu –, ao final dos quais poderia prestar um vestibular, de arquitetura, quem sabe? O Iadê era um excepcional colégio de artes, cujo corpo docente incluía desde artistas como Sérgio Ferro, Carlos Fajardo, Frederico Nasser, Ciro del Nero, Luís Paulo Baravelli e José Resende, até professores convidados da escola Juilliard de música, de Nova York, que ministravam cursos de jazz.

Gabriel se lembra especialmente do professor de História da Arte, "um sujeito de inteligência contagiante, cujas aulas hipnotizavam os alunos" e de quem ele logo se aproximou. Era o italiano Antonio Benetazzo, de 29 anos, que viera bebê para o Brasil, fizera o curso de Filosofia na Maria Antônia e na época estudava arquitetura na FAU, a Faculdade de Arquitetura e Urbanismo da USP. À noite dava aulas em cursinhos pré-vestibulares e, três vezes por semana, no Iadê. Comunista, rompera com o PCB em 1967, junto com Carlos Marighela, a fim de participar da criação da organização guerrilheira ALN – Ação Libertadora Nacional e estivera no 30º Congresso da UNE em Ibiú-

Gabriel antes de ver Francis Bacon:
assinalados, ele e Tomie Ohtake.

publicação da cooperativa reproduzindo fac-símile de 55 trabalhos que serão expostos em abril na Pinacoteca do Estado.

Artistas formam cooperativa

Dudi, Gabriel Borba, Boi, Sergio Fingermann e Gabriel Zellmeister

Fajardo, Ricardo Amadeo, Ubirajara Ribeiro, Mauricio Fridman e Gerty Sarue.

A IDÉIA DA COOPERATIVA

Selma, Fingermann, Tunou, Ubirajara, Sarubbi,

mas a favor de uma maior participação dos ar-

Alguns dos criadores da cooperativa
de artistas: na foto da esquerda,
Dudi Maia Rosa, Gabriel Borba, Boi,
Sergio Fingermann e Gabriel.
Na outra, Fajardo, Ricardo Amadeo,
Ubirajara Ribeiro,
Mauricio Friedman e Gerty Sarue.

na, em 1968. Em meados de 1969, em pleno ano letivo, Benetazzo desapareceu do Iadê. De lá e de todos os outros lugares que freqüentava. Decidido a entrar na clandestinidade, embarcara para Cuba, onde criaria, juntamente com o futuro ministro José Dirceu, entre outros, o Molipo – Movimento de Libertação Popular, grupo dissidente da ALN. Em 1971 Benetazzo retornou clandestinamente ao Brasil como membro de um comando do Molipo. Gabriel só voltaria a ter notícias do professor no dia 2 de novembro de 1972, quando os jornais publicaram uma nota oficial dos chamados órgãos de segurança informando que Benetazzo fora preso e, "ao tentar fugir, tinha sido atropelado e morto por um pesado caminhão". Só muitos anos depois se confirmaria a suspeita generalizada, a quase certeza da época: preso no dia 28 de outubro, Benetazzo fora torturado até morrer.

Mas havia também boas lembranças daquela época, como cabular aulas no Iadê para assistir aos cursos sobre Ética ou sobre o filósofo Espinosa que eram dados pela bela e jovem filósofa Marilena Chauí no Instituto Sedes Sapientiae, da PUC, ou filar aulas de Filosofia na rua Maria Antônia. Em seu magro currículo ele ainda incluía um breve aprendizado – nem chegou a ser um estágio – em uma agência chamada Pan-Am, na rua Senador Queiroz, no centro velho da cidade. Lá recebeu preciosas lições do veterano diretor de criação Gerhard Wilda, que no primeiro encontro já perguntou:

– Você sabe desenhar com pastel?

Ele estudara por anos anatomia, perspectiva, iluminação, fotografia e sabia desenhar com guache, aquarela, lápis de cor, mas pastel, não.

– Então tem de aprender. Senta aí que vou te ensinar.

Foi a uma estante e apanhou latas de azeite Gallo, de óleo Maria, de conservas importadas e mostrou-lhe as elaboradas ilustrações que enfeitavam as embalagens. "É isso aqui que você tem de aprender a fazer", dizia Wilda. "Se fizer direito, um dia você pode ser um grande ilustrador." Gabriel começou a trabalhar com a nova técnica. Depois de receber elogios pelas cópias dos desenhos, mais uma aula: criar letras. Em poucos dias o aprendiz já desenhava e pintava com um pincelzinho, uma por uma, as mais básicas famílias tipográficas, como Bodoni, Garamond, Helvetica, Franklin Gothic...

Desde garoto Gabriel tinha o curioso hábito de se aproximar de tipos que em geral não despertavam maior interesse nos jovens, com os quais buscava ampliar seus conhecimentos intelectuais e profissionais. Assim como aprendera muito com Gerhard Wilda, ele se beneficiaria muito do convívio com um amigo de sua mãe, um personagem dono de uma história pessoal hollywoodiana: Alexander Lenard, um médico e filósofo judeu que havia emigrado da Hungria para o Brasil em 1952. O pouco que sabia sobre Lenard era suficiente para deixar Gabriel magnetizado por sua inteligência: anos antes ele vencera o prêmio maior do célebre programa de perguntas e respostas *O Céu é o Limite*, da TV Tupi, sem errar uma só questão sobre a vida e a obra do compositor alemão Johann Sebastian Bach. Fluente em doze idiomas, o misterioso Lenard passara a guerra a salvo das perseguições nazistas sob a proteção do Vaticano, onde trabalhava revisando versões da Bíblia para o chinês e o coreano. Suas geniais virtudes só viriam à tona em meados da década de 1960, quando foi confundido por organizações internacionais de caçadores de criminosos de guerra – logo ele, um judeu – com o médico nazista Josef Mengele, que fugira para a América Latina. Seu álibi era incontestável: na época em que o carrasco nazista teria entrado no Brasil, Lenard era funcionário da NSA – National Security Agency, órgão do Departamento de Defesa dos Estados Unidos, onde trabalhava na decodificação de mensagens secretas criptografadas em chinês, russo e coreano. Amigo e freqüentador da casa dos Zellmeister, toda vez que Gabriel tinha alguma dificuldade bastava falar com o sábio Lenard.

Mas Gabriel sabia que cultura geral não enchia barriga. O importante agora era arranjar um emprego. Pela mão de um primo mais velho, o industrial Joseph Davidowicz, conseguiu uma entrevista em uma pequena empresa de propaganda. O que mais o tentou, na verdade, foi a localização da agência, de onde poderia ir a pé para as aulas noturnas do Iadê. Foi assim que acabou na Delta para estagiar co-

Deutsche Zeitung — São Paulo — Sonntag den 10. April 1977 — Seite

Dr. Alexander Lenard zu Dr. Carlos H. Hunsche: "... und bis zum Abhang der Serra, bis zum Wald, ist das Land mein: vier Hektar, bereit zu dienen".

O sábio Lenard, judeu que falava doze idiomas e foi confundido com Mengele.

mo aprendiz de estúdio. O cargo significava que ele ia passar os dias como *past-up*, colador de ilustrações e letrinhas do tipo letraset escolhidas pelos diretores de arte. Duas semanas depois de chegar, no entanto, ele viu alguns diretores de arte desenvolvendo o novo logotipo de um cliente – a fábrica de pães Westphalia – que até então adotara o desenho de um gatinho como marca. Gabriel perguntou se podia arriscar uma sugestão, e como ninguém fizesse objeção, seu trabalho foi incluído no pacote de alternativas para o cliente escolher. Pois o aprovado foi... o logotipo feito pelo estagiário. Três meses depois, em setembro, promovido a auxiliar de desenhista, ele teve seu salário dobrado para R$ 600. Não era nenhuma fortuna, mas dava para pensar em sair de casa. Quando as vacas emagreciam, ele não hesitava em recorrer ao escambo como forma de sobrevivência, trocando seu trabalho por produtos ou serviços. A conclusão do Ginasial pelo sistema de Madureza, por exemplo, só foi possível porque Gabriel, sem dinheiro para pagar as mensalidades num tal Instituto Iesa – Instituto de Ensino Santo André, situado no começo da avenida Santo Amaro, também na Vila Olímpia –, onde se preparava, conseguiu uma permuta com o dono: ele desenharia um novo logotipo para a escola e em troca faria o curso de graça.

Antes de completar dezoito anos, Gabriel resolveu morar sozinho e mudou-se para o edifício Central, na praça Roosevelt, onde dezenas de portas de quitinetes se enfileiravam em compridos e ruidosos corredores. Seus vizinhos mais próximos naquele alegre treme-treme eram uma prostituta, um soldado da PM e três travestis – que viam como um tipo extravagante aquele ruivo introvertido e silencioso, um dos poucos moradores que funcionava nos horários normais, trabalhando de dia e dormindo à noite. Mesmo com o novo salário e com os *freelances* que fazia nas horas de folga, seu dinheiro era insuficiente para freqüentar A Baiúca, ponto de encontro da boemia intelectual da cidade, a poucos passos do seu prédio. Restavam-lhe os inferninhos das redondezas como o Kilt, o Vagão e o Jussara – e, para comer, o baratíssimo Eduardo's, onde se reuniam artistas e jornalistas que ainda não tinham sido apresentados à fama. Quando ia fazer um ano de trabalho na agência, ele recebeu um convite para trabalhar como desenhista na Lótus Propaganda. O salário era sedutor – R$ 1900 – e o endereço também convinha: a agência funcionava nas proximidades de sua antiga casa, o que lhe permitiria visitar com mais freqüência a mãe e principalmente a avó, cuja saúde definhava.

A Lótus tinha na sua modesta carteira de clientes a pequena fábrica de móveis Arredamento, empresa dirigida por um arquiteto e um *designer*, criadores de módulos de madeira muito bem-acabados, que o cliente juntava, montando sua mobília como quisesse. Gabriel deu àquele sistema o nome de "Super Coisa" e criou uma pequena campanha, cujo sucesso levou o cliente a veicular os anúncios durante anos e a construir nova fábrica para ampliar sua capacidade de produção. Na mesma época, Gabriel descobriu que seu irmão Marco Rubens, antes de ir para Israel, tivera aulas particulares de matemática com uma bonita loura chamada Sílvia. A professora namorava um dos jovens cardeais da propaganda, chamado Roberto Duailibi. Duailibi se associara a dois excepcionais artistas catalães, Francesc Petit e José Zaragoza. Petit e Zaragoza haviam montado um sofisticado estúdio de arte chamado Metro3, que em julho de 1968 se converteria em um dos maiores fenômenos da publicidade brasileira, a DPZ Propaganda. E era pelas mãos de Sílvia que Gabriel fazia seus melhores trabalhos chegarem a Duailibi, que o recebeu várias vezes, palpitou nos anúncios, elogiou, sugeriu mudanças, mas só viria a contratá-lo quinze anos depois. O convite para deixar a Lótus acabaria vindo, coincidentemente, de outro Duailibi, Carlos, irmão de Roberto. Ele era dono da HotShop, uma pequena mas criativa agência que rezava pela bíblia da nova propaganda trazida dos Estados Unidos por Alex Periscinoto e cuja referência mais visível era, unanimemente, a DPZ. Embora no contrato e na carteira de trabalho constasse que era desenhista, na verdade Gabriel ia ser diretor de arte.

Os oito meses na HotShop também seriam de grande importância para o aprendizado de Gabriel. Ali conviveu todo esse tempo com

Pierre Rousselet, festejado diretor de arte gaúcho que fora sócio dos DPZ na época da Metro3. Para o jovem que dava os primeiros passos na profissão, Rousselet era em si uma escola: fotografava, desenhava, fazia tudo. E, pelo jeito, se afeiçoara de tal modo a Gabriel que começava a tratá-lo, mais do que como um pupilo, como um filho. "Como acontece com todo pai", lembraria Gabriel, com humor ferino, "Rousselet se sentia no direito também de me tratar mal." Um dia ele chegou à agência com meia hora de atraso e foi recebido por um pai-patrão enfurecido, que lhe passou uma ruidosa descompostura na frente dos colegas. Impassível, Gabriel (que havia virado a noite anterior trabalhando na agência) foi até a mesa de trabalho, juntou seus papéis e se despediu de todos:

– Estou indo embora. Com esse cara eu não trabalho mais.

Para quem, como ele, estava interessado em fazer propaganda moderna, ousada e bonita, o horizonte não era dos piores. O saudável vírus trazido por Periscinoto de Nova York já tinha deitado raízes em algumas das mais importantes agências brasileiras, naquele começo dos anos 70. Além da própria Almap, a estética e a criatividade eram valores visíveis também no trabalho da Denison, da Standard (de onde saíra, poucos anos antes, Roberto Duailibi), da Norton e, aqui e ali, em pequenos estúdios. Mas Gabriel tinha outros planos. Além da DPZ, reconhecida como a melhor e mais criativa agência do país – e cujo sócio, Duailibi, já conhecia seu trabalho –, ele estava de olho em uma agência que começava a brilhar e atrair os olhares do mercado. Tratava-se da Júlio Ribeiro/Mihanovich, que após fundir-se com a Lince passou a se chamar Casabranca. Com uma coleção de trabalhos de sua autoria, pediu para falar com Armando Mihanovich, sócio e diretor de criação. Enquanto espalhava *layouts* e desenhos sobre a mesa, contou que trabalhara na Delta, na Lótus, fora para a HotShop, se desentendera com Pierre Rousselet, e arrematou:

– Eu acho sua agência do cacete, acho o trabalho de vocês gigante, moderno e com muita carga provocativa. Tem raciocínio, tem inteligência, é popular, é do cacete. Enfim, eu quero trabalhar aqui.

Armando olhou o trabalho, disse que gostou muito e fechou negócio:

– Tá bom. Tá contratado. Vem aqui conhecer o pessoal da criação.

Gabriel foi levado até a sala onde iria dobrar com o experiente e festejado redator Joaquim Gustavo Pereira Leite, o "Joca". Meses depois eles iriam dividir o espaço com a nova dupla que chegava, fruto da fusão: o diretor de arte Nelo Pimentel e o redator Washington Olivetto. Gabriel já tinha ouvido falar de Washington, mas o primeiro encontro dos dois não foi exatamente cordial. Ao ver aquele branquelo de 48 quilos trabalhando sem camisa sob um calor infernal, mesmo sem ter qualquer intimidade com ele, Washington não resistiu à provocação, da qual Gabriel decididamente não gostou:

– Pô, meu, você é um atleta!

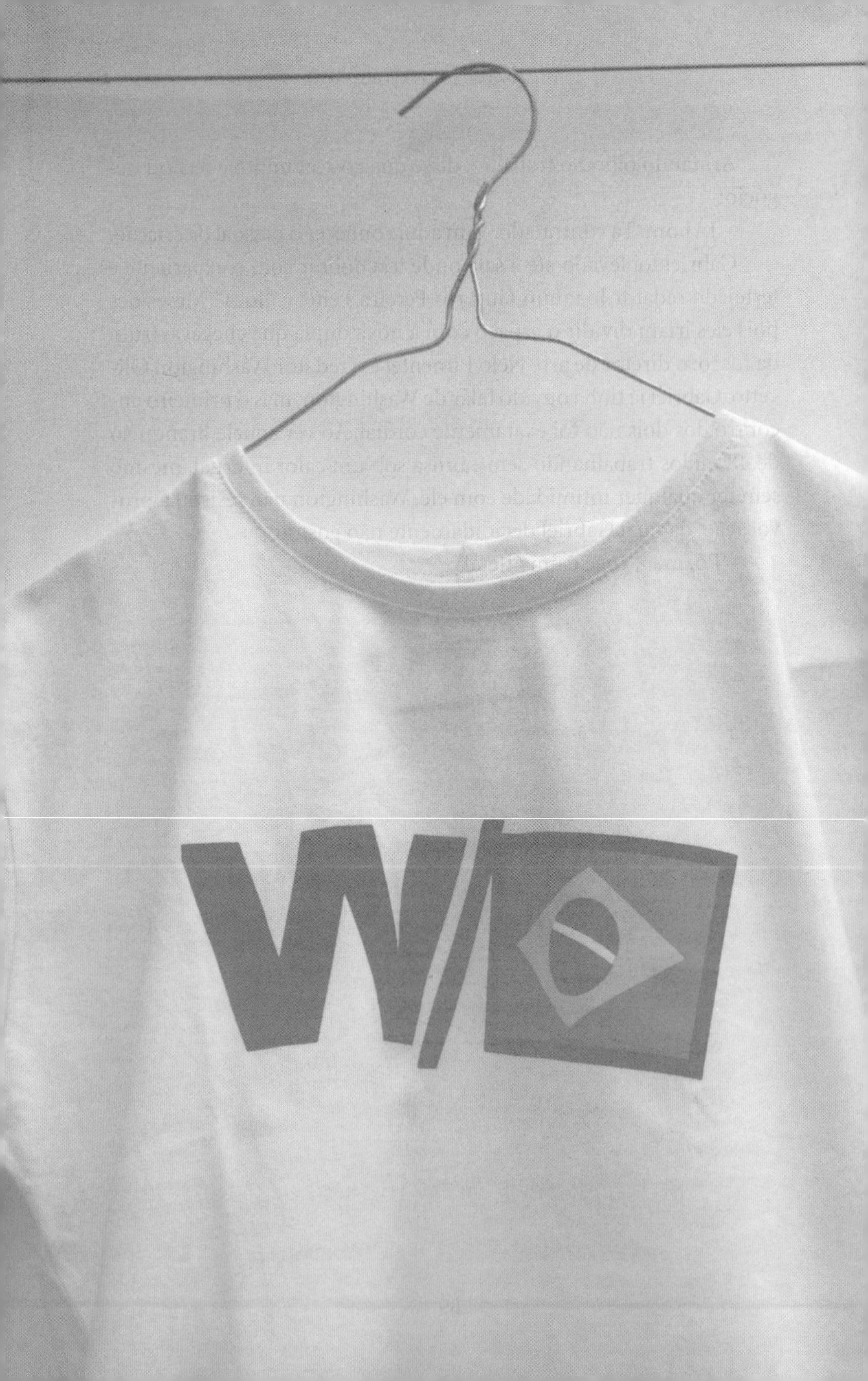

4

Um catalão atravessa
o oceano e chega ao Brasil.
Ele vai desafiar a General Foods.

Quando Washington e Gabriel se conheceram nos corredores da Casabranca, em meados de 1972, o terceiro personagem desta história vivia o que parecia ser o auge de uma carreira dura, difícil, mas sem dúvida vitoriosa. Sócio da fábrica de sorvetes Gelato, um dos maiores sucessos de marketing da época, o catalão Javier Llussá Ciuret, que viria a ser um dos três futuros sócios da W/Brasil, nascera em El Morell, na província de Tarragona, no nordeste da Espanha. Ele tinha quatro meses de vida quando explodiu um dos mais dramáticos conflitos do século XX. Na madrugada de 17 de julho de 1936, o general Francisco Franco levantou as divisões sob seu comando, estacionadas em Melilla, no Marrocos Espanhol, cruzou o estreito de Gibraltar, entrou na Espanha e assumiu o controle de Sevilha e Cádiz, prometendo marchar sobre Madri e derrubar o recém-eleito governo republicano, formado por uma ampla coalizão de centro-esquerda. Começava a sangrenta Guerra Civil, que se estenderia até 1939 deixando um milhão de mortos e da qual nenhum espanhol conseguiria escapar sem marcas. Nem mesmo o pai de Javier, o oleiro Miguel Llussá, que passava esses anos vagando com a família – mulher e três filhos – por sua província natal em busca de trabalho. A despeito de seu escasso interesse pelas coisas da política, Miguel tinha se juntado a um partido monarquista com o objetivo de conseguir financiamento para comprar uma pequena chácara, onde pretendia instalar sua própria olaria, um negócio que ainda o levaria à cadeia. A verdade é que nunca escondera de ninguém que odiava greves. Quando estourava uma paralisação em uma olaria, ele nem se dava ao trabalho de discutir com os colegas: quando julgava necessário, simplesmente mudava de emprego. Somada a esse comportamento, a compra da chácara não deixava dúvidas. Naquela Espanha cindida pela paixão política e pelo rancor ideológico, Miguel foi taxado de inimigo dos republicanos.

A Espanha estava irremediavelmente rachada. Os militares rebelados tinham a seu lado o Exército e a Marinha (a menor e menos poderosa Aeronáutica ficou com os republicanos) e um amplo leque conservador que juntava católicos, nacionalistas e tradicionalistas. Além dos camponeses, as forças republicanas contavam com o apoio de sindicatos operários, setores da classe média e um emaranhado de organizações de esquerda e centro-esquerda que iam do Partido Comunista, pró-Moscou, até grupos trotskistas e anarquistas. Do ponto de vista militar, quando começou a guerra o governo legal contava apenas com a fidelidade da Aeronáutica e de algumas guarnições da Polícia Nacional. Em socorro de Franco viria primeiro a Alemanha de Hitler, que, além de fornecer material bélico, despachou para a Espanha a Divisão Condor, esquadrilha de caças e bombardeios que atacou Madri e destruiu Guernica. Depois foi a vez da Itália fascista: em poucas semanas Mussolini fez chegar aos campos de batalha espanhóis nada menos que 70 mil homens e centenas de tanques. Diante de uma esquerda dividida, a União Soviética acabou oferecendo apenas discreto apoio material aos republicanos. Um número impreciso de voluntários – as cifras variam de 25 mil a 40 mil – vindos de 53 países, entre eles o Brasil, entrou em território espanhol para juntar-se às célebres Brigadas Internacionais, que lutavam ao lado dos republicanos. A internacionalização do conflito incendiou o país.

Com superioridade numérica e militar, Franco varreu a Espanha do sul para o leste e o norte, acuando o governo e as forças republicanas na região nordeste, onde viviam os Llussá. O risco de cerco à sede provisória do governo, em Valência, obrigou o primeiro-ministro socialista Juan Negrín a se mudar com todo o gabinete para Barcelona, que continuava sobrevivendo de armas na mão ao furacão franquista. Isolada a Catalunha, na madrugada de 26 de janeiro de 1939 uma esquadra ancorou no porto de Barcelona e passou a bombardear a cidade, um dos últimos focos de resistência em todo o território espanhol. O primeiro alvo dos canhões foi a muralha que protegia a fortaleza de Montjuic, a seis quilômetros do centro da cidade, onde governo e milícias republicanas haviam amontoado centenas, talvez milhares de franquistas presos durante a guerra. E era exatamente em Montjuic que se encontrava encarcerado, fazia um ano, o oleiro Miguel Llussá. Ele caíra em desgraça no começo de 1938, durante a passagem pela região de Tarragona das tropas republicanas que iam reforçar o cerco de Barcelona. A partir de uma denúncia leviana, ele fora sumariamente arrastado para o xadrez.

Quando os projéteis disparados pelos navios de Franco começaram a explodir na prisão de Montjuic, o colega de cela de Miguel amarrou um lençol branco num cabo de vassoura e subiu na janela gradeada, na esperança de interromper o bombardeio. Mal alcançou a grade, o preso desabou no chão, morto com um tiro de fuzil no peito. No tumulto que se seguiu, com portas sendo arrancadas, gente correndo de um canto para o outro e bala voando de todos os lados, Miguel aproveitou uma brecha aberta na muralha e conquistou, a pé, a liberdade.

Poucas semanas depois Madri capitularia, após três anos de resistência. No dia 1º de abril, a República foi abolida. Três anos de guerra civil e quase um milhão de mortos deixaram a Espanha em frangalhos. A economia mergulhou tão fundo que o país só se recuperaria décadas depois. Desempregado e sem ter como sustentar a família, Miguel fazia de tudo: tanto podiam ser bicos como pedreiro ou até algumas investidas no perigoso mundo do *estraperlo* – o mercado negro de produtos racionados. Em meio a tanta desgraça, mais desgraça: em 1944 um câncer no fígado matou sua mulher, Tereza, deixando-o com três filhos: Miguel, de dezoito anos, José Maria, de doze, e Javier, o caçula, de oito anos. Incapaz de cuidar sozinho dos três, o viúvo distribuiu os filhos como pôde: os dois mais velhos seguiram para a casa dos avós paternos e Javier ficou com a avó materna, em Reus, também na província de Tarragona, onde viveu e estudou durante um ano. Mas o pai logo voltaria a se casar, e desta vez os garotos foram transferidos para a casa dos pais da madrasta em Barcelona.

Juntando suas economias, Miguel associou-se então a dois amigos e montou sua própria olaria, em 1946, em Tarragona. O começo foi difícil, mas ao cabo de alguns meses o negócio começou a crescer e os sócios chegaram a ter cerca de trinta empregados, que passavam os dias fazendo o que Miguel fizera a vida toda para incontáveis patrões: fazer da terra transformada em barro tijolos que se transformariam em casas. No final da década de 1940 ele pôde trazer os filhos de volta para casa e matriculou Javier em um bom colégio de padres, para que ele pudesse terminar o curso primário. Parecia que a vida ia finalmente se estabilizar, até que, em setembro de 1949, uma tempestade de proporções amazônicas desabou sobre a região de Tarragona. Durante horas um temporal nunca visto antes castigou com dureza a região que ainda não se refizera das feridas da guerra. Quando Miguel e os sócios conseguiram chegar à olaria, não encontraram nada, absolutamente nada. Não só as instalações tinham sido varridas pela chuva; todo o estoque de tijolos fora levado pela fúria das águas, engrossando o lamaçal que rolava como um rio caudaloso. O negócio tinha acabado.

Demitidos os empregados, Ramón Más, um dos sócios, que vinha sendo perseguido pela polícia política do regime fascista, anunciou que iria emigrar, seguindo o destino de cerca de 400 mil espanhóis que abandonaram o país. Para quem não era bem-visto pelo regime, a alternativa muitas vezes estava entre o exílio ou a morte: nos três anos que se seguiram ao fim da guerra, quase 40 mil pessoas identificadas com os republicanos foram sumariamente fuziladas por falanges franquistas. Miguel não tinha por que temer a polícia, mas, para ele, permanecer na Espanha significava escapar dos tiros e morrer de fome. Estava cansado de trabalhar em olarias e passava os dias murmurando que aquela era "a última das profissões". E de pouco valiam as minguadas pesetas apuradas ao longo do mês, já que o racionamento era quase total. Comprar comida, só nas quantidades estabelecidas pela cartilha distribuída pelo governo. Ou então no *estraperlo*, mas quem fosse apanhado operando no mercado negro sabia que corria o risco de ser fuzilado. José Maria, o filho do meio, saía todas as madrugadas de bicicleta, com um saco vazio às costas, rodando as vilas vizinhas em busca de alguma padaria que tivesse pães à venda. Enquanto ele não voltasse – com ou sem pão – a família não respirava aliviada, pois todos ali sabiam da ameaça que isso representava: se confundido com um *estraperlista*, seria passado em armas sem contemplação. Tudo isso foi compondo um quadro de tamanho desgosto e desânimo que um dia Miguel reuniu a mulher e os três filhos para comunicar uma decisão que mudaria a vida de todos:

– Não agüento mais. Vamos embora da Espanha.

Na contramão da maioria de seus companheiros de êxodo, que se refugiaram em países da própria Europa ou nas antigas colônias espanholas na América, ele resolveu viajar para o Brasil. Miguel chegou a cogitar de mudar-se para Lima, no Peru, mas as maravilhas reveladas nas cartas que recebia de um amigo que emigrara para Araraquara, no interior de São Paulo, o convenceram de que as chances de se aprumar no Brasil eram maiores. Ainda se passariam muitos meses, porém, antes que fosse obtida a papelada para o embarque, processo que sugou boa parte das economias familiares, deixando-os praticamente com o dinheiro contado para o pagamento das passagens rumo ao Brasil. De qualquer forma, no dia 25 de agosto de 1951 os Llussá tomavam no porto de Barcelona um navio cujo destino final seria Buenos Aires, mas que faria escala em Santos, onde desembarcariam. A família viajou desfalcada do primogênito, Miguel, de 27 anos, que tinha uma oficina mecânica em Reus. Um dos clientes da oficina era a Indústria Rodrigues, para quem Miguel fazia a manutenção de caminhões. Por coincidência, ou destino, um dos sócios dessa indústria, o Generoso, tinha uma irmã, Clementina, que morava em São Paulo e era casada com o Antonio, dono de um bar na rua Vitória, em São Paulo, e que se dispunha a recebê-los no porto de Santos.

Na memória de Javier, a julgar pelas condições da viagem, o pai deve ter conseguido comprar para a família apenas bilhetes de terceira classe: na hora de dormir os passageiros eram separados por sexo e distribuídos em dois enormes galpões no fundo do navio – homens de um lado, mulheres do outro. A única coisa boa da viagem durou pouco: acostumado à penúria da vida na Espanha, o garoto se espantou com a fartura de comida a bordo. Cada refeição era um banquete para ele. Logo no começo da viagem, apenas um dia depois de cruzar o estreito de Gibraltar, porém, o navio entrou em mar aberto e os enjôos deixavam a cozinha às moscas, com gente vomitando por todos os cantos. No dia 9 de setembro chegaram a Santos. O casal de galegos não só estava lá à espera deles, mas ainda tivera a delicadeza de alugar dois táxis para que todos pudessem subir a Serra do Mar em direção a São Paulo, onde os recém-chegados pretendiam tomar um trem para Araraquara. Três horas de conversa com o patrício – tempo de duração da viagem de Santos à capital na época – bastaram para Miguel mudar de planos. "Esse negócio de Araraquara é bobagem", afirmava Antonio. "Você tem dois filhos fortes, prontos para o trabalho. E o trabalho está é aqui, não no interior."

Ele tinha razão. Menos de um mês depois da chegada, os quatro desocuparam o quarto de fundos que Antonio cedera à família, para se mudar para uma casinha alugada: estavam todos trabalhando. A primeira contemplada com um emprego foi Josefa, a madrasta: exímia costureira, foi contratada por uma loja de roupas finas nas imediações da praça da Sé. Dias depois os homens também tinham carteira profissional assinada: o pai e Javier foram para a Nogam, uma fábrica de objetos de borracha situada na Vila Mariana e, portanto, não muito longe da casa, que ficava no Bosque da Saúde. José Maria se arranjou na construção civil como servente de pedreiro. Na Nogam, enquanto Miguel pintava bolas de borracha, Javier era submetido a uma jornada infernal. Ele passava os dias fazendo luvas de borracha, o que significava pegar os moldes de gesso, dar o banho de borracha, colocar na estufa e, quando a borracha estava cozida, desenformar luva por luva. Depois lavava os moldes de gesso e começava tudo outra vez. No fim do dia os dedos estavam inchados e não raro em carne viva. O talco utilizado no processo industrial flutuava no ar, infiltrando-se nas narinas e nos pulmões dos empregados, que trabalhavam sem qualquer proteção – todos sabiam que reclamar era o mesmo que pedir demissão. Quando recebeu o envelope com seu quarto mês de salário, Javier percebeu que a fábrica havia descontado o valor de um molde de gesso que ele, sem querer, quebrara durante o trabalho. Mostrou aquilo ao pai que, enfezado, foi se queixar com o chefe do filho, um imigrante espanhol como eles. O sujeito não estava para conversa e recebeu Miguel com maus bofes:

– Em vez de se queixar, você devia era dar mais feijão e arroz para esse menino, que está muito fraquinho.

O pai pegou o garoto pela mão e anunciou:

– Vamos embora, isso aqui não é lugar para se trabalhar.

O desemprego de ambos durou pouco. Miguel seguiu o exemplo do outro filho e arranjou trabalho como pedreiro em uma obra. Com um classificado de jornal na mão, Javier bateu na porta do Laboratório Lepetit, que acabara de instalar no Brasil uma pequena fábrica de medicamentos perto de seu antigo emprego. A localização era importante, porque permitia que ele fosse trabalhar a pé, economizando o dinheiro do ônibus. Lá ele passava o dia junto com outros operários diante de grandes bandejas de metal misturando os pós químicos, como cortisona e glucose, e depois colocando aquela pasta na máquina que a dividia em comprimidos. O trabalho final consistia em lavar os frascos em um tanque e enchê-los com os comprimidos prontos. Nas horas de folga Javier varria o chão da fábrica, pintava móveis e fazia pequenos reparos aqui e ali. Logo o adolescente magro e louro ganhou a simpatia de seus superiores, que o chamavam nos fins de semana para consertar telhados, pintar paredes ou realizar serviços domésticos, em troca de gorjetas nem sempre generosas, mas que ajudavam a engordar o modesto pé-de-meia mensal. Por ser menor de idade, Javier ganhava na época o equivalente a R$ 180, a metade do salário mínimo de adultos, que era pago tanto ao pai como ao irmão José Maria. Somada, a renda mensal dos três era exatamente a metade dos R$ 1800 que Josefa ganhava por mês como costureira. Embora o 13º salário só viesse a ser instituído no Brasil dez anos depois, no final do ano Javier foi premiado com mais um salário, como retribuição por seu bom desempenho.

Mas ele sabia que o futuro não estava ali: se não estudasse estaria condenado a repetir a história do pai e passaria a vida pegando no pesado. A primeira providência era aprender português, o que o levou a freqüentar o curso de alfabetização de adultos de uma escola do Estado nas imediações de sua casa. Na Espanha, Javier havia feito o curso primário e todo o primeiro ano do Ginásio, e ao perceber que se tratava de alguém muito à frente dos colegas de classe, a professora brasileira sugeriu que ele, ao mesmo tempo que aprendia, ensinasse os demais a escrever as letras. Logo Javier percebeu que ia ser uma dureza trabalhar de dia como operário e passar as noites em bancos de escola para completar os três anos que faltavam para terminar o Ginásio e mais três no Colegial para, só então, tentar entrar na universidade. E resolveu encurtar o caminho, recorrendo, como faria anos depois seu futuro sócio Gabriel Zellmeister, ao curso de Madureza. Só após estudar dois anos em um curso na praça do Patriarca, no centro antigo de São Paulo (onde foi obrigado a aprender latim e francês), ele concluiu o Ginásio, tamanho era o rigor das provas, realizadas numa escola do Estado, a Presidente Roosevelt.

Com o diploma na mão, Javier tomou uma decisão prudente: em vez de pensar em universidade, o mais seguro era fazer um curso técnico, porque, se resolvesse parar, pelo menos já teria uma profissão. Foi assim que se matriculou no curso de Contabilidade da conceituada Escola Técnica de Comércio de São Paulo, na praça Clóvis Bevilácqua. A partir de então sua rotina era sempre a mesma: passava o dia trabalhando no Lepetit, na Vila Mariana, saía de lá a galope em direção ao curso de datilografia, caminhava mais meia hora e chegava à escola. Nos finais de semana fazia bicos como pedreiro e pintor para levantar alguns trocados. Cinema, bailes e namoradas eram passatempos de que ele ouvia falar, mas não tinha tempo nem dinheiro para usufruir. Apesar de estarem todos empregados, a penúria da família

2

SEÑAS PERSONALES.-SIGNALEMENT

Profesión Estudiante
(Profession)
Estado civil soltero
(Etat civil)
Lugar y fecha de nacimiento Morell Tarragona 11-3-1936
(Lieu et date de naissance)
Domicilio
(Domicile)
Rostro
(Visage)
Color de los ojos
(Couleur des yeux)
Color del cabello
(Couleur des cheveux)
Señas particulares
(Remarques particulières)

HIJOS MENORES DE 15 AÑOS
(Enfants de moins de 15 ans)

NOMBRE (Nom)	EDAD (Age)	SEXO (Sexe)

3

Esposa (Epouse)

Firma del titular
(Signature du titulaire)

Javier Llussá

Y de su esposa
(Et de son épouse)

El Gobernador Civil,
(Le Gouverneur Civil)

GOBIERNO CIVIL TARRAGONA
24 JUL 1951

Setembro de 1951:
os Llussá chegam ao Brasil,
trazendo consigo
o jovem Javier, de 16 anos.

era tal que, perto de fazer vinte anos de idade, Javier nunca tinha vivido no Brasil senão em casas de fundos – em geral edículas alugadas pelos moradores das casas da frente – e todas com no máximo dois dormitórios.

Em 1954 ele finalmente deixou o trabalho braçal, passando a auxiliar de laboratório e ganhando pouco mais que o salário mínimo. Quando terminou o curso de Contabilidade, soube que a Inbelsa, uma indústria eletrônica subsidiária da Phillips, estava precisando de auxiliares de escritório. De diploma em punho candidatou-se ao cargo e foi contratado por formidáveis R$ 1300 mensais. Javier começou como auxiliar de escritório e meses depois foi promovido a caixa. Nessa época a indústria mudou-se para o bairro do Belenzinho, o que o obrigava a tomar um bonde até a praça da Árvore, baldear para outra linha, que ia até a praça Clóvis Bevilácqua, e aí pegar outro ônibus até a Inbelsa. Com a vida entrando nos eixos, achou que podia tentar um curso superior. Foi à Faculdade de Economia e Ciências Contábeis da USP, que ficava na rua Dr. Vilanova, matriculou-se num cursinho pré-vestibular e durante três meses enterrou-se nos livros, mal dormindo de tanto estudar. Veio o vestibular e ele foi aprovado, mas como as vagas do curso de Economia estavam completas, inscreveu-se no curso de Ciências Contábeis e Atuárias, concluído em 1961. Após formado, fez o curso de Administração de Empresas na mesma Faculdade.

Um dia vagou na Inbelsa o cargo de contador e Javier, que já se considerava preparado para o lugar, candidatou-se, mas as preferências do gerente recaíram sobre outro nome. Desolado, pediu demissão. O chefe ainda tentou segurá-lo, afinal aquele era um ótimo emprego, ele tinha muito futuro na empresa e a vida lá fora não estava para brincadeira. Nada feito, respondeu. "Estou infeliz aqui, vou embora!", e despediu-se. Nessa altura seu irmão José Maria trabalhava como ferramenteiro na DF Vasconcelos, uma indústria que nascera durante a Segunda Guerra para produzir instrumentos ópticos de alta precisão para as Forças Armadas brasileiras. Ao saber que o caçula estava na rua, contou-lhe que a empresa procurava alguém para o cargo de auditor interno. Javier foi lá, preencheu as fichas e saiu empregado, com um salário de R$ 3 mil por mês. Os anos de vacas magras pareciam ter chegado ao fim. Todos estavam empregados e o pai, Miguel, que já contava com mais de sessenta anos, arranjara uma vaga de operador de prensa em uma indústria, o que lhe permitia trabalhar sentado. O caixa único da família já acumulava economias suficientes e finalmente os Llussá puderam comprar um pequeno terreno no bairro do Planalto Paulista, onde já estava construída uma casinha de fundos. No lugar do jardim o pai fez uma horta, na qual a família colhia verduras para seu consumo. Eles se ajeitaram por lá até que pudessem construir uma casa definitiva.

Em meados de 1958, Javier viu um anúncio pregado no quadro de avisos da faculdade: "Precisa-se de alguém que queira trabalhar em marketing". Os interessados deveriam procurar o professor de Estatística Geral e Econômica, Antonio Delfim Netto, que anos depois iria ser, por muito tempo, o manda-chuva da economia brasileira. Depois de breves entrevistas, Delfim selecionou oito alunos para disputar uma vaga na multinacional de cosméticos Colgate-Palmolive. Na hora de decidir entre os escolhidos por Delfim, o gerente de marketing da empresa, José Eduardo Bicudo de Almeida, ficou com dois finalistas, e surpreendeu Javier ao dizer por que ele tinha sido o escolhido:

– Dizem que os catalães são tão bons em números que até a dança de vocês, a sardana, exige que o sujeito saiba fazer contas. O emprego é seu. Quanto é que você ganhava no anterior?

No novo emprego, Javier ganharia 30% a menos – mas o salário não seria problema: ele decidiu aceitar e assim iniciou uma vitoriosa carreira em marketing:

– Estou mudando de profissão, estou deixando de ser auditor para começar em marketing, então me parece justo.

A sinceridade foi premiada: o presidente da empresa, Clarence Eugene Abbott Junior, decidiu que ele seria contratado pelos mesmos R$ 3 mil que recebia no emprego anterior. Na saída, Abbott ofereceu uma carona ao novato, pois estava indo ao hospital Samaritano fazer exames e podia deixá-lo no caminho. Na manhã seguinte, o gerente Bicudo recebeu Javier para o primeiro dia de trabalho com uma notícia espantosa, idêntica à que Washington receberia ao começar na Lince:

– O sr. Abbott acaba de morrer de um colapso fulminante.

O susto foi grande, mas durou pouco, porque todas as decisões tomadas pelo falecido executivo foram mantidas por seu sucessor: o emprego estava garantido, e lá Javier teria a oportunidade de fazer uma pequena revolução. Nos primeiros meses de trabalho cuidou da área de promoção de vendas. A guerra pela preferência do consumidor era tão renhida que as duas grandes multinacionais da área (a Colgate-Palmolive e a Gessy Lever) tinham seus próprios institutos de pesquisa, para prevenir vazamentos de informações estratégicas. Javier foi chamado a cuidar da área de pesquisa de mercado e resolveu mudar radicalmente a sistemática de trabalho, mapeando tanto o Rio como São Paulo quarteirão por quarteirão, selecionando-os depois por classes socioeconômicas. Aí escolhia por sorteio as áreas a serem pesquisadas e só então punha os entrevistadores em campo. A experiência deu resultados surpreendentes, e cada amostra que chegava trazia informações mais consistentes e precisas sobre o comportamento do mercado. Durante um breve período, Javier trabalhou como gerente de produto, quando teve oportunidade de fazer todo o acompanhamento de um lançamento, desde a composição de custos, a criação das embalagens, os contatos com a agência de propaganda (no caso da Colgate-Palmolive era uma *house agency*, uma agência própria) até a ponta final, a supervisão de vendas. Com a experiência adquirida na área, voltou às pesquisas de mercado, desta vez como chefe de departamento.

O escasso tempo de folga que o trabalho deixava era integralmente dedicado à universidade. Passado dos vinte anos de idade, Javier continuava o mesmo de sempre: nada de diversão, cinema, namoradas. Seus colegas de faculdade, alguns deles futuros mandarins da economia brasileira, como Carlos Antonio Rocca, Miguel Colasuonno, Affonso Celso Pastore e Carlos Viacava, eram rapazes vindos de famílias de classe média alta e podiam se dedicar apenas à faculdade. Para não ficar atrás, ele tinha de aproveitar todo o tempo disponível. A única exigência que fazia, por exemplo, ao assumir uma nova função ou emprego, era que suas férias fossem divididas em dois períodos de quinze dias cada, em junho e dezembro, para que pudesse dedicar-se em tempo integral às provas de meio e fim de ano. Durante o resto do tempo, a batida era uma só: de segunda a sexta ele trabalhava de dia e estudava à noite. Terminada a última aula, ia a pé da rua Maria Antônia até a praça João Mendes para tomar o bonde rumo à praça da Árvore.

Em meados dos anos 60, a TV brasileira descobriu as novelas cubanas, um fenômeno que revolucionava a audiência de quase toda a América hispânica. Com a chegada da coqueluche ao Brasil as empresas patrocinadoras tiveram de investir em pesquisas de mercado, um setor até então incipiente e amadorístico. Em pouco tempo Javier montou uma afiada máquina que não só obtinha os níveis de audiência das novelas patrocinadas pela Colgate mas também recebia dos telespectadores sugestões logo incorporadas ao enredo das histórias. Além disso, nas praças de São Paulo, Rio, Belo Horizonte, Porto Alegre, Recife e Salvador era possível aproveitar as equipes de campo para acompanhar a participação da Colgate no mercado. E foi nessa época, por volta de 1962, que Javier conheceu uma colega de trabalho, a jovem economista Zvonka Ursich. Filha de imigrantes eslovenos, ela fazia parte de uma pequena equipe que supervisionava a adaptação e tradução de embalagens, marcas e até filmes de propaganda que vinham dos Estados Unidos. Casaram-se quatro anos depois, quando Javier já saíra da Colgate-Palmolive em virtude de desentendimentos com o gerente de propaganda, Gabriel Peñarada.

Ao saber que Javier estava disponível, David Lewin, que tinha sido presidente da Colgate-Palmolive, e acabara de assumir a vice-presidência da Kibon, chamou-o para uma entrevista. A sólida indústria de sorvetes se instalara no Brasil vinte anos antes, em plena Segunda Guerra. Seu proprietário, o norte-americano Ulysses Harkson, emigrara no começo do século dos Estados Unidos para a China, onde montou a Hazelwood Ice Cream Company, no início um pequeno negócio semi-artesanal que produzia ovos desidratados, chocolates e sorvetes, mas que com o tempo se tornou uma grande empresa. Em meados de 1937, no entanto, eclode a segunda Guerra Sino-Japonesa. O exército imperial japonês toma praticamente todo o litoral da China, aí incluída a cidade de Xangai, onde ficava a Hazelwood. A ocupação duraria vários anos, e os negócios desabaram. Em 1941, Harkson decidiu que era a hora de tirar seu dinheiro dali e encarregou o gerente Kent Lukey de descobrir um país onde pudessem trabalhar em paz. O lugar escolhido foi o Brasil, e em julho daquele ano foi inaugurada no Rio, no prédio de uma fábrica falida, a US Harkson do Brasil, com quatro câmaras frigoríficas, sete funcionários fixos e cinqüenta carrinhos de venda nas ruas. Em 1943 a Harkson estendeu seus negócios para São Paulo, montando na capital paulista uma fábrica que produzia ovos desidratados – o "ovo em pó" – e sorvetes. Quando Javier foi chamado para conversar com Lewin, a Harkson (que já se chamava "Kibon") era uma poderosa indústria de alimentos, agora convertida em propriedade da gigante multinacional General Foods, que adquirira seu controle três anos antes, em 1960.

O convite feito por David Lewin era irrecusável: montar toda a estrutura de marketing e de pesquisa de mercado da empresa. Javier, indicou para chefiar o novo departamento o publicitário Eduardo Bicudo, o mesmo que o chamara para a Colgate-Palmolive, e pediu para si a gerência da área de desenvolvimento de novos produtos. Sob sua supervisão a empresa lançaria alguns de seus maiores sucessos, como o Ki-Suco, a gelatina Gell-o, o chiclete em tiras e o Ki-Bamba, produto que Javier colocou no mercado para substituir um chocolate com que cismara, por achar que a embalagem era parecida "com um caixãozinho de defunto". Em 1969 já era gerente geral de vendas da companhia quando recebeu uma sondagem de Armando Cepeda, um diretor que a Kibon demitira em 1965 e que, junto com dois sócios, montara uma pequena fábrica para produzir o Qi-Refresco, um concorrente direto do Ki-Suco da Kibon. Ele queria saber se Javier topava conversar sobre a possibilidade de juntar-se ao grupo para lançar uma nova marca de sorvete na praça. A consulta não deve ter causado surpresa, já que todos os estudos de mercado utilizados por Cepeda para lançar o Qi-Refresco tinham sido feitos por Javier, para o lançamento do Ki-Suco. Embora sentisse que aquele podia ser um bom negócio, Javier ainda hesitou por alguns meses em mudar de vida. Em meados de 1970, porém, ele se indispôs com o presidente da Kibon e pediu demissão. A notícia chegou aos ouvidos de Cepeda, que refez o convite – agora prontamente aceito.

Fora um empréstimo tomado ao BNDES, os sócios tiveram de fazer investimento de US$ 500 mil, cada um desembolsando US$ 125 mil. Pela primeira vez em quarenta anos alguém se atrevia a enfrentar a Kibon – ou seja, a gigante General Foods. Nada indicava que uma empresa celebrizada por derrubar até governos e financiar golpes de Estado para defender seus interesses iria aceitar, sem reagir, esse novo e atrevido concorrente. Os problemas surgiram antes mesmo que o primeiro sorvete da Gelato – era esse o nome da nova marca – chegasse ao mercado. A criação das embalagens e a campanha de lançamento do novo produto foram entregues à DPZ, cujos sócios Javier conhecia desde o tempo da Metro3. Francesc Petit, sócio e diretor de arte da agência, foi o responsável pela identidade visual das embalagens de sorvetes e picolés. Seis meses antes do lançamento, as peças produzidas pela DPZ foram enviadas à Brasipel, a mesma gráfica que imprimia as embalagens da Kibon. Mas as semanas iam passando e nada de a gráfica entregar as embalagens. A cada reclamação de Javier, a resposta era a mesma: o único fornecedor do papel escolhido era a fábrica Melhoramentos, que estava atrasando todas as entregas. Só um mês e meio antes do lançamento é que Javier resolveu ir à Melhoramentos, onde descobriu que a Brasipel não fizera pedido algum. Já eram os tentáculos da General Foods em ação.

Um novo fornecedor arranjado às pressas resolveu o problema, mas a experiência deixara os sócios da Gelato escaldados. Assim, na hora de encomendar os carrinhos de sorvete tomaram precauções redobradas. A única empresa que produzia os carrinhos, a Glaspac, era a fornecedora da Kibon, o que os deixou preocupados com a perspectiva de nova sabotagem. Lançar o sorvete sem os carrinhos era sinônimo de enormes dificuldades à vista, pois, diferentemente das sorveterias, eles é que permitem entrar no mercado de um dia para o outro – além de lidarem com dinheiro vivo, na mão. Os sócios Antonio Afonso Pereira, ex-distribuidor da Kibon, o engenheiro Walter Ursini e Rubens Cardoso, todos com experiência no mercado de sorvetes, consumiram vários fins de semana em um sítio nos arredores de São Paulo construindo um molde de madeira para os protótipos do carrinho. Até ali eles conseguiram avançar, mas era preciso um mestre modelador para fazer os moldes de fibra de vidro. Encarregado de arranjar um, Javier postou-se na porta da fábrica da Glaspac, na hora do almoço, e se misturou aos operários que conversavam na calçada. Logo identificou o melhor modelador, Aluísio, a quem ofereceu um salário que era o dobro do que ele então recebia. No dia seguinte, Aluísio já produzia os primeiros carrinhos no galpão montado nos fundos da futura fábrica. Em dezembro de 1970, no começo do verão, a Gelato espalhou cem carrinhos novos em folha e cinco caminhões frigoríficos pelas praias de Santos, a praça escolhida para o lançamento.

A briga por fatias de um mercado monopolizado pela Kibon foi feroz. Armados de um elegante e colorido portfólio preparado pela DPZ, dezenas de vendedores esquadrinharam São Paulo falando com donos de padarias, bares e botequins. Supervisionando pessoalmente ora um, ora outro grupo de vendedores, lá estava um dos donos do negócio, Javier Llussá. Apesar da pequena verba destinada à propaganda do lançamento, a receptividade do público foi surpreendente. O *slogan* de estréia ("Gelato é arrivato!") caiu logo no gosto do povo. O estouro do primeiro produto, o Bombolino – um picolé coberto de chocolate –, animou os sócios a colocar uma novidade no mercado: o Cornetto, um sorvete que vinha com a casquinha comestível. O sucesso do Bombolino gerou recursos para encher as ruas com enormes *outdoors* onde a estátua da Liberdade aparecia segurando não uma tocha, mas um Cornetto. O negócio explodiu. Aos poucos os novatos iam conquistando pontas de mercados em Brasília, Goiânia, e depois na região Sul. O Rio continuava uma trincheira inexpugnável da Kibon, que a Gelato só pretendia cercar depois de se consolidar no resto do país. Quando o lançamento feito em Santos completou um ano, foi preciso duplicar a fábrica em São Paulo e seis meses depois ampliá-la em mais 50%, tudo funcionando com equipamento moderno, recém-importado da Itália.

Com menos de três anos de vida, a Gelato alcançou um faturamento anual de US$ 6 milhões. Em suas unidades industriais trabalhavam duzentos operários que se revezavam em turnos sucessivos, 24 horas por dia, todos os dias, inclusive sábados e domingos, para fazer chegar ao mercado a produção anual de 10 milhões de litros de sorvete. Apanhado de surpresa, quando o sossegado corpanzil da Kibon despertou, o rombo já era grande demais: seus quatro ex-empregados eram donos de 30% do mercado brasileiro de sorvetes. Mas Javier e seus sócios sabiam que a receita de tanto sucesso não residia apenas na sonolência de uma multinacional cujos controladores estavam a milhares de quilômetros de distância do consumidor. A qualidade do sorvete que a Gelato fabricava era considerada por especialistas como superior à da concorrente; a agilidade de uma empresa pequena era maior; e, acima de tudo, parte daquela vitória devia ser creditada ao trabalho da DPZ. Em uma de suas visitas à agência, Javier foi apresentado por Francesc Petit a um jovem redator cabeludo que dividia a mesa de trabalho com ele, e que participara da criação de algumas peças para a Gelato. Com seu delicioso sotaque catalão, Petit anunciou:

– Javier, presta atenção neste menino, porque ele ainda vai ser muito famoso.

No meio do bate-papo Javier ouviu o "menino" contar que tinha nascido em setembro de 1951, data que sugeria uma frase amistosa. "Então chegamos ao Brasil juntos", disse ele, sorrindo, "porque eu desembarquei em Santos, vindo da Espanha, também em setembro de 1951." A conversa acabou aí e cada um foi para o seu lado. Javier nem sonhava que, anos depois, aquele redator cabeludo chamado – como era mesmo? – Washington Olivetto, que "chegara ao Brasil" junto com ele, viria a ser seu sócio na mais premiada agência de publicidade brasileira de todos os tempos.

W/Bras
W/BRASIL

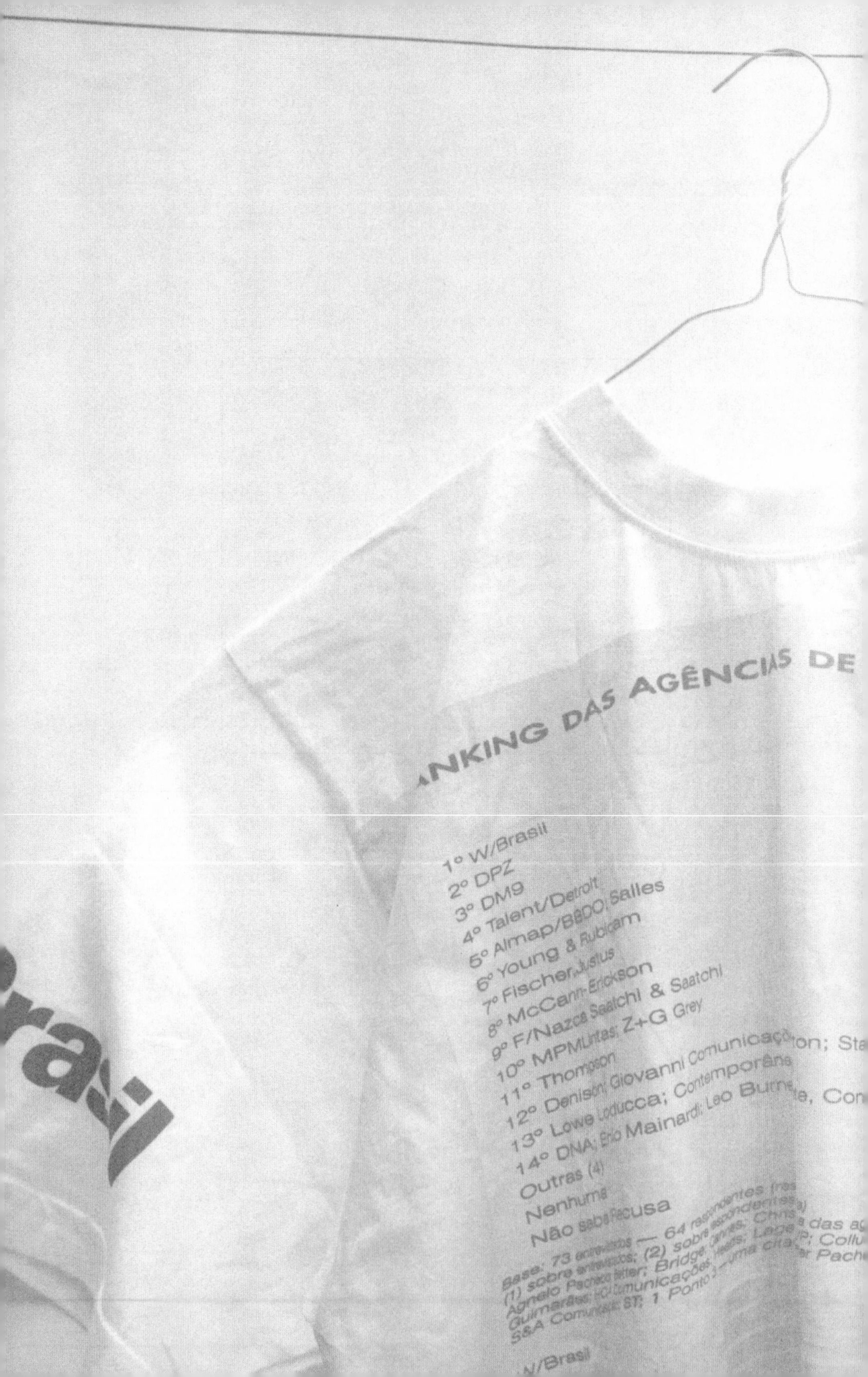

ANKING DAS AGÊNCIAS DE

1º W/Brasil
2º DPZ
3º DM9
4º Talent/Detroit
5º Almap/BBDO; Salles
6º Young & Rubicam
7º Fischer,Justus
8º McCann-Erickson
9º F/Nazca Saatchi & Saatchi
10º MPM Lintas; Z+G Grey
11º Thompson
12º Denison; Giovanni Comunicação
13º Lowe Loducca; Contemporânea
14º DNA; Ênio Mainardi; Leo Burnett
Outras (4)
Nenhuma
Não sabe/Recusa

Brasil

5

Washington-Petit, a maior dupla
de todos os tempos da propaganda brasileira.
Opinião de Petit.

Nos poucos meses de convívio na Casabranca, Washington e Gabriel não chegaram a produzir nenhum anúncio juntos, pois trabalhavam em duplas diferentes. E, apesar de serem personalidades opostas em quase tudo, entre eles nasceria uma sólida e duradoura amizade. Gabriel deixou a agência em fevereiro de 1973, para retornar a seu primeiro empregador, a Delta Propaganda. Três meses depois Washington soube pelo amigo João Palhares, redator da DPZ, que a agência estava à cata de novos talentos e resolveu arriscar: organizou seus melhores trabalhos em uma pasta e pediu a Palhares que os mostrasse a Roberto Duailibi. Este bateu o olho nos anúncios e não teve dúvidas de que estava diante de um criativo do primeiro time. Duailibi não podia antever, naturalmente, que treze anos depois descobridor e descoberta estariam de relações absolutamente rompidas. Antes de tomar alguma decisão sobre Washington, Duailibi resolveu ouvir a opinião de um dos seus sócios. Francesc Petit abriu a pasta, leu o primeiro anúncio e deu uma gargalhada diante do que viu. Sua reação seguinte foi dizer:

– Roberto, traz esse cara para cá, porque ele é muito bom. Quero que ele venha trabalhar comigo.

O anúncio que ia mudar a vida de Olivetto não tinha nada de espetacular, mas era mesmo engraçado, engenhoso. Fazia parte de uma campanha da TV Bandeirantes para promover um seriado de grande sucesso na época, chamado *Cannon*. O personagem central era o investigador Frank Cannon, vivido pelo ator William Conrad, um anti-herói gordo, careca, suarento e cansado que só fazia besteiras. O anúncio era uma foto horrorosa do artista, legendada com o seguinte título: "Este é o mocinho do filme que o 13 apresenta hoje à noite.

Imagine a cara do bandido". Ao saber que ia fazer dupla com Petit, Washington exultou:

– Eu no texto e você na direção de arte? Mas, meu Deus, aos vinte e dois anos eu vou fazer dupla com Nossa Senhora da Propaganda!

Sem falar nos três patrões que emprestavam as iniciais do sobrenome para a agência, o novo emprego daria a Washington o privilégio de conviver com astros da direção de arte como Helga Miehke e Kélio Rodrigues e redatores do porte de João Augusto Palhares e Laurence Klinger, entre outros. Aos cinco anos de vida, a DPZ tinha mudado a cara da propaganda brasileira. A obsessão com a estética passou a ser sua marca registrada, identificável mesmo por quem não era do ramo da publicidade. Até então vistos pelos redatores como meros desenhadores de *layouts*, os diretores de arte adquiriram, com o nascimento da agência, *status*, importância e salários idênticos ou até maiores que os de seus parceiros. Essa preocupação permanente com a forma era inspirada por pelo menos dois dos três sócios: além de consagrados diretores de arte, Francesc Petit e José Zaragoza eram bons artistas plásticos, bons fotógrafos e desenhistas de renome.

Francesc Petit, então com 38 anos, levava às últimas conseqüências a questão estética. Sua casa, seus carros e suas roupas eram sempre bonitos e elegantes. Vestia-se com aprumo, combinando roupas de uma forma colorida e moderna. Assim, era natural que ele, ao ver seu novo parceiro no primeiro dia de trabalho, se perguntasse como alguém tão criativo podia se vestir tão mal. Diante da extravagância multicolorida da figura de Washington, Petit recorreu à sua habitual e às vezes desconcertante franqueza. Sem hipérboles e com seu leve sotaque catalão, meio cantado, foi direto ao ponto:

– Você é ótimo, mas vestido desse jeito horrível não vai fazer muito sucesso na vida.

Antes que o outro se refizesse do susto, continuou o sermão da estética:

– Menino, tira esses tamancos e coloca uns sapatos italianos, elegantes. Troca essa bata e essa jardineira por roupas inglesas, paletós de *tweed*. E corta o cabelo, não é? Essa juba é a coisa mais fora de moda que existe...

Nessa atmosfera amistosa, que mais lembrava pai e filho conversando, nasceria aquela que, na opinião pouco modesta de Petit, foi "a melhor dupla de criação da propaganda brasileira em todos os tempos". Ele se lembra até hoje com saudade daquele período.

– Foi um tempo muito legal. Eu sempre fui acusado de encher demais a bola do Washington, de dar importância excessiva a ele. Ué! Ele tem que ser importante, sim: ele é bom. Ele é um talento, então ele tem que ser importante. Você não pode esconder um talento.

Como a maioria das campanhas da DPZ estava em pleno andamento, nos primeiros meses Washington não chegou a produzir nada que chamasse atenção. Fazia alguns anúncios com Petit, espiava o trabalho desta ou daquela dupla até se sentir no ritmo do novo emprego. No segundo semestre ele foi encarregado de atender a um novo cliente da agência, o escritório imobiliário Clineu Rocha. A campanha encomendada pelo maior corretor de imóveis do país na época não pretendia vender nada especificamente, mas sugerir o investimento em imóveis como um bom negócio. Cada anúncio seria publicado em página inteira nos principais jornais de São Paulo, em sucessivos domingos. O primeiro deles trouxe a foto do sereno interior de uma igreja, suavemente iluminado, com este título: "Faça como Deus. More numa casa grande, bonita e bem decorada". O cliente gostou, os colegas de agência também e Washington se animou a criar a segunda peça na mesma linha bem-humorada. No domingo seguinte, nova página inteira nos jornais paulistas. Desta vez, sobre uma foto de um homem com aparência de bem-sucedido, ao lado de uma luxuosa Mercedes Benz, o título estampava: "Se imóveis não fossem um bom negócio, os judeus não compravam tantos". Para posar para a foto, de molecagem, Washington convidou não um ator ou um modelo, mas Raul Sulzbacher, dono da indústria de confecções Jeans Store, cliente da DPZ e judeu de verdade. O texto terminava com duas frases provocativas. A primeira dizia: "Depois das sinagogas, as imobiliárias são

Washington e Petit,
nos anos 70, antes que a amizade
começasse a azedar.

os locais mais freqüentados pelos Zellmeister, pelos Sulzbacher, pelos Cohen...” – lista em que incluía sobrenomes de todos os amigos judeus de que Washington conseguiu se lembrar. A outra afirmava, categórica: “Só existe um negócio no mundo melhor do que imóvel: petróleo. Mas esse está na mão dos árabes”. Não passou pela cabeça dele, e talvez pela de ninguém, que o anúncio podia ser visto como racista, ao associar a figura de um judeu a negócios e dinheiro, nem que incitasse animosidade entre árabes e judeus. Despreocupado, Washington mandou a peça publicitária para os jornais e foi passar o fim de semana nas praias do Guarujá, cidade que na época era a preferida da elite da comunidade judaica paulista, que ela própria chamava, brincando, de “Guarujalém”. No domingo de manhã, ao caminhar pela areia, notou envaidecido que grupinhos de senhores, alguns com carregado sotaque europeu, se aglomeravam, comentando o anúncio. Só ao chegar ao hotel é que Washington se deu conta do vespeiro em que tinha se metido. Ele gelou quando recebeu um telefonema de um diretor da Clineu Rocha com uma péssima notícia que, surpreso, retransmitiu imediatamente ao amigo Gabriel Zellmeister, também por telefone:

– Me ligaram do Clineu Rocha. Sua mãe telefonou lá para dizer que contratou um advogado para me processar por causa do anúncio.

– Minha mãe? Te processar? Mas o que é que o anúncio tem de errado?

– O anúncio não teria nada de mais, se hoje não fosse comemorado o Yom Kipur, o Dia do Perdão, a data mais sagrada do calendário dos judeus.

Ainda não era tudo: além da brincadeira em um feriado religioso, naquela noite o território de Israel fora invadido por tropas árabes formadas pelo Egito e pela Síria, com o apoio da Jordânia e do Iraque. A guerra tinha começado.

Dona Ruth Zellmeister acabaria dissuadida pelo filho de processar o amigo, mas fez saber a Washington que ficara indignada não só com o uso de seu sobrenome, mas também pelo fato de ter colocado o judeu do anúncio ao lado de uma Mercedes – "além de tudo, tinha que ser um carro alemão?". Infelizmente, porém, dona Ruth não estava sozinha em sua indignação. No dia seguinte os protestos pipocavam na DPZ e em cartas aos jornais. Quando as primeiras lojas de Clineu Rocha apareceram pichadas com insultos e acusações de antissemitismo, o próprio dono da agência, Roberto Duailibi, descendente de cristãos libaneses, teve de sair em campo para apagar o incêndio. Para alívio de Washington e dos donos da DPZ, a encrenca acabaria ficando por isso mesmo.

Trabalhar na DPZ não lhe trazia apenas a companhia cotidiana dos melhores nomes da propaganda brasileira. Seis meses depois de contratado, ele passou a viver uma experiência singular, e que seria decisiva para sua carreira, sobretudo depois que deixasse de ser empregado. Pela tradição da propaganda brasileira até então, os criadores produziam os anúncios, mas quem os submetia ao cliente eram os contatos. Na DPZ era diferente, pelo menos com os maiores clientes, que tinham o privilégio de ver a apresentação das campanhas pelos próprios criadores. Ao contrário da maioria dos publicitários – redatores ou diretores de arte –, que detestavam exercer o que consideravam uma função menor, Washington a cumpria com prazer. Petit descobriu que o parceiro gostava tanto de fazer anúncios como de levá-los pessoalmente ao cliente, para convencê-lo com suas próprias palavras. Portanto, quando havia aquilo que o meio chama, de maneira pernóstica, de *presentation*, lá estava Washington Olivetto. Se numa parte do dia ele respirava a atmosfera criativa da melhor agência do Brasil, na outra Washington passava, precocemente, a absorver rudimentos das relações empresariais ou, como ele próprio relembra, "a entender para que, na verdade, servia aquele negócio que eu tinha escolhido como profissão". Apesar de reconhecido pelos colegas e pelo mercado como um novo talento, Washington vivia a insegurança de qualquer estreante. "Eu já tinha feito alguns trabalhos bons o suficiente para me acharem bom, mas não tantos para me sentir um cara totalmente seguro", ele se recorda. "De vez em quando eu acordava e pensava: putz, e se eu não tiver mais nenhuma idéia? E se eles descobrirem que sou um engano? E se chegar a polícia?"

Ao contrário dos seus temores, a mina de idéias não secou e ninguém chamou a polícia: decididamente ele não era um fracasso. Nos meses que se seguiram, a dupla Petit e Washington nadou de braçadas. No Natal de 1973 viria a público sua primeira campanha de grande repercussão, feita para o Juizado de Menores de São Paulo, sugerindo a doação de bolsas de estudos para meninos de rua. O primeiro anúncio era uma fotografia de um bando de menores abandonados olhando agressivamente para a objetiva, sob o título "*A escola da vida apresenta seus formandos de 1973*". O segundo, feito em parceria com Roberto Duailibi – que antes de ser dono de agência também fora um respeitado criador –, usava como trilha sonora um infernal, inesquecível *jingle* da caderneta de poupança da Delfin, uma financeira de muito sucesso na época, que dizia "*Neste Natal, lembre-se de mim, dê para quem ama um cofrinho da Delfin*". Só que, no lugar das criancinhas louras e de cabelos cacheados usadas na propaganda da Delfin, Washington e Duailibi puseram uma foto em preto e branco de um garoto esquálido, cigarro na boca, com uma tarja negra nos olhos e uma pistola apontada para o leitor. O terceiro era outra provocação, esta com dois jovens milionários paulistas, Chiquinho Scarpa e Toninho Abdalla, que rivalizavam em proezas na noite e em entrevistas aos jornais na tentativa de ressuscitar o mito dos antigos *playboys* da Paulicéia. Um dia os leitores abriram os jornais e deram com o anúncio em que Scarpa aparecia ao lado de uma reluzente Ferrari vermelha e Abdalla em um sóbrio escritório de madeira escura, empunhando um charuto de 18 centímetros de comprimento. Abaixo das imagens, o título "*Chiquinho Scarpa e Toninho Abdalla: já que vocês são tão ricos, por que não doam bolsas de estudos para os menores abandonados?*".

Campanhas como essa – os chamados "anúncios de oportunidade", criados a partir de um fato cotidiano qualquer – deram à dupla a chance de produzir algumas de suas peças mais lembradas. Quando a ponte Rio–Niterói foi inaugurada, no começo de 1974, a agência conseguiu vender o evento para dois clientes diferentes. Para a General Motors, criou um anúncio festejando a conclusão da obra. Fascinado por pontes, Petit escolheu fotos das pontes mais bonitas do mundo – pontes românicas, modernas, medievais, pontes de Veneza, a Golden Gate, de San Francisco –, espalhou-as sobre o anúncio, no qual havia apenas uma frase: "As pontes mais famosas do mundo homenageiam a ponte Rio–Niterói". Quando Henri Maksoud, dono da empresa Hidroservice (que participara do projeto de construção da obra), disse à dupla de publicitários que pretendia dar mais visibilidade à sua empresa, Washington respondeu:

– O senhor quer transformar a Hidroservice numa empresa famosa, não é? É simples: é só dizer que o senhor faz coisas grandes pra cacete com a naturalidade de quem faz a coisa mais fácil do mundo.

Apesar de estranhar o linguajar, Maksoud disse que sim, que esse era o objetivo. Pois a ponte daria mais um anúncio, que dizia: "A Hidroservice comemora a inauguração da ponte Rio–Niterói e avisa que aceita encomendas de pontes iguais ou maiores. Telefone tal". Meses depois, surge outra oportunidade para associar o nome da empresa a obras monumentais: a Copa do Mundo da Alemanha. No dia da estréia da seleção brasileira, que enfrentaria a Iugoslávia (o jogo terminou zero a zero), um anúncio trazia a foto do majestoso Waldstadion, construído em Frankfurt especialmente para a Copa e que seria o palco da partida. Sobre ela, o título: "*Joga futebol? Gostaria de construir um estádio como este? Ligue para a Hidroservice. Telefone tal*". A mesma Copa ensejaria a criação de uma peça para outro cliente da DPZ, a gigante das bebidas Seagram's. No dia do jogo do Brasil contra a Escócia, Washington atacou com mais um anúncio que dizia: "*O maior fabricante de uísque do mundo espera que os escoceses não nos dêem dor de cabeça*". Quase deram: esse jogo também terminou empatado por zero a zero. Na verdade, Petit e Washington nem precisavam de inaugurações de pontes ou de copas do mundo para explorar os "anúncios de oportunidade". Um feriadão qualquer podia ser pretexto, como no caso deste, feito para vender o Cheque Eletrônico Itaú – uma espécie de bisavô dos caixas eletrônicos atuais, mas que quebrava o galho em emergências: "*O Banco Itaú aproveita a Semana Santa para vender o seu peixe*".

A cada par de meses de trabalho a dupla se superava. Para o mesmo Itaú, os dois criaram "Rodolfo" e "Anita", o primeiro e mais célebre da série de casais de garotos-propaganda da TV moderna. O marido vivido pelo fotógrafo e publicitário argentino Rodolfo Vanni e a mulher pela modelo Cidinha. Para a General Motors, que completava cinqüenta anos de atividades no Brasil, inventaram uma série de comerciais em que personalidades brasileiras contavam histórias curiosas envolvendo automóveis da marca Chevrolet. Antes das filmagens, Washington entrevistava pessoalmente cada personagem, anotava trejeitos, cacoetes de fala e só então se sentava para escrever os textos, todos na primeira pessoa. Assim, a cada anúncio que era divulgado, o telespectador ia sabendo que mulheres se escondiam no porta-malas do Impala do cantor Orlando Silva, que o tenista Thomas Koch roubava o Bel-Air do avô milionário, em Porto Alegre, para paquerar – uma extensa fila de personalidades que passava pelo piloto Chico Landi, pela atriz Djenane Machado e pelo compositor Vinicius de Moraes. O poeta se animou com o convite para participar do anúncio e por telefone contou a Washington a razão do entusiasmo:

– Minha primeira trepada foi no banco de trás de um Chevrolet do meu pai.

Acertados os detalhes (como cachê, Vinicius pediu um Chevette zero quilômetro para Gesse, sua mulher na época), Washington não teve coragem de se oferecer como *ghost-writer* ao autor de *Garota de Ipanema* e abriu o jogo:

– Com todos os outros convidados eu bato um papo e escrevo o texto na primeira pessoa. Com você eu não me atrevo. Você mesmo escreve o seu, está bem?

Vinicius topou. Washington ficou de buscar às onze horas da manhã seguinte o texto no apartamento em que ele estava hospedado em São Paulo. Ao chegar lá, deu com o poeta de pijamas de calças curtas, recém-saído da cama, quebrando o jejum com Línguas de Gato de chocolate da Kopenhagen e generosas doses de uísque Something Special *on the rocks*. Desculpou-se por não ter escrito o texto na noite anterior, conforme o combinado:

– Mas agora também não é hora de trabalhar, acabei de acordar. Mais tarde eu escrevo. Me espere às dez da noite na pizzaria Carreta, na rua Pamplona, que eu apareço lá com o texto.

A Carreta era um reduto da boemia lítero-musical de São Paulo – e de alguns cariocas de passagem pela capital paulista. Lá nasceram muitas das parcerias entre Vinicius e Toquinho e em suas mesas grupos conspiravam às vésperas dos festivais da canção. Às dez horas em ponto Washington sentou praça na Carreta. Esperou quinze minutos e nada de Vinicius aparecer. Meia hora, uma hora depois e nem notícia do poeta. Já era quase meia-noite quando um monumental Gálaxie negro parou na porta do restaurante, desembarcando Vinicius de Moraes, de copo de uísque na mão e cercado de belas garotas. Ao dar de cara com Washington, Vinicius se lembrou do compromisso. Abriu os braços e gritou, já meio chumbado e com seu fortíssimo sotaque carioca:

– Rapaishhhh!!!! E o teu teshhhto?

– Ficou pronto?

– Não. Ficar pronto não ficou. Mas ficará no decorrer desta noite. Vamos bebendo um uisquinho, comendo uma pizzinha a palito e aí eu escrevo. É coisa curta, faço a mão mesmo.

– Então, não saio daqui sem ele nem morto.

Washington ficou com a pulga atrás da orelha. Ele sabia que Vinicius embarcaria na manhã seguinte para uma turnê em Punta del Este, no Uruguai, e que, se o texto não saísse naquela noite, a situação iria se complicar. O relógio avançava pela madrugada, Vinicius mandava descer mais uísque e novas bandejas de pizza picada em quadradinhos, depois mais uísque, e toda vez que Washington ameaçava falar do texto, ele adiava "para mais tarde, quando formos embora". Malandro, tratou de empurrar para cima do publicitário uma das garotas do grupo a fim de ganhar tempo. Às seis e meia da manhã, ao ver Vinicius completamente briaco, despedindo-se com beijinhos das garotas, Washington empalideceu:

– Vinicius, cadê meu texto?

– Não se preocupe. Te mando do Uruguai. Juro. Não se preocupe, que eu mando.

Washington foi para casa atormentado por uma monumental dor de cabeça, que não era decorrente do bom uísque que o poeta lhe oferecera: o problema é que as fotos já estavam prontas, o cachê fora pago e agora ele teria de explicar para a direção da GM por que não ia ter anúncio com Vinicius de Morais – logo ele, que de longe era a figura mais importante da série. Empurrou o quanto pôde a revelação da má notícia, na esperança de que o correio trouxesse a solução de Punta del Este – estávamos ainda a décadas do e-mail –, mas, como a carta jamais chegava, tratou de arranjar uma solução. Propôs ao cliente um texto contando a história tal como ela tinha se passado e que terminaria dizendo algo como "... afinal, o Vinicius é um poeta e poeta não tem mesmo que cumprir compromissos – tem é que fazer boa poesia...". Meio a contragosto a GM topou. O texto foi produzido, aprovado e, na véspera de ser veiculado, Washington recebe não uma, mas duas cartas de Punta del Este, ambas com o mesmo bilhete acompanhando o prometido texto:

Minha desconfiança do correio sul- americano fez com que eu postasse duas cartas absolutamente iguais, com o mesmo texto. Se uma não chegar, chega a outra. Se chegarem as duas, desconsidere a segunda.

Vinicius sugeria que o anúncio fosse intitulado "Perdi minha virgindade num Chevrolet", mas deixava uma alternativa no *post-scriptum*: "Se a GM achar a palavra virgindade pesada, use pureza". A GM achou. Saiu "pureza".

Outro gigante atendido pela DPZ, a Companhia Souza Cruz, permitiu que a agência promovesse uma virada na parte visual e no conteúdo dos anúncios de cigarros. O próprio Washington babara, um ano antes de trabalhar lá, ao ver nas ruas os *outdoors* criados por José Zaragoza para o lançamento da marca de cigarros Charm, destinada às mulheres (a exemplo do Eve, que tanto sucesso fizera nos Estados Unidos). Nos cartazes, uma dúzia de mulheres maravilhosas – de Leila Diniz, a musa de Ipanema, à *socialite* Regina Rosemburgo Léclery – apareciam fumando, sob o título: "No Brasil toda mulher tem Charm". Outras boas heranças encontradas por Washington na DPZ na mesma área eram os *slogans* do cigarro Carlton ("Um raro prazer") e Continental ("Preferência nacional"), criados para a mesma Souza Cruz. Ao visitar o cliente, certa vez, Washington foi obrigado a recorrer ao dicionário para saber por que, como dissera um gerente da Souza Cruz, o Carlton era um cigarro "associado aos prazeres organolépticos" – ou, em português corrente, prazeres que impressionam um ou mais sentidos. Organoléptica ou não, a verdade é que a Souza Cruz foi a responsável por uma das grandes sacadas de Washington Olivetto. No primeiro filme que criou para o cigarro Hollywood (cujo *slogan* ele mudara de "ao sucesso" para "o sucesso"), enquanto a tela era tomada por surfistas furando ondas, a trilha sonora escancarava um *reggae* interpretado por Bob Marley. O cliente achou ótimo e aprovou tudo, menos a trilha, vetada com um argumento irrespondível: Bob Marley era um *megastar* e a gravadora certamente pediria uma fortuna para autorizar o uso de uma de suas músicas. Washington retrucou:

– Será? Não sabemos. Afinal, esse comercial vai colocar Bob Marley nos ouvidos de todos os telespectadores de todos os canais de televisão do Brasil.

A perplexidade geral o animou:

– E de graça! A Souza Cruz não vai cobrar nada para divulgar em todo o Brasil a mais nova música de Bob Marley!

Ele, e não o cliente, tinha razão. E aquela modalidade informal de permuta – a gravadora ceder os direitos de uma música em troca da mídia gerada pelo anúncio – inventada ali, por acaso, acabaria se tornando marca registrada de boa parte dos trabalhos de Olivetto. Do *reggae* jamaicano para a MPB foi um pulo, e Washington não só passou a usar trechos de músicas brasileiras nas trilhas de seus comerciais, como resolveu levar para trabalhar na DPZ, como produtores de trilhas exclusivas para anúncios, astros como Guarabira e Tom Zé, este um dos pais do movimento tropicalista.

Tudo que Washington captava no ar era motivo para mais um anúncio. Num final de semana de 1974 ele almoçava com o pai, Virso, que acabara de se formar em Direito e ensaiava uma mudança de vida aos 48 anos. Apesar do sucesso que fizera como vendedor e dono de uma pequena empresa de representações, sempre achara tudo aquilo uma atividade menor, e tinha sonhado toda a vida com aquele momento, em que finalmente podia enfiar no dedo um anel de doutor. Porém, após buscar um emprego na nova profissão, Virso se queixara ao filho:

– Você já notou que a maioria dos classificados de empresas recrutando profissionais traz uma exigência? Em quase todos, está lá: idade máxima, quarenta anos.

Washington nunca prestara atenção naquele detalhe, mas ficou com aquilo martelando na sua cabeça. Fez um levantamento informal dos anúncios de empregos e concluiu que a situação era mais grave do que o pai imaginava. Das ofertas de trabalho oferecidas, 70% eram restritas a candidatos com menos de quarenta anos. Com os números na mão, procurou Petit:

– Vamos ao Conselho Nacional de Propaganda propor uma campanha de utilidade pública combatendo esse preconceito?

Aceita a sugestão, no Dia do Trabalho os jornais saíam com um anúncio que dizia: "*Homens com mais de 40 anos oferecem seus préstimos profissionais para empresas de pequeno, médio e grande porte. Cartas para a rua da Amargura, s/n*". A repercussão foi surpreendente. Jornais mandaram fazer reportagens sobre o assunto. Inspirado pelo anúncio, o senador da Arena fluminense Vasconcellos Torres apresentou um projeto de lei ao Congresso propondo um abatimento de 3% no imposto de renda das empresas que comprovassem ter pelo menos metade de seus empregados com mais de quarenta anos. O industrial paulista Joseph Serwaczak anunciou que abrira vinte novas vagas em sua metalúrgica, todas destinadas a operários com mais de quarenta anos. Os olhos de Virso Olivetto, inspirador de tudo aquilo, brilharam ao rever o filho depois de tamanha demonstração de afeto. "Acho que foi ali, pela primeira vez", recorda-se Washington, "que ele percebeu que minha profissão tinha relevância, que a propaganda não era só um emprego para mim."

O sucesso dessa e de outras campanhas entre a opinião pública – e não apenas dentro do mundo publicitário – instalou-o definitivamente no rol das personalidades, os chamados "formadores de opinião". E ele não só gostava muito, como estimulava essa superexposição. A luz dos holofotes, contudo – dizem muitos colegas –, não maculou seu caráter. Profissionais consagrados da época, como Hans Dammann e Ercílio Tranjan, lembram-se de que, já convertido à condição de estrela, Washington continuava telefonando todos os fins de tarde para os colegas mais experientes a fim de, com a humildade de um novato, pedir a opinião deles sobre os anúncios e filmes que estava criando. Dammann recorda-se do entusiasmo de Washington:

– Ele ligava e dizia: "Fiz um comercial e quero saber se você tem um minutinho para ouvi-lo". E me contava por telefone. É uma coisa curiosa, porque ele estava contando para uma pessoa de uma outra agência, para um concorrente. E eu adorava aquilo, porque sentia a enorme energia do Washington, o prazer com que ele contava, cena por cena, um roteiro de um comercial de tevê...

Meses depois do sucesso do "rua da Amargura", ele telefonou de novo a alguns colegas para contar que voltara ao tema do preconceito contra homens de mais de quarenta anos. Desta vez com um filme de um minuto e meio, todo em preto e branco, que abria com o rosto do então presidente da República, o general Ernesto Geisel, na época com 68 anos, cuja imagem era seguida pelas de outras personalidades da política, das artes e da ciência, vivos ou mortos, que só tinham se realizado nas suas atividades depois dos quarenta anos: Picasso, Gandhi, Ben Gurion, Maurice Chevalier, Jorge Amado, Frank Sinatra, Charles Chaplin, De Gaulle, Einstein, Neruda... Em *off*, um locutor lia um texto com voz grave e solene, intercalando cada aparição com uma frase:

Você já ouviu falar que um homem depois dos quarenta anos fica ultrapassado?

Sem chances de se realizar profissionalmente, se não tiver atingido o ponto máximo da sua carreira até essa idade?

Pois bem. Pode ser surpreendente, mas é assim que muita gente pensa.

Você não acredita?

Então responda: por que os anúncios classificados de certas empresas levam aquela frase com o preconceito em negrito? Idade máxima: quarenta anos.

Ah, você não tem resposta? Mas nós temos.

Essas empresas julgam os homens com mais de quarenta anos velhos demais para conseguirem sucesso profissional.

E acham normal que eles comemorem o Dia do Trabalho numa fila de desempregados.

Mas isso tem que acabar.

Nenhum país pode se dar ao luxo de desperdiçar o potencial dos seus homens mais experientes.

Empregador: tire dos anúncios classificados da sua empresa aquela frase com o preconceito em negrito: idade máxima quarenta anos.

E procure descobrir o talento e a vontade de trabalhar que podem estar escondidos dentro de uma cabeça coberta de cabelos brancos.

Lembre-se que todos os homens que você viu aqui começaram a fazer coisas bem depois dos quarenta.

Para produzi-lo, Washington convidou o argentino Andrés Bukowinski, elegante membro da vaga de publicitários que migraram de

Churchill, Chaplin, Geisel...
O "Homem de 40 anos"
traz o primeiro
Leão de Ouro para o Brasil.

Buenos Aires para São Paulo atraídos pelo "milagre brasileiro" do começo da década de 1970. Apesar de ter menos de trinta anos, Bukowinski era um experiente e respeitado produtor de comerciais para a TV, com uma brilhante estrela no currículo: em 1964, quando vivia na Argentina, fora o primeiro latino-americano a ganhar um prêmio no Festival de Cannes, com um filme para a fábrica de automóveis Renault. Naquela época a mais famosa premiação de propaganda do mundo não se chamava Festival de Cannes, mas "da Sawa" (Screen and TV Advertising World Association) e não era coisa para o bico de publicitários do Terceiro Mundo. Ainda não tinham sido inventados os Leões – os prêmios eram Primeiro, Segundo e Terceiro – e lá só chegavam europeus e norte-americanos. Até que no final da década de 1960 mudou-se para o Brasil o argentino Victor Petersen, que montou aqui a CP – Cinema e Propaganda, empresa especializada em exibir comerciais nos cinemas antes do início dos filmes. Impressionado com a alta qualidade da propaganda no Brasil, foi ele quem animou os primeiros brasileiros a se inscreverem. Quando Washington e Bukowinski terminaram o filme *Homem de 40 Anos*, no começo de 1975, o festival existia há quase trinta anos, mas nenhum brasileiro até então conseguira pisar no último andar do pódio para laçar um Leão de Ouro, o prêmio mais cobiçado. O degrau mais alto a que o Brasil chegara aconteceu no festival de 1972, quando a dupla Zaragoza/João Palhares, da DPZ, recebeu um Leão de Prata pelo filme *Menino Sorrindo*, também dirigido por Andrés Bukowinski e produzido para a Seagram's, como parte de uma campanha recomendando moderação no consumo de bebidas alcoólicas. Assim, deve ter sido sincero o espanto de Washington quando recebeu um telefonema de Roberto Duailibi com a notícia:

– Seu filme *Homem de 40 Anos* acaba de ganhar o primeiro Leão de Ouro para a propaganda brasileira.

Embora ele já fosse um nome respeitado, reagiu com a insegurança e o deslumbramento de um estreante:

– Que maravilha! Então as pessoas não estão enganadas Eu sou mesmo muito bom nesse negócio.

ALTA DEFINICION & WASHINGTON OLIVETTO

6

Gabriel resolve trocar
a propaganda pela realização
de um sonho: ser pintor.

Enquanto Washington laçava leões nas areias da Riviera francesa, seu amigo Gabriel Zellmeister, já reconhecido como um dos melhores diretores de arte do mercado, continuava às voltas com a eterna dúvida: permanecer ou não na carreira de publicitário? A tentação que o assaltava era trocar os *layouts* por telas, e as canetas hidrográficas por pincéis e tintas – ou seja, dedicar-se exclusivamente à pintura. Não era um sonho recente, e ele havia compartilhado essa hesitação com o próprio Washington, ao final do curto período em que os dois trabalharam juntos na Casabranca. No dia em que pediu demissão da agência, Gabriel contou para Washington que recusara várias propostas para ganhar muito mais. Ele dissera a Armando Mihanovich que era evidente que logo a Casabranca não poderia mais arcar com seu salário e, além disso tudo, queria fazer outras coisas além da publicidade. E perguntou ao amigo:

– E você, Washington, o que vai fazer da vida?

A resposta veio do legítimo, verdadeiro Washington Olivetto:

– Eu vou fazer o possível, 24 horas por dia, todos os dias, para ser o melhor publicitário do mundo.

Apesar de suas pretensões publicitárias serem muito menos ambiciosas que as de Washington, enquanto não se decidia Gabriel ganhava cada vez mais prestígio e melhores salários. Quando deixou a Casabranca, no começo de 1973, para retornar à Delta Propaganda, viu seu salário saltar de R$ 11 mil para R$ 25 mil mensais. Além da remuneração, ele aceitara o convite porque o dono da Delta lhe prometera carta branca para tocar a criação da agência. A promessa foi quebrada na primeira semana, quando o patrão, Carlos Guntovitch, mudou o título de um anúncio seu sem consultá-lo, conseguiu que o cliente o aprovasse e mandou publicar. A atmosfera tornou-se um pouco tensa, mas Gabriel continuou o trabalho como se nada tivesse acontecido.

Dias depois ele recebeu a incumbência de criar para o Jockey Club de São Paulo, tradicional cliente da Delta, uma campanha com o objetivo de atrair novos espectadores para as corridas de cavalo. Ao todo seriam sete filmetes de quinze segundos cada e um *outdoor* gigante, de 32 folhas (até então os maiores cartazes publicitários brasileiros eram formados por dezesseis folhas coladas). Por vários dias seguidos Gabriel madrugou nas cavalariças do Jockey dirigindo as filmagens durante os apronto s – nome dado aos galopes de treinamento dos cavalos em seus preparativos para as corridas. Câmeras com teleobjetivas colocadas em curvas mostravam apenas as patas dos animais em alta velocidade, intercaladas com cortes de cenas de jóqueis nervosos na hora da pesagem, transmitindo com fidelidade as emoções de uma corrida. Para compor as trilhas para os filmetes, Gabriel foi bater em uma modesta casinha geminada, no bairro paulistano de Vila Mariana, onde encontrou, entre galinhas e crianças, o músico Hermeto Pascoal. Na manhã da produção da foto para o *outdoor*, o fotógrafo contratado ficou com medo dos cavalos e quem acabou pegando a máquina e produzindo todo o material foi o próprio Gabriel. A foto escolhida para o cartaz era um *close* do olho arregalado de um cavalo castanho, cercado pela aura amarela da máscara colocada nos animais nos aprontos. Como Guntovitch estava fora do Brasil, Gabriel levou as peças ao cliente, que as aprovou e autorizou sua veiculação. A chegada do patrão a São Paulo coincidiu com a colagem dos cartazes, que ele viu espalhados pelas ruas com aquele aterrador, gigantesco olho pregado nos muros da cidade. Entrou na agência e foi direto para a sala de Gabriel, furibundo, aos berros:

– Você colocou nas ruas um cartaz de 32 folhas com uma bosta marrom cercada por uma diarréia amarela! Você vai destruir minha agência!

Desde o primeiro dia de trabalho, quando roubaram sua motocicleta no estacionamento da agência, Gabriel estava desconfiado de que a Delta não iria lhe trazer boa sorte. Depois foi a história de Guntovitch mudar anúncios seus sem consultá-lo; agora, com a bronca, chegara ao seu limite. Sem elevar o tom de voz, Gabriel foi juntando os papéis que estavam sobre a mesa e respondeu calmamente:

– Não foi só o *outdoor*. Tem sete filmes no ar com a mesma campanha. Fui eu quem fez e quem botou no ar. Fiz porque essa é a campanha certa. Aproveito para lhe dizer que quando entrar na sua sala vai encontrar sobre a mesa a minha carta de demissão. Passe bem.

Antes de completar um mês de trabalho ele estava na rua, mas o assunto não morreria ali. Primeiro porque o *Jornal da Tarde* dedicaria uma página inteira de elogios à ousadia gráfica da "bosta marrom cercada por diarréia amarela". Depois porque, para especial deleite de Gabriel, um dos filmes seria agraciado com o "Prêmio Colunistas" na categoria "Melhor Comercial de Cinema" do ano. A cerimônia de premiação foi um dia especial, que festejava a chegada da TV em cores ao Brasil como "o fato do ano" e anunciava decisão da Petrobrás – que até então usava uma *house agency* – de entregar sua conta a uma agência de propaganda. A vingança de Gabriel foi instalar-se num lugar estrategicamente escolhido, "só de sacanagem", para que um constrangido Carlos Guntovitch fosse obrigado a vê-lo na hora de receber o troféu em nome da Delta.

Com o nome feito na praça, uma semana depois de deixar a Delta Gabriel estava empregado na multinacional Lintas, com um salário de R$ 28 mil. Ele tinha sido chamado por Laerte Agnelli durante a recomposição da respeitada equipe de criação da agência, formada por profissionais competentes, quase todos mais velhos que Gabriel, na época com 23 anos, a fim de fazer dupla com o poeta e publicitário Otoniel Santos Pereira. Para esconder a cara de moleque e impor mais respeito aos colegas, tomou duas decisões que depois ele mesmo acharia ridículas: deixou crescer uma barbaça vermelha e passou a fumar cachimbo. Do período em que esteve na Lintas, Gabriel lembra-se de poucos anúncios marcantes – como um criado por ele e Otoniel para a Neocid, que colocava no mercado o primeiro inseticida com

Dia 6 Grande Premio São Paulo no Jockey.

A doce vingança de Gabriel:
a "bosta marrom cercada
de diarréia amarela"
ganha o Prêmio Colunistas.

perfume de flores. O título dizia apenas: "Novo Neocid: mata e manda flores". Mas se lembra de pelo menos dois trabalhos que considerava de qualidade e foram recusados pelo cliente. Um deles era a campanha para o sabão em pó Omo em que, em vez de repetir os batidos discursos sobre quem lavava mais branco, o apresentador – sempre alguém famoso e na moda – aparecia na tela com o produto na mão e, ao começar a falar, se "esquecia" do texto e dizia apenas: "Ih, me deu um branco". O outro era um anúncio do sabonete desodorante da Unilever em que um *hippie* sujo dizia: "Não use este sabonete não. O cheiro pega em você e não sai mais...".

Embora não tivesse qualquer engajamento político, sua visível antipatia pela ditadura consolidou logo a relação com os novos colegas, quase todos gente de esquerda. Certa tarde Gabriel pôde testemunhar com seus próprios olhos por que a Lintas era vista como um ninho de comunistas. Da janela de sua sala de trabalho, na rua Senador Queiroz, no centro velho de São Paulo, ele viu duas caminhonetes do tipo Veraneio – as preferidas pelos órgãos de repressão da ditadura – estacionarem sobre a calçada, diante da agência. Minutos depois cinco homens à paisana e empunhando pistolas, metralhadoras e carabinas de cano serrado invadiram o andar da criação. Gabriel reagiu como se estivesse em Londres. Pôs-se de pé e ameaçou falar grosso com os agentes:

– Onde os senhores pensam que estão? Isto aqui é uma empresa privada, multinacional, capitalista...

O safanão que levou de um dos homens não permitiu sequer que ele terminasse a frase. O calvo e franzino redator Joaquim Gustavo ameaçou abrir a boca e foi atirado ao chão por um bofetão. Os inesperados visitantes estavam atrás de Otoniel Santos Pereira, que logo se identificou e foi imediatamente levado para o xadrez da rua Tutóia, na Vila Mariana, onde funcionava o temido DOI-Codi. "Oto", como era conhecido pelos amigos, era procurado por ter hospedado em sua casa um dirigente do PC do B, partido clandestino que naquele momento mantinha um foco guerrilheiro na região do Araguaia, no Norte do

Aos 23 anos, para parecer
mais velho, Gabriel
deixa crescer a barba
e passa a fumar cachimbo.
Ele mesmo achava
aquilo ridículo.

país. Ele só teve tempo de pegar uma carteira de identidade e entregar sua bolsa a Gabriel. Encapuzado ainda na porta da agência, Otoniel foi levado ao DOI-Codi, onde passou doze dias sofrendo torturas físicas e intimidações (os militares ameaçavam prender e torturar seu filho Tiago, que nascera duas semanas antes). Mesmo sob tais condições, Otoniel não abriu o bico. Gabriel lembra que um dia Oto reapareceu na agência como se nada tivesse acontecido. Chegou, cumprimentou as pessoas, sentou-se à sua mesa e começou a ler o jornal. Gabriel levantou-se e perguntou:

– E aí?

Otoniel respondeu com um sorriso irônico:

– Descobri que sou mais macho do que eu pensava.

Tempos depois Gabriel e Otoniel seriam de novo importunados por gente do governo. Na época a Casa Zacarias, uma grande revendedora de pneus que ficava no número 477 da alameda Barão de Limeira, no centro de São Paulo, tivera toda sua campanha de propaganda montada em cima de um bordão musical feito com o número 477, que logo se transformaria no "Já famoso 477". Ocorre que 477 era também o número de um duríssimo e combatido decreto-lei da ditadura que proibia manifestações políticas nas universidades públicas, punindo com expulsão ou prisão todo estudante ou professor que praticasse ou participasse de "atos destinados à organização de movimentos subversivos, passeatas, desfiles ou comícios não autorizados". Na mesma época, circulava em São Paulo o tablóide *Ex-*, jornal mensal *underground* de declarada oposição à ditadura. A cada número os editores do *Ex-* convidavam uma dupla de publicitários para criar um anúncio de página inteira para o veículo, e na edição de março de 1975, quando a repressão política ainda estava ativa, os escolhidos foram Gabriel (então trabalhando na Almap) e Otoniel (que continuava na Lintas). A dupla apropriou-se do popular slogan da Casa Zacarias – "O já famoso 477" – e o estampou como título, em letras garrafais, no alto da página. O texto do anúncio era a íntegra do draconiano decreto-lei. Para que não restassem dúvidas a respeito das intenções de seus autores, a página era respingada de tinta vermelho-sangue. Como na época a montagem dos anúncios era feita manualmente, Gabriel se lembra de que, enquanto ele produzia a página, seu colega de criação na Almap, Tom Figueiredo, vigiava a porta da sala para que nenhum olhar indiscreto flagrasse o ato subversivo. Como já era reincidente, Otoniel foi de novo convocado à polícia política para prestar esclarecimentos.

Visto como alienado e despolitizado, o mundo da propaganda já havia sentido a mão pesada do regime em outras ocasiões. Em 1969, quando a guerrilha urbana comia solta pelas ruas, o publicitário Carlos Knapp, dono da pequena e criativa Oficina de Propaganda, decidiu dar um passo arriscado: transformou parte de sua casa em um mini-hospital para receber militantes da luta armada feridos. Ele era um dos muitos membros da rede de apoio que ajudava a Ação Libertadora Nacional, a ALN, organização comandada por Carlos Marighela. Protegida pela vizinhança chique (a polícia dificilmente imaginaria encontrar uma base da guerrilha instalada num casarão do elegante Jardim América), a improvisada clínica funcionou sem levantar suspeitas até que em uma manhã de junho um veículo cruzou seus portões transportando um homem ferido a bala. Era o gari Francisco Gomes da Silva, o "Chiquinho", trazido por seu irmão Virgílio Gomes da Silva, o "Jonas", um dos chefes da ALN – e que viria a ser o primeiro "desaparecido" da ditadura. Os dois tinham acabado de matar um soldado da Polícia Militar na porta de uma agência bancária no bairro da Penha, na zona Norte de São Paulo, quando tentavam roubar-lhe a metralhadora. Antes de morrer, o PM conseguira disparar uma rajada da arma contra Chiquinho.

O médico de plantão na casa de Knapp naquela tarde era Boanerges de Souza Massa, o "Peter", que caíra na clandestinidade meses antes. Ele se assustou com o estado de "Chiquinho", com quatro perfurações de balas no tórax, e concluiu que ele morreria se não recebesse imediatamente uma transfusão de sangue – ou seja, ele precisava ser levado para um lugar com mais recursos. Pouco depois três veículos deixaram a casa de Knapp – além do ferido, levavam nove homens ar-

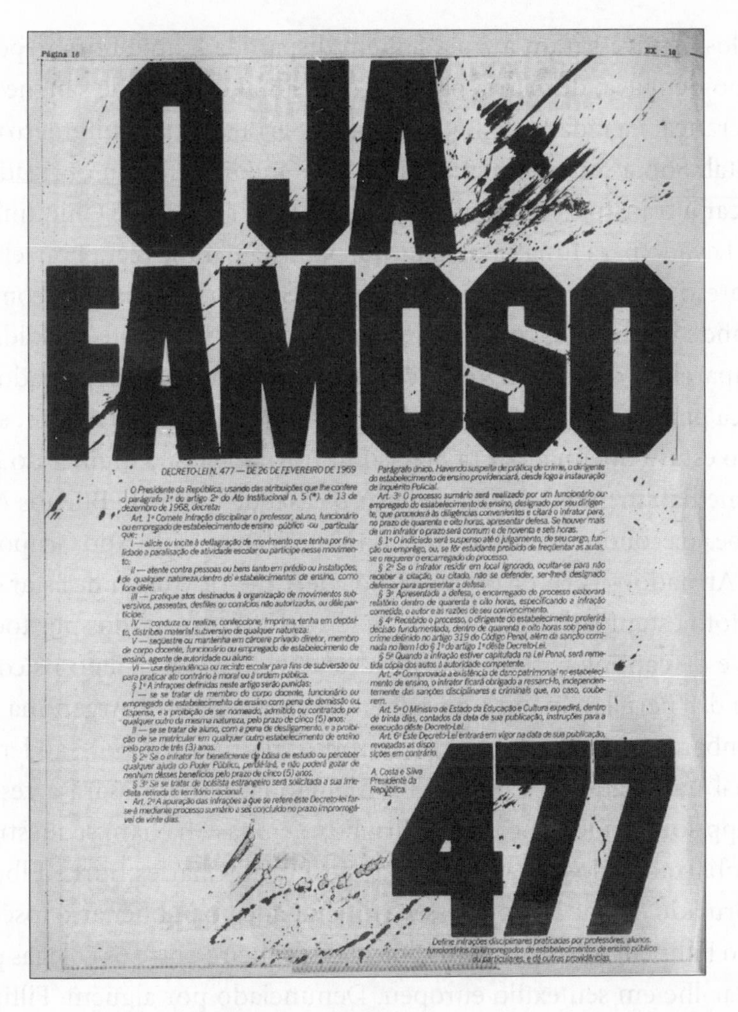

Página 16 EX - 16

O JÁ FAMOSO

DECRETO-LEI N. 477 — DE 26 DE FEVEREIRO DE 1969

O Presidente da República, usando das atribuições que lhe confere o parágrafo 1º do artigo 2º do Ato Institucional n. 5 (*), de 13 de dezembro de 1968, decreta:

Art. 1º Comete infração disciplinar o professor, aluno, funcionário ou empregado de estabelecimento de ensino público ou particular que:

I — alicie ou incite à deflagração de movimento que tenha por finalidade a paralisação de atividade escolar ou participe nesse movimento;

II — atente contra pessoas ou bens tanto em prédio ou instalações, de qualquer natureza, dentro dos estabelecimentos de ensino, como fora dêle;

III — pratique atos destinados à organização de movimentos subversivos, passeatas, desfiles ou comícios não autorizados, ou dêle participe;

IV — conduza ou realize, confeccione, imprima, tenha em depósito, distribua material subversivo de qualquer natureza;

V — seqüestre ou mantenha em cárcere privado diretor, membro de corpo docente, funcionário ou empregado de estabelecimento de ensino, agente de autoridade ou aluno;

VI — use dependência ou recinto escolar para fins de subversão ou para praticar ato contrário à moral ou à ordem pública.

§ 1º A infrações definidas neste artigo serão punidas:

I — se se tratar de membro do corpo docente, funcionário ou empregado de estabelecimento de ensino com pena de demissão ou dispensa, e a proibição de ser nomeado, admitido ou contratado por qualquer outro da mesma natureza, pelo prazo de cinco (5) anos;

II — se se tratar de aluno, com a pena de desligamento, e a proibição de se matricular em qualquer outro estabelecimento de ensino pelo prazo de três (3) anos.

§ 2º Se o infrator for beneficiário de bôlsa de estudo ou perceber qualquer ajuda do Poder Público, perdê-la-á, e não poderá gozar de nenhum dêsses benefícios pelo prazo de cinco (5) anos.

§ 3º Se se tratar de bolsista estrangeiro será solicitada a sua imediata retirada do território nacional.

Art. 2º A apuração das infrações a que se refere êste Decreto-lei far-se-á mediante processo sumário a ser concluído no prazo improrrogável de vinte dias.

Parágrafo único. Havendo suspeita de prática de crime, o dirigente do estabelecimento de ensino providenciará, desde logo a instauração de inquérito Policial.

Art. 3º O processo sumário será realizado por um funcionário ou empregado do estabelecimento de ensino, designado por seu dirigente, que procederá às diligências convenientes e citará o infrator para, no prazo de quarenta e oito horas, apresentar defesa. Se houver mais de um infrator o prazo será comum e de noventa e seis horas.

§ 1º O indiciado será suspenso até o julgamento, de seu cargo, função ou emprêgo, ou, se fôr estudante proibido de freqüentar as aulas, se o requerer o encarregado do processo.

§ 2º Se o infrator residir em local ignorado, ocultar-se para não receber a citação, ou citado, não se defender, ser-lhe-á designado defensor para apresentar a defesa.

§ 3º Apresentada a defesa, o encarregado do processo elaborará relatório dentro de quarenta e oito horas, especificando a infração cometida, o autor e as razões de seu convencimento.

§ 4º Recebido o processo, o dirigente do estabelecimento proferirá decisão fundamentada, dentro de quarenta e oito horas sob pena do crime definido no artigo 319 do Código Penal, além da sanção cominada no item I do § 1º do artigo 1º dêste Decreto-Lei.

§ 5º Quando a infração estiver capitulada na Lei Penal, será remetida cópia dos autos à autoridade competente.

Art. 4º Comprovada a existência de dano patrimonial no estabelecimento de ensino, o infrator ficará obrigado a ressarci-lo, independentemente das sanções disciplinares e criminais que, no caso, couberem.

Art. 5º O Ministro de Estado da Educação e Cultura expedirá, dentro de trinta dias, contados da data de sua publicação, instruções para a execução dêste Decreto-Lei.

Art. 6º Êste Decreto-Lei entrará em vigor na data de sua publicação, revogadas as disposições em contrário.

A. Costa e Silva
Presidente da República.

477

Define infrações disciplinares praticadas por professôres, alunos, funcionários ou empregados de estabelecimentos de ensino público ou particulares, e dá outras providências.

O provocativo anúncio feito por Gabriel e Otoniel para o *Ex-*: de novo, problemas com os militares.

mados. Atravessaram a zona Sul em disparada e uma hora depois o grupo ocupava, de armas na mão, o hospital e banco de sangue Boa Esperança, na cidade de Itapecerica da Serra, a vinte quilômetros da capital. Sob a mira de metralhadoras os médicos foram obrigados a aplicar a transfusão de sangue, operar e salvar a vida de Chiquinho.

Levado para uma casa no litoral paulista para se recuperar, ele seria preso pelo Exército semanas depois. Sob tortura, acabou contando onde recebera os primeiros socorros depois da morte do soldado. O "aparelho" do Jardim América – gíria dos movimentos armados da época para esconderijo ou local de operações – acabava de cair, e seu dono estava queimado. Era preciso tirar Knapp e sua mulher do Brasil imediatamente. A tarefa de levar o casal de carro até Buenos Aires coube ao economista Paulo de Tarso Venceslau, membro do Grupo Tático Armado, o GTA da organização guerrilheira. Apesar de estar com sua foto estampada em cartazes de terroristas procurados por todo o país e de caminhar com dificuldades, devido a um defeito físico em uma das pernas, Knapp e a mulher chegaram ilesos à Argentina e de lá embarcaram para o exílio na Europa. Três meses depois, ao ler um jornal na cidade de Colônia, na Alemanha, onde passara a residir, Knapp soube que Venceslau e Virgílio, o "Jonas", haviam seqüestrado o embaixador dos Estados Unidos no Brasil, Charles Burke Elbrick. Informado de que Knapp passava dificuldades, o publicitário José Roberto Fillipelli organizou uma coleta de dinheiro entre os colegas para enviar-lhe em seu exílio europeu. Denunciado por alguém, Fillipelli foi preso e com ele todos os doadores identificados – entre os quais o arquiteto Ricardo Ohtake, que cometera a imprudência de fazer sua contribuição em cheque (muito tempo depois, em 1992, quando assumiu o cargo de secretário da Cultura do Estado de São Paulo, Ohtake teve que abandonar a função, não remunerada, de curador do Espaço Cultural W/Brasil, uma espécie de galeria de arte que funcionou por mais de três anos no térreo do prédio da rua Novo Horizonte).

Quando estava para fazer um ano que Gabriel trabalhava na Lintas, a empresa transferiu de Kuala Lumpur, na Malásia, um excêntrico diretor de criação austríaco, Geoffrey Fry, que não falava uma sílaba de português, só alemão – o que o obrigava a andar 24 horas por dia escoltado por uma intérprete bilíngüe –, e que combinava ternos sóbrios com coloridíssimas botas de caubói, de cano alto. Os temperamentos dos dois não se entenderam. Além de achar o sujeito muito incompetente (juízo que a própria Lintas reconheceria, demitindo-o meses depois), Gabriel considerava uma falta de respeito com os brasileiros aquela história de só se dirigir às pessoas por intermédio de uma intérprete. Desde a chegada do austríaco, Gabriel pedira aos colegas para não lhe contarem que o alemão era sua primeira língua, como se esperasse a hora certa para se vingar. Ela não só veio, como foi a sua última hora de trabalho na agência. Um belo dia ele chegou a seu limite. Gabriel entrou na sala de Fry e, antes mesmo de dar bom-dia, foi dizendo:

– *Herr Fry, ich bin hier um Ihnen meine Kündigung mitzuteilen.*

O sujeito arregalou os olhos ao ver um brasileiro pedir demissão em escorreito Hochdeutsch, um alemão impecável. Gabriel continuou:

– *Außerdem will ich Ihnen nur sagen, das Sie nicht Deutsch in einem Land sprechen sollten, dessen Sprache Portugiesisch ist; das ist eine unelegante Art des Zusamenlebens. Leben Sie wohl. Auf Wiedersehen.*

Em bom vernáculo, ele dissera algo como "o senhor não deveria falar alemão em um país cuja língua é o português, isso é muito deselegante. Passe bem. Até logo".

Quinze dias depois estava contratado pela Alcântara Machado, que incorporara o "Periscinoto" de Alex em sua razão social. Apesar de estar trabalhando em uma das mais renomadas agências brasileiras, e de ganhar, aos 23 anos, um salário mensal de R$ 36 mil, também ali Gabriel sentiu, nas primeiras semanas de trabalho, que não ia durar muito. Mesmo não tendo militância política, era um sujeito bem informado, politizado, que convivera com gente de esquerda durante o período em que estudava no Iadê e que vira de perto, na ocasião da prisão de Otoniel, como o regime militar tratava seus opositores. Mais do que isso, sabia que pessoas estavam sendo mortas em sessões de torturas nos porões de quartéis e prisões pelo país afora. E a Almap era uma das agências que atendiam contas do governo federal – na época, o governo do general Ernesto Geisel. Para não ter de se envolver com as contas oficiais, ele preferiu trabalhar nas campanhas da Volkswagen, que também era cliente da agência. Mas, ocupando o posto que ocupava (e ganhando o que ganhava), Gabriel não teria escapatória. Mais dia, menos dia acabaria acontecendo o que ele temia: ter de fazer e apresentar campanhas para os hierarcas do regime. Aos poucos aquilo foi tirando o prazer que a publicidade lhe dava. Não se tratava de nenhum esquerdismo juvenil, nem de qualquer objeção ao sistema capitalista, mas ele se sentia cada vez pior tendo de trabalhar para um governo que não merecia absolutamente nenhum resquício de sua simpatia.

Ele já estava decidido a pedir demissão, quando apareceu o pretexto para sair "em grande estilo". O que acabaria entornando o caldo seria uma questão trabalhista, da qual provavelmente Alex Periscinoto jamais terá tomado conhecimento. Com o naufrágio do "milagre brasileiro" – período em que o regime obteve crescimento econômico de até 13% ao ano, conseguindo segurar a inflação em patamares de até 14% ao ano –, o bolso dos brasileiros passou a ser castigado com um contínuo, persistente e generalizado aumento de preços. Mesmo o bolso dos que, como Gabriel, ganhavam salários estratosféricos. Para impedir que a inflação, que arranhava os 30% ao ano, corroesse o poder aquisitivo dos salários, os sindicatos lutavam para que os patrões concedessem reajustes regulares. No caso dos publicitários, em maio de 1975 o sindicato tinha obtido na Justiça do Trabalho um reajuste de 12% sobre todos os salários da categoria. No fim do mês, porém, ao receber o contracheque, Gabriel percebeu que continuava ganhando o mesmo salário de antes. Foi à seção de RH reclamar e ouviu que a agência decidira não pagar o reajuste, e que quem reclamasse ia para a rua. Gabriel ainda tentou resolver aquilo com bons modos:

– Mas a agência não pode descumprir uma decisão judicial. Os publicitários receberam um aumento de 12% e vocês não estão cumprindo essa decisão trabalhista. Isto é francamente ilegal.

O sujeito não estava para conversa e, mesmo que não tivesse autoridade para isso, ameaçou:

– Não vai receber e tem mais: quem reclamar será demitido.

– Como é mesmo o seu nome?

– Wilson.

– Me desculpe, senhor Wilson. Eu é que estou me demitindo. E a Almap pode se preparar para pagar não apenas a mim, mas a todos os 410 funcionários da empresa. Vou entrar na Justiça contra a agência, mas vou abrir uma causa em nome de todos os funcionários.

A germânica convicção com que Gabriel fez a ameaça parece ter surtido efeito, pois no dia seguinte seu salário e a indenização estavam depositados no banco – devidamente acrescidos dos 12% garantidos pela decisão judicial. Após pouco mais de um ano, estava de novo na rua. Mas desta vez Gabriel não tinha pressa em arranjar um novo patrão. Como não era um dissipador de dinheiro, e há alguns anos vinha recebendo salários muito altos, fizera uma reserva bancária que lhe permitiria passar um bom tempo, talvez mesmo alguns anos sem trabalhar. O fato de ao longo desse período ter atuado longe de Washington não o afastou do amigo. Ao contrário, os dois continuavam a se ver com freqüência. Era comum se sentarem à noite, na casa de Washington, para aperfeiçoar as coisas que haviam criado durante o dia em suas respectivas agências, como lembra Washington:

– Por puro perfeccionismo nosso, sem que os patrões soubessem, naquele período a DPZ contava um pouco com o trabalho do Gábi e a Almap com o meu.

No dia em que deixou a Almap, Gabriel foi à casa de Washington para contar a novidade. No meio da conversa, perguntou:

– Washington, você continua querendo ser o melhor publicitário do mundo?

– Continuo. E você?

– Vou largar tudo e passar um tempo pintando, estudando e refletindo sobre o futuro.

– Você é louco! E vai viver de quê?

– Guardei um bom dinheiro, mas se precisar de grana posso fazer umas fotos, criar umas embalagens, trabalhar como *freelancer*.

Sem conseguir dissuadir o amigo da escolha, Washington sugeriu fazerem um trato:

– Você quer saber se é pintor ou publicitário. Se descobrir que é pintor, eu compro uns quadros seus. Se descobrir que é publicitário mesmo, me avisa que eu dou um jeito de voltarmos a trabalhar juntos. Topa?

– Está topado.

Ao se lembrar do diálogo, trinta anos depois, Washington confessa que, num raríssimo laivo de modéstia, não disse a Gabriel "se você voltar eu te contrato":

– Eu não disse "te contrato", mas podia dizer. Naquele momento eu não tinha nenhuma dúvida de que ia acontecer para valer. Eu estava me dedicando a isto e tinha certeza de que, se o Gábi quisesse voltar para a propaganda, ele ia me encontrar num lugar onde eu poderia contratá-lo. Ou, no mínimo, recomendá-lo muito veementemente, quase reivindicar sua contratação.

Nos primeiros seis meses da nova vida, Gabriel dedicou-se quase só à fotografia, utilizando o estúdio da fotógrafa Ana Theophilo, mãe de dois filhos de um casamento anterior, com quem ele se casara. Uma de suas fotos nesse período chegou a ganhar um "Clio", um dos mais importantes prêmios de propaganda do mundo, mas sua libido não estava mais voltada para o mundo da publicidade. Foi então que ele começou a esculpir, realizar projetos conceituais de arte, sempre buscando não repetir a pintura tradicional. Um ano e meio depois, resolveu montar, junto com o artista plástico José Carlos César Ferreira, o Boi, uma cooperativa de artistas plásticos, que juntou mais de cem pintores, escultores, desenhistas, num espectro que ia desde o jovem Tuneu, um novato a caminho da fama, até monstros sagrados como Alfredo Volpi. Os associados da cooperativa expunham em um espaço que Gabriel e Boi conseguiram arranjar, na rua Joaquim Floriano, no Itaim, ou em mostras individuais ou coletivas. Duas vezes por semana dava aulas noturnas na Escola Panamericana de Arte, para testar um curso experimental de ensino de arte e comunicação, uma proposta que envolveria os alunos em trabalhos reais, coordenados pelos melhores profissionais das áreas, para clientes reais. Era uma atividade que fazia mais por prazer do que pela remuneração de R$ 400 por aula. Dinheiro naquele momento não era a principal preocupação de Gabriel. Ele estava interessado mesmo era em repensar seu futuro.

Este era um problema resolvido não só para Washington, mas também para Javier. Logo depois do começo arrasador da Gelato, ele e seus três sócios previram que mais cedo ou mais tarde a empresa acabaria engolida por uma gigante – quem sabe a própria Kibon. No começo de 1972, Samuel Rosemberg, importador de máquinas frigoríficas tanto para a Gelato como para a Kibon, soprou no ouvido de Javier que alguém estava interessado em fazer uma oferta pela Gelato, e não era seu antigo patrão, mas a Gessy Lever, um dos principais concorrentes internacionais da General Foods. Os primeiros contatos foram suficientes para Javier descobrir que, na verdade, o que a multinacional queria mesmo era transformá-lo e a seus sócios em empregados de luxo, e a conversa não progrediu.

Fundada na Inglaterra em 1929, no mesmo ano a Lever Brothers se instalou no Brasil, onde iniciou suas atividades com o sabão em flocos Lux, o avô dos sabões em pó atuais. Quando se interessou pela Gelato, a Lever era detentora, no Brasil, de marcas tradicionais de produtos de limpeza, como o primeiro sabão (Rinso) e o primeiro detergente em pó (Omo) brasileiros, o xampu Vinólia, o primeiro creme dental listrado, o Signal, e os sabonetes Lever e Lux. Sua larga experiência no Brasil, porém, praticamente se restringia ao mercado de produtos de higiene e limpeza. Na área de alimentos, em que era um colosso internacional, seu ingresso no mercado brasileiro se dera em 1970, com o lançamento da Doriana, a primeira margarina cremosa do país. Mas a participação dos alimentos no faturamento da empresa era pouco significativa. Meses depois da investida, a Gessy Lever voltou à carga sobre a Gelato. Para evitar nova perda de tempo, Javier e seus sócios chutaram para cima o preço pedido ao executivo chinês que a empresa enviou da Inglaterra ao Brasil para as primeiras conversas e pediram pela fábrica de sorvetes nada menos que o lucro estimado dos dez anos seguintes. Em dólares. A Lever se interessou e contratou no Brasil, para ser seu negociador-comprador, o escritório de advocacia Fábio Monteiro de Barros, um dos maiores e mais conceituados da praça. Javier e seus sócios recorreram aos serviços do tradicional escritório Pinheiro Neto, o maior do Brasil. Conhecido por sua experiência como comprador, ao ser chamado pela Gelato, Pinheiro Neto iria estrear como vendedor.

Foi uma negociação longa, pesada, cansativa. A Lever queria garantias de tudo: todas as geladeiras estavam mesmo funcionando? As fórmulas de sorvete que a Gelato estava passando eram verdadeiras? E as cifras do balanço, eram aquelas mesmo? Como estavam os impostos? Havia alguma área em que a empresa era legalmente vulnerável? Cada cláusula podia significar semanas de discussões. Só em abril de 1973, sete meses depois dos primeiros contatos, é que o martelo foi finalmente batido: pelo valor equivalente, em dólares, a sete anos e meio do lucro futuro, a Gelato se transformava no braço brasileiro da Lever para enfrentar a Kibon-General Foods. A guerra de mercado entre as duas gigantes só chegaria ao fim 25 anos depois, e da mesma forma como costumam terminar as batalhas no mundo das grandes corporações: uma engolindo a outra. Em 1998, o CADE – Conselho Administrativo de Defesa Econômica, do Ministério da Justiça, aprovou a compra da Kibon pela Lever por US$ 930 milhões.

Antes dos quarenta anos, Javier ganhara seu primeiro milhão de dólares. Pouco mais de um ano após a venda da Gelato, no entanto, os sócios já se preparavam para um novo empreendimento. Eles se lembravam de que, quando faziam viagens regulares de negócios à Europa para pesquisar as novidades do mercado de sorvetes, os fabricantes tentavam convencê-los a seguir o exemplo italiano, que mantinha, paralelamente aos sorvetes, uma linha de produção de doces, destinada a contrabalançar a queda das vendas no inverno. Depois de ver equipamentos e pesquisar o mercado, os antigos sócios decidiram se juntar de novo e construir uma pequena fábrica em Jarinu, onde Javier havia comprado um sítio. O produto escolhido por eles para inaugurar o novo negócio era o maior sucesso na época, uma espécie de pão-de-ló chamado *swiss-roll.* Dois dos antigos sócios desistiram da empreitada e foram substituídos por Décio Ortiz, ex-colega de Javier na faculdade, e Aulus Coelho Pereira Júnior, ex-gerente da Kibon e na época distribuidor da cerveja Brahma na região do Bom Retiro, na capital paulista.

Feitas as contas, entre terreno, construção da fábrica e gastos com a importação de equipamento, o investimento total seria de cerca de US$ 1,2 milhão (aproximadamente R$ 12 milhões de 2004). Javier e Antonio entraram com aproximadamente dois terços do investimento, e Aulus e Décio com o restante. Além do *swiss-roll*, rebatizado com o nome de Pimpo, resolveram produzir também uma pequena linha de produtos, todos à base do mesmo pão-de-ló: um mini-rocambole coberto com chocolate, um lanchinho, o Merendina, recheado com doce, um rocambole grande e um bolo retangular, todos embalados um por um, tal como faziam, com enorme sucesso, os europeus. Com o dinheiro curto (e como a DPZ detinha a conta da Nestlé, um concorrente), encomendaram à Salles Propaganda uma campanha modesta de lançamento, muito aquém do que exigia o empreendimento. Deu tudo errado. A Pimpo foi colocada no mercado em 1976 e dois anos depois estava quebrada. A produção foi paralisada e os equipamentos vendidos para pagar dívidas com fornecedores e com o INPS. Preocupado com o futuro, Javier só tinha uma saída: era a hora de voltar para o mercado de trabalho.

Liquidados todos os compromissos, ele saiu em busca de um emprego. Estava começando a conversar com a tradicional indústria de alimentos Cica quando recebeu um telefonema com um aceno de Francesc Petit, um dos responsáveis pela vitoriosa campanha de lançamento da Gelato:

– Javier, seu negócio é vir trabalhar aqui na DPZ.

Mesmo sem nenhuma experiência em agências de propaganda – sua relação com elas sempre fora a de cliente –, ele ficou tentado pelo convite. A DPZ ainda não era a maior agência de propaganda do Brasil – estava perto disso – mas sem dúvida era a melhor. Seus próprios donos reconheciam que faltava, no entanto, quem se preocupasse com o planejamento estratégico da empresa, e que não podia ser apenas um executivo, mas alguém com experiência em marketing. Ou seja, estava faltando um Javier Llussá na DPZ. "Nós não precisávamos de um publicitário e nem o Javier gostava de ser publicitário", lembraria Petit muitos anos depois. "Ele era um grande administrador, um craque em marketing e um fazedor de dinheiro. Nisto ele era muito bom." Fecharam negócio e, depois de passar algumas semanas se enfronhando nos problemas da agência, Javier recebeu a incumbência de instalar para o Banco Itaú (um dos principais clientes da DPZ) um sistema de gerenciamento de produto e um departamento de marketing, tarefa que lhe consumiu seis meses de trabalho dentro do banco.

De volta à agência, os sócios o encarregaram de fazer um estudo que reorganizasse a estrutura da empresa. Javier propôs e os donos aceitaram a constituição de um *board* – um conselho diretor formado por Duailibi, Petit e Zaragoza, e mais Ronaldo Persichetti, os principais acionistas da agência. Abaixo deles viriam o superintendente e os diretores de criação, atendimento, finanças e mídia. A criação continuaria sob a direção de Petit e Zaragoza. Apesar de não ter o título formal, Duailibi continuaria a ser o que era, o presidente de fato da DPZ. A cada quinze dias o *board* se reunia, ampliado pela presença dos diretores de cada departamento, para decidir os destinos da agência. Quando o projeto ficou pronto, Javier foi convidado para ocupar o cargo de superintendente.

Mal chegada aos dez anos de vida, a DPZ era uma empresa consolidada entre as cinco maiores agências do país (aí incluídas três multinacionais). Instalada em moderna sede própria – um prédio de dez andares na avenida Cidade Jardim –, na garagem da agência podiam-se ver reluzentes Porsches e Jaguares dos criadores, que disputavam espaço com as bicicletas de corrida (também importadas, claro) nas quais Petit costumava ir ao trabalho. Não era apenas na saúde financeira, porém, que a DPZ se destacava das demais. O que a distinguia das concorrentes era uma idéia fixa: a da criatividade, seja no que dizia respeito à estética, seja ao conteúdo. Não bastava fazer os melhores títulos, os textos mais brilhantes, os comerciais mais engraçados. Era preciso que eles fossem também os mais bonitos, modernos, ousados. Muito tempo depois, ao analisar os primeiros dez anos da DPZ, Nizan Guanaes não economizaria elogios:

– Durante pelo menos uma década, ou mais, a DPZ teve domínio absoluto da publicidade: eram dela o primeiro, o segundo e o terceiro lugares. E a grande maioria das peças que inspiraram, moldaram e deslumbraram toda a nova geração eram assinadas pela mesma dupla: Washington Olivetto e Francesc Petit.

E arremataria:

– Não se pode falar da DPZ sem falar de Washington Olivetto. O W era, na realidade, a quarta letra da DPZ. Nenhum criativo produziu tanto quanto ele. O Washington está para a propaganda como João Gilberto está para a música brasileira.

O que fazia da DPZ uma agência visivelmente superior à média do mercado não era apenas o trabalho de Petit e Washington. Uma rápida pesquisa em arquivos da época mostra que as outras duplas da casa, como Zaragoza e Neil Ferreira ou Helga Miehke e João Palhares, também eram presença constante no pódio das premiações brasileiras e internacionais. A verdade, porém, é que os dois primeiros tinham uma invejável capacidade de produzir muito e bem. Como na anedota, a dupla matava um leão por dia. De longe o mais exibido dos dois, Washington era quem mais aparecia. E como. Depois de dar o tal salto "do meio profissional para cair na sociedade", ele não aparecia apenas nas colunas de publicitários, publicadas em jornais do segundo ou terceiro time, como o *Diário Popular* (atual *Diário de S. Paulo*) e o *Shopping News*. Com a mais absoluta sem-cerimônia, lá estava Washington Olivetto no caderno de esportes, pontificando sobre futebol, ou no de turismo, indicando um hotel charmoso em Èze, na França, ou no de cultura, discorrendo sobre os rumos da MPB, ou no de economia, falando sobre os efeitos da inflação nos negócios, ou na TV, participando de uma mesa-redonda sobre hábitos da juventude. E era raro o domingo em que ele não aparecesse, claro, nas colunas de publicidade e propaganda.

A operação de transformação do Washington publicitário em uma celebridade deve muito a um dos mais cáusticos colunistas da época – Telmo Martino, que o *Jornal da Tarde* importara do Rio para assinar uma coluna semanal do tipo contra tudo e contra todos, um lança-chamas apontado para quem quer que se aventurasse a brilhar no mundo das personalidades. Chamado de "a Jararaca dos Jardins" pelo jornalista Thomaz Souto Corrêa (que recebeu como retribuição o apelido de "o Jeca dos Jardins"), o esguio e elegante quarentão Telmo Martino andava pelas feias e calorentas ruas do centro velho de São Paulo, onde ficava a redação do jornal, como se estivesse na City londrina: calças de flanela, sapatos Church, camisas de algodão egípcio e sobre os ombros um agasalho de legítimo *cashmere*. Nada e ninguém passava pela alça de mira de sua caneta sem o risco de ser vítima de uma provocação, uma crítica ou um apelido. As pessoas eram divididas em categorias: por exemplo, "os barba-e-bolsa" (jovens barbudos de esquerda), os "poncho-e-conga" (apreciadores de música latina, então na moda), "os porsche-e-rolex" (novos-riquíssimos) e "os tempura-e-mesura" (artistas plásticos da comunidade japonesa). Para Telmo, o músico João Gilberto era "o único brasileiro que aprendeu inglês com Tarzan"; a arquiteta Lina Bo Bardi, com sua eterna franjinha sobre a testa, virou "a última fã de Verônica Lake". O coreógrafo Décio Otero era chamado de "o bailarino das sapatilhas de chumbo", e a apresentadora Marília Gabriela, de "mulher-traço", cruel referência à baixa audiência de seus programas de televisão. A atriz Martha Overbeck era "Martha Overdose". Quando a Editora Abril lançou a revista *Nova*, versão brasileira da bem-sucedida americana *Cosmopolitan*, ele batizou-a como o "Kama Sutra das estenodatilógrafas". Uma das vítimas prediletas era um premiado poeta – que pede para ter o nome preservado –, cuja obra era objeto de freqüentes deboches. Um dia o vate se encheu de brios e decidiu lavar a honra em público. No meio da redação do *Jornal da Tarde*, advertiu Telmo publicamente de que ia ter troco:

– Você tem todo o direito de se divertir insultando as pessoas em sua coluna, desde que as pessoas também possam se divertir às suas custas. Como eu não tenho coluna, vou escolher a hora e o lugar certo para me divertir com você. Prepare-se, você está avisado.

Com seus vastos bigodes negros emoldurados por óculos de lentes grossas, a primeira providência tomada pelo franzino poeta para perpetrar sua vingança foi entrar num curso de capoeira. Matriculou-se em uma minúscula e sombria sala no viaduto Maria Paula, a três quarteirões do jornal, onde funcionava a academia de um sujeito que se dizia "discípulo de mestre Bimba". O poeta explicou ao instrutor que não ia fazer o curso inteiro, mas apenas especializar-se em um golpe:

– Quero aprender o voleio, só isso.

Para executar um voleio, um capoeirista deve ficar por instantes equilibrado sobre a ponta do calcanhar esquerdo, enquanto joga o pé direito para o alto – ou seja, uma versão africanizada do delicado *grand battement* do balé clássico. Quando se sentiu um craque no tal golpe, o poeta tratou de escolher o instrumento da vendeta: um par de sapatos de bico fino e duro que comprara meses antes em Florença, na Itália. Eleitas as armas, bastava ter paciência e esperar o momento certo para a justa. Ele chegou exatamente no último dia daquele ano, quando o jornalista Fernando Mitre, editor de Internacional do *Jornal da Tarde*, fez uma festa de *réveillon* em sua casa, no bairro de Indianópolis, para a qual convidou artistas, intelectuais e colegas do jornal – entre eles os dois desafetos. Quando faltavam alguns minutos para a passagem de ano, um impecável poeta, vestido de *black tie*, atravessou o salão onde casais dançavam e grupos conversavam em voz alta, foi até a roda onde estava Telmo Martino, bateu nas suas costas e, quando ele se virou, ouviu apenas três palavras:

– É hoje, Telmo.

Do alto de seu 1,80 metro, o colunista mal teve tempo de ver o pequenino versejador em ação. De um salto ele pulou para trás de Telmo, firmou-se no calcanhar esquerdo e aplicou o voleio, pespegando-lhe um certeiro e violento pé na bunda. Enquanto Telmo se contorcia de dor, o poeta virou-se para os atônitos convidados e, com um sorriso nos lábios, apontou para os sapatos:

– Comprei-os especialmente para isto.

Terminou a cena aplaudido por vários dos presentes. "Muito entusiasticamente pela atriz Irene Ravache", ele se recorda, "que também era uma das freqüentes vítimas das molecagens do Telmo." Mas, se era cruel e impiedoso com a humanidade, Telmo Martino se desmanchava em elogios quando se tratava de Washington Olivetto, um dos raríssimos personagens a receber do colunista um apelido consagrador. Celebrado como o grande ganhador de leões, ursos, globos e discos de ouro, Washington virou o Golden Boy da coluna semanal, na qual era invariavelmente incensado, paparicado, elevado às alturas. Por que esse comportamento tão desigual com ele? Por algum sentimento rasteiro, algum interesse subalterno por trás daqueles elogios? Não, simplesmente porque Telmo gostava de Washington. Passados muitos anos, o jornalista confessaria que, mesmo quando um prêmio era conquistado em parceria com Petit, ele só citava o redator, jamais o diretor de arte. "Eu não falava do Petit. Mesmo quando era a dupla que ganhava, eu não falava do Petit, só falava do Washington", relembraria. "Eu não gostava do Petit porque, como todo imigrante, ele achava que tudo no Brasil começou no dia em que ele desembarcou no país. Tudo que foi feito antes não tem o menor interesse. Tudo começou com ele. Eu então não citava mesmo, só falava do Washington."

Cada notinha sobre o Golden Boy publicada na coluna de Telmo ensejava pautas em outros jornais, entrevistas de Washington no rádio e na TV, convites para debates e mesas-redondas. Para a maioria dos clientes, não deixava de ser engraçado ver na sua frente, defendendo uma campanha com unhas e dentes, o sujeito que aparecera ao vivo num telejornal da noite anterior. Em uma dessas ocasiões, ele e Petit foram encarregados de levar ao banqueiro Olavo Setúbal, dono do Banco Itaú, a campanha em que a DPZ introduzia o uso de estrelas (até então símbolo utilizado apenas na classificação da hotelaria internacional) para distinguir um cheque especial do cheque comum. A campanha já tinha sido aprovada em todos os escalões do banco, mas, como relembra Washington, Setúbal "gostava de bater os pênaltis" – só se dispunha a ver as campanhas depois que tivessem passado por todos os níveis. Como na época era também o prefeito biônico de São Paulo (cargo que ocupou entre 1975 e 1979), o empresário pediu que a apresentação fosse feita em seu gabinete na Prefeitura, que ainda funcionava dentro do Parque do Ibirapuera.

Washington Olivetto foi vestido de Washington Olivetto: terno escuro, gravata sóbria e, nos pés, tênis cor-de-rosa em cujos calcanhares estava escrita a marca: "Miss Pig". Filho, neto e bisneto das melhores e mais sólidas cepas quatrocentonas, o austero Setúbal passou a reunião sem conseguir evitar olhar para aquilo que lhe parecia um calçado um tanto exótico, sobretudo se usado com um terno preto. Depois de ouvir os dois publicitários explicarem conceitos e mostrarem *slides*, *layouts*, artes e textos, o banqueiro ainda parecia indeciso. Virou-se para Washington e perguntou, com seu lento vozeirão:

– Washington, me diz uma coisa: você acha que essa campanha é boa mesmo?

Ele sorriu como um centroavante que recebesse a bola na porta do gol, com o goleiro no chão – e chutou de bate-pronto:

– Doutor Olavo, o senhor acha que se essa campanha não fosse boa pra cacete eu teria coragem de vir aqui de tênis Miss Pig cor-de-rosa?

O banqueiro levantou seu corpanzil de mais de 1,90 metro, bateu a palma da mão sobre a mesa e encerrou a reunião sem mover um músculo do rosto:

– A campanha está aprovada.

Era quase sempre assim. Ivan Zurita, atual presidente da Nestlé, lembra-se do tempo em que era gerente de marketing da multinacional suíça, cuja conta de propaganda era atendida pela DPZ – ou, mais precisamente, por Washington. Segundo Zurita, era um raro privilégio vê-lo ao vivo, criando um anúncio ou uma campanha a partir de uma idéia, uma palavra:

– Aquilo era um luxo equivalente a chamar o Pelé para vir marcar uns gols no seu escritório, só para você ver. Ou ouvir o João Gilberto cantando *Chega de Saudade* na sua sala.

Além de criar os anúncios e apresentá-los pessoalmente aos clientes, fazer palestras foi outra atividade – também detestada por seus colegas – que ajudou muito na ampliação do seu público. O sucesso da DPZ ensejava chuvas de convites para palestras em empresas e universidades, encerramento de convenções e congressos de associações de empresários e industriais. O que para os demais era uma chatice sem fim – um "programa de índio", como se dizia na época – encontrava em Washington um voluntário entusiasmado. Ele sabia que não podia desperdiçar as oportunidades que a máquina da DPZ lhe oferecia, um comportamento incomum entre as demais agências. No começo eram palestras apenas em São Paulo, depois começaram a surgir convites do Rio, de Minas, da Bahia, do Rio Grande do Sul e, com freqüência menor, da Argentina e do Uruguai. Era contagiante o entusiasmo com que ele, "louquinho por um brilhareco", para usar suas próprias palavras, desempenhava todas aquelas atividades. E o surpreendente, segundo o testemunho generalizado de quem o acompanhava na época, é que esse mundanismo que cercava glória tão precoce não interferia em sua produção cotidiana – nem na quantidade nem na qualidade. Tanto ele quanto Petit sabiam que de suas mãos saía a melhor e mais moderna propaganda do Brasil, superioridade comprovada pelos resultados que os clientes obtinham e pela sucessão de prêmios que a dupla abocanhava em festivais brasileiros e estrangeiros. O filé-mignon da carteira de clientes da DPZ – General Motors, Itaú, Nestlé, Souza Cruz, Sadia, Olivetti, entre outros – acabava nas mãos deles para, quase sempre, se transformar em um novo prêmio.

Passados trinta anos, e mesmo sem terem mais a intimidade de antes, tanto Petit como Washington se recordam com saudade desse período como sendo um dos melhores de suas vidas profissionais. Não apenas pela quantidade de prêmios ganhos, nem por seus *slogans* e personagens que se fixaram na memória das pessoas, mas pelo fraterno convívio entre os dois e pela alegria de estarem "dando um *show*" juntos. "Fazíamos um trabalho muito bom, sempre com um lado inteligente de que tanto Washington quanto eu gostávamos", lembra Petit. "Fizemos, sem dúvida nenhuma, a melhor dupla que já teve neste país. Foi muito legal." Se alguém pedir a Petit um exemplo de bom anúncio criado por Washington ele vai escolher um comercial feito para a Olivetti:

– O comercial mostra uma moça linda, escrevendo em uma máquina Olivetti uma carta, uma mensagem de Natal, e só no fim é que se descobre que o texto é de autoria de Fernando Pessoa. Isso é o grande Washington Olivetto para mim. Ele acrescentava cultura à propaganda, que é uma coisa muito rara. Só vi algo parecido, tempos depois, num anúncio feito pelo inglês David Abott, que usa um poema clássico para um comercial da Volvo.

Se a pergunta for repetida para Olivetto – qual o melhor trabalho de Petit na época – ele também terá a resposta na ponta da língua:

– É a campanha dos cinqüenta anos da General Motors, comemorados em 1975. Além de fazer todos os *layouts*, o Petit fotografou pessoalmente cada uma das peças. São fotos lindas, feitas no pátio da DPZ, com o cantor Orlando Silva, o poeta Vinicius de Moraes, o tenista Thomaz Koch.

A opinião de ambos, no entanto, coincide quando se trata de saber qual foi a melhor criação da dupla. Tanto Washington quanto Petit concordam em que nada do que fizeram se compara ao Garoto Bombril, que os dois iriam criar no começo de 1978. Convertido em fenômeno de comunicação de massas, o personagem transformou o Brasil, segundo pesquisa realizada pela revista especializada norte-americana *Advertising Age*, no único país do mundo onde uma marca conseguiu ser mais lembrada que a da Coca-Cola. Um quarto de século depois de gerada, a criação de Washington e Petit entraria para o *Livro Guinness dos Recordes* como a campanha publicitária que mais tempo ficou no ar com o mesmo personagem, sempre representado pelo mesmo ator.

W/Bras
W/BRASIL

SOY CONTRA

7

Um jovem pálido e delicado vai entrar para o *Livro Guinness dos Recordes*: é Carlinhos Moreno, o Garoto Bombril.

Durante muito tempo uma surda disputa em torno da paternidade do Garoto Bombril mexeu com o meio publicitário brasileiro. Depois que Washington deixou a DPZ para montar sua própria agência, em julho de 1986, levando consigo a gorda conta de US$ 12 milhões da Bombril, ele e Petit passaram a divergir a respeito de quem tinha de fato criado o personagem. Só quando o Garoto completou a maioridade, após 21 anos no ar, é que uma reportagem publicada pelo *Jornal do Brasil* revelou à opinião pública uma guerrinha que permanecera restrita ao mundo da propaganda. Petit não media as palavras ao tratar do caso:

– O Washington era só um redator. A linguagem do personagem é minha.

O troco de Washington veio na mesma edição:

– O Petit é bem maluquinho. Seu trabalho se restringiu à concepção visual.

O tempo, no entanto, parece ter cicatrizado as feridas provocadas pela pendenga e hoje os dois concordam, pelo menos em público, que ambos são os pais do Garoto Bombril. No texto de apresentação de um livro comemorativo dos 25 anos de anúncios do Garoto, Washington resolve o problema na primeira linha: "Quando, em 1978, Francesc Petit e eu criamos a campanha do lava-louças Bril...". E se perguntarem a Petit quem é o dono da idéia ele também vai responder sem vacilar: "Os dois somos os autores do personagem e da campanha. O Washington é redator, eu sou diretor de arte: ambos fomos os criadores".

Quando decidiu trocar a agência norte-americana McCann Erickson pela recém-nascida DPZ, em 1978, a Bombril era uma sólida empresa nacional, responsável pela produção de 4 mil toneladas anuais de esponjas de lã de aço – 80% do mercado brasileiro ou dois terços do total mundial. Criada em 1948 pelo empresário Roberto Sampaio Ferreira como uma indústria dedicada apenas à produção de abrasivos, por meio da incorporação de outras empresas ou do lançamento de novos produtos a Bombril estendeu sua liderança a outros segmentos com, entre outros, o detergente líquido Limpol, o desinfetante Pinho Bril e o amaciante Mon Bijou. Como herança dos tempos da McCann, a DPZ receberia duas grandes criações que tinham incorporado o produto ao dia-a-dia dos brasileiros: a marca Bom Bril (assim mesmo, partida em duas palavras) inscrita dentro de um oval vermelho e, principalmente, o *slogan* que acompanhou gerações: "Bom Bril tem 1001 utilidades". Não se tratava de uma afirmação falsa: muito antes do advento das parabólicas e dos satélites, um chumaço de Bombril envolvendo as antenas dos velhos aparelhos de TV era remédio usual contra má sintonia e imagens distorcidas.

A primeira campanha encomendada pela Bombril à nova agência não era para a lã de aço, o carro-chefe da empresa, mas para os novos detergentes lava-louças, cujo diferencial em relação à concorrência era oferecer mais proteção à pele das mãos das usuárias, a preços inferiores aos cobrados no mercado. Tanto Washington quanto Petit tinham consciência, adquirida por caminhos diferentes, de que era hora de enterrar a linguagem com que a propaganda brasileira tratava as donas de casa. A profunda mudança no comportamento e na vida das mulheres ainda não tinha sido enxergada pela maioria dos criadores de anúncios brasileiros, que continuavam insistindo nos estereótipos da dona de casa, mãe amorosa e esposa submissa. Se mudavam as mulheres, era natural que se mudasse também o homem que falava com elas. Um exemplo disso era o sucesso que fazia entre o público feminino o ator Marco Nanini na pele de um tímido e delicado professor da telenovela *Gabriela*. Outro exemplo foi a repercussão da campanha "Mexa-se", da TV Globo, em que o galã Nuno Leal Maia – ator invariavelmente escolhido para papéis acentuadamente másculos e que chegara, no cinema, a protagonizar pornochanchadas – aparecia na TV para confessar candidamente que ajudava a mulher a lavar a louça de casa. Washington não tinha dúvidas de que alguma mudança estava em curso:

– Estávamos vivendo uma época em que as mulheres se encantavam mais com a fragilidade do Woody Allen do que com a macheza do John Wayne. Na propaganda faltavam homens que tivessem a doçura e a timidez que as mulheres tanto apreciavam no cinema e na TV.

Era isso, o anti-John Wayne. Para falar com a nova mulher brasileira tinha de ser alguém delicado, tímido e bem-humorado. Mas alguém que se dirigisse à consumidora com um respeitoso "minha senhora", como se fazia antigamente. De sua parte, Petit também tinha posto a cabeça para pensar no personagem a ser criado. As idéias que teve – e anotou num papel, como faz até hoje – caminhavam na mesma direção do que pensava seu parceiro redator:

– A propaganda brasileira era muito arrogante, dirigindo-se à mulher com muita informalidade, quase com falta de respeito. Na minha cabeça o que pintava era um jovem vendedor de 22 anos de idade, magrinho, educado, meio funcionário do Bradesco, com aquele terninho vagabundinho, aquela camisinha branca de tergal, que teria que se dirigir às mulheres com educação. Um sujeito que, quando se dirige a uma senhora, primeiro pede licença para falar.

Ou seja, eles queriam detonar o *slogan* "1001 utilidades" e substituí-lo por alguém "que lembrasse um pouco a filosofia dos Beatles", como diria Petit, ou, segundo Washington, "um menino grande que inspirasse as mulheres a querer deitá-lo no colo e fazer-lhe um carinho". Decidido o perfil do personagem, faltava arranjar alguém que o interpretasse à altura das expectativas de seus criadores. O trabalho de *casting* – seleção de atores – ficou a cargo da produtora ABA, de Andrés Bukowinski, que também seria a encarregada de produzir os filmes. A escolha acabou recaindo sobre um nome que não fazia parte dos catálogos da ABA. Arrastado por uma filha para assistir à comédia musical *Folias Bíblicas*, em um teatro do Bixiga, bairro paulistano em que se concentram muitas casas de espetáculos, o sócio de Bukowinski, Oscar Caporale, ficou vidrado com o desempenho de um jovem ator, magro, alto, chamado Carlos Alberto Bonetti Moreno – ou simplesmente Carlinhos Moreno, como era conhecido –, um tresmalhado arquiteto formado pela USP com mestrado em *design* gráfico nos Estados Unidos. Sua relação com o teatro começara aos onze anos, em 1965, quando ele, Dionísio Jacob, Flávio de Souza e Mira Haar se conheceram em um curso de artes para adolescentes ministrado pelo dramaturgo Naum Alves de Souza na Fundação Armando Álvares Penteado, a FAAP (a mesma em que Washington freqüentara parte do curso de Publicidade). Juntamente com Naum, os quatro criaram o grupo experimental Pod Minoga, que incorporava ao teatro convencional outras linguagens artísticas, como as do circo, do teatro de revista, da ópera, do cinema e do rádio. Instalados na casa de Naum, montaram, sempre como grupo amador, de Shakespeare a criações coletivas próprias, como *Júlia Pastrana* e *Hotel San Marino*. A profissionalização só iria acontecer em 1977, com o *Folias Bíblicas*.

Sem imaginar que estava a caminho de uma mudança radical em sua vida, Moreno recebeu o convite de Caporale apenas como uma oportunidade de ganhar algum dinheiro. Ao preencher a papelada para o teste descobriu, desolado, que era o número 18, de uma lista de quarenta candidatos. No dia do seu teste, tal como fariam com os demais concorrentes ao papel, Bukowinski e Caporale explicaram-lhe detalhadamente o que era o personagem: um jovem químico industrial que trabalha nos laboratórios da Bombril e conhece muito bem os produtos que fabrica, mas morre de vergonha de ser colocado diante de uma câmera para falar com o público. Ele tem grande orgulho da empresa em que trabalha e sabe que os produtos dela são melhores que os da concorrência, mas fica constrangido de parecer soberbo ao dizer isso às donas de casa. Os dois publicitários deram-lhe então três textos: ele deveria escolher um deles e memorizá-lo para a gravação. Instalado em um camarim, o ator dispunha do tempo que achasse necessário para se sentir seguro, mas dez minutos depois ele já batia à porta da sala de Bukowinski para dizer que estava pronto. O texto escolhido era o do primeiro comercial da campanha, para o detergente Limpol, mais barato que os concorrentes.

Moreno aparece diante de um pequeno balcão onde estão todos os detergentes à venda no mercado, divididos em dois grupos: de um lado o Limpol, e do outro, misturados, os concorrentes, sem que os rótulos destes estivessem claramente visíveis. Com um sorriso tímido, bem à Woody Allen, ele espalma as mãos sobre a bancada e começa:

– *Aqui estão todos os detergentes que a senhora encontra por aí. Todos são de ótima qualidade. O nosso é o Limpol...*

Faz um ar maroto, como se confessasse um segredo:

– *O Limpol lava a louça tão bem como qualquer outro, mas tem duas diferençazinhas: tem a marca Bombril e custa um pouquinho menos.*

Mais um sorriso, um olhar desconfiado e ele encerra o comercial:

– *É um pouquinho só. Mas é menos.*

Diante de um monitor que transmitia as imagens gravadas no estúdio anexo, Caporale, Bukowinski e sua mulher e assistente Lisette não tinham dúvidas: de todos os atores testados até então, Moreno era, disparado, o melhor. E achavam que dificilmente algum dos 22 restantes roubaria o papel dele. O pacote de fitas de vídeo entregue na DPZ para a escolha do Garoto Bombril era acompanhado de uma recomendação da produtora, que pedia atenção especial para o teste número 18.

Nem precisava. Tanto Petit como Washington se convenceram, ao verem os testes, que o Garoto acabara de nascer e já tinha nome: Carlos Moreno. No ritmo frenético com que costumam acontecer as coisas na publicidade – ao qual o ator não estava habituado –, a DPZ decidiu que seriam produzidos imediatamente sete comerciais diferentes, de trinta segundos cada, para serem exibidos no horário nobre da televisão à medida que fossem sendo realizados. Quando a campanha foi levada ao cliente, acompanhada da primeira fita-piloto, já gravada por Moreno, a direção da Bombril – formada pelo fundador, Roberto Ferreira, e por seus três filhos – rachou. Um achava imprudência sepultar um *slogan* tão familiar aos brasileiros como o "1001 utilidades". Outro acreditava que não ficava bem para uma empresa tradicional como aquela ter um garoto-propaganda com um ar um tanto afeminado para os padrões da casa. Quem acabou batendo o martelo a favor da campanha foi Ronaldo, o filho encarregado da área de *marketing* da empresa. Pouco dias depois começaram as gravações. Finalizado o comercial escolhido por Moreno para o teste, iniciou-se a gravação do segundo filme, este destinado a vender uma novidade, o saponáceo líquido Rid. O ator emprestava um desempenho surpreendente ao texto simples e com uma ponta de *nonsense*. A câmera mostra Moreno com um frasco de Rid na mão:

> *– Estes são todos os saponáceos líquidos fabricados no Brasil. Quer dizer, só tem um, e é o que nós fabricamos, o Rid. O Rid lava tudo, é um ótimo produto, e por enquanto não tem concorrentes. A senhora vai usando o Rid sossegada e se um dia aparecer um outro, a senhora experimenta. Depois a senhora decide, se quer trocar de produto, ou continuar com o nosso.*

Mais um dia, e mais um comercial a ser gravado, agora para o lava-louças Bril – que, ao contrário do Limpol, custava mais caro que os concorrentes. A criação transforma o problema em solução. De novo cutucando a concorrência, Moreno aparece com o produto na mão:

> *– Existem vários lava-louças por aí. Todos maravilhosos, lavam e desengorduram mesmo. O que nós fabricamos é este aqui, o Bril. O Bril*

À esquerda, os *frames* do primeiro teste feito por Moreno, que o converteria no célebre Garoto Bombril. Acima, uma das últimas aparições do Garoto.

custa um pouquinho mais caro, porque ele é superconcentrado e tem um negócio na fórmula que não deixa estragar as suas mãos. Agora, se a senhora não quiser gastar essa diferença, compra um outro. Depois a senhora dá um jeito na mão, passa um creminho...

Não havia lembrança de alguém que tivesse dito na TV que seu produto tinha "um negócio" na fórmula. O departamento de mídia da DPZ optou por concentrar a veiculação dos três comerciais na TV Tupi, de preço mais acessível, com 54 inserções ao longo de um mês. Os anúncios tiveram um resultado surpreendente, refletindo-se logo nas vendas dos produtos – e foram recebidos com enorme simpatia pela opinião pública, o que levou a Bombril a veiculá-los também na Globo. Como só acontece com heróis das mais melosas novelas da tevê, Carlos Moreno dormiu anônimo e acordou celebridade. Já identificado nas ruas como o Garoto Bombril, ele foi chamado por José Carlos Piedade, diretor da DPZ, para ser contratado. Piedade lembra que Moreno não fazia idéia do mundo no qual estava entrando:

– Ele veio sozinho, não tinha empresário, não tinha advogado, não tinha nada. Perguntei quanto tinha sido acertado como remuneração e ele disse que não sabia. Perguntei então quanto ele queria ganhar, ele respondeu que não tinha a menor idéia. Insisti em que ele tinha que decidir quanto queria. Ele sofreu muito, suou, e aí falou um valor do qual não me lembro mais. Só lembro que era quinze vezes menor do que estávamos habituados a pagar para trabalhos semelhantes. Ele ficou assustado com o valor que propusemos, disse que era dinheiro demais.

O coroamento do sucesso da campanha viria poucos meses depois, quando a Rede Globo criou aquele que se converteria em um dos mais importantes e cobiçados prêmios da propaganda brasileira, o Profissionais do Ano. Por unanimidade dos jurados, o primeiro anúncio do Garoto Bombril recebeu o prêmio nacional, na categoria "Mercado". Uma semana depois a Rede Globo publicava um anúncio nas revistas semanais com as fotos dos três ganhadores, que festejavam o prêmio em dinheiro que haviam recebido. "Ganhar o Profissionais do Ano da Globo é tão emocionante quanto visitar Barcelona e ainda por cima dá dinheiro" (Petit, sempre entusiasta de sua cidade natal). "Em Cannes eles entregam Leões de Ouro. Na Globo eles entregam o próprio ouro" (Washington). "Gastei muito deste prêmio da Globo. Digo, gostei muito" (Andrés Bukowinski). O Profissionais iria se juntar à floresta de prêmios e troféus que Washington arrebanhara ao longo dos anos – entre os quais se destacava um Leão de Ouro meio bastardo, cujo ganhador oficial, tal como está gravado no pé da estatueta dourada, foi um publicitário chamado George Remington.

A trajetória desse Leão entre Cannes e o Brasil aconteceu em 1976, quando Washington já tinha três anos de DPZ. Ele recebeu um convite de Bukowinski e Caporale para fazer um bico – ou um *freelance*, no jargão profissional – para o Bamerindus, então um sólido banco privado com sede em Curitiba. Desde que não houvesse conflito ético, não era incomum que publicitários fizessem *freelances* fora de seu horário de trabalho na agência – mesmo os que ganhavam salários mensais em torno de R$ 50 mil, como era o caso de Washington. O convite não implicava impedimento ético, pois, embora a DPZ fosse detentora da conta do Itaú, o anúncio proposto pelos donos da ABA não era um comercial para o Bamerindus, mas um filme de utilidade pública sobre segurança no trânsito patrocinado pela instituição. O trabalho tinha sido encomendado a Bukowinski pelo publicitário Sérgio Reis, dono da agência paranaense Umuarama, que atendia o Bamerindus.

Uma única reunião realizada num sábado, em Curitiba, foi suficiente para que Washington recebesse o *briefing* – um resumo do que a empresa queria veicular. Bukowinski, que iria dirigir o comercial, não queria nada das imagens surradas de sempre, com carros em alta velocidade, freadas bruscas, acidentes e gente machucada. O filme iria ter dois minutos de duração, quase um longa-metragem para os padrões da propaganda, cujas produções para a TV em sua maioria têm apenas trinta segundos de duração. Uma semana depois, Washington entregava a Bukowinski uma página na qual resolvia o problema em um roteiro de menos de trezentas palavras:

Uma mulher de seus 30, 35 anos está falando num lugar que se configura como a sala de um psiquiatra. Ou tentando falar.

A mulher é sofrida, insegura, angustiada, preocupada e envergonhada. Envergonhada, principalmente.

Sua vida é bastante problemática.

Ela tem o marido com problemas sexuais (impotência) e está tentando contar ao psiquiatra que o marido sublima suas frustrações no trânsito, correndo feito um louco.

Ela mesma tem medo de sair com o marido. Ainda gosta dele, não têm filhos e se preocupa com um possível acidente que ele possa causar andando feito um louco pelas ruas.

Num misto de timidez e vergonha, ela nunca consegue dizer claramente que o marido é impotente, que ele é perigoso etc.

Mas do jeito que ela diz, tudo fica claro apesar de suas frases serem sempre interrompidas, medrosas.

No começo ela consegue dizer as primeiras frases com um pouco mais de realismo: "O meu marido corre demais no trânsito. Eu até... tenho medo de sair com ele..."

Depois ela parece que chega a se arrepender da confissão, tem dúvidas e vai ficando cada vez mais insegura.

Quase no final, sua reação é um misto de repúdio pelo perigo que ele representa, somada com uma vontade de ajudar, de fazer alguma coisa.

Mas o problema dela é mais forte: frustrada sexualmente, tentando manter-se fiel ao marido, ela acaba deixando transparecer que a sua repulsa pelo marido já é maior que o carinho que tem por ele.

Acha que é melhor se afastar dele, que é melhor todos se afastarem dele e acaba num choro convulsivo, que vai crescendo, crescendo...

Locutor final e letreiro.

Interpretado pela atriz Irene Ravache, na época com 31 anos, o filme causou polêmica no Brasil, merecendo ao mesmo tempo palmas e vaias nos cinemas em que foi exibido. Meses depois, Washington recebeu um telefonema de Andrés Bukowinski:

– Vou inscrever o filme no Festival de Cannes. Seu nome pode aparecer como autor do roteiro?

– É melhor pôr um pseudônimo. O verdadeiro Washington era George, não era? Então põe George.

– E o sobrenome?

– Eu sou Olivetto, que lembra Olivetti. Então põe Remington, em homenagem à máquina de escrever, porque aí confunde ainda mais.

Washington esqueceu daquilo até que no final de junho recebeu um telefonema internacional. Era Bukowinski ligando de Cannes para contar que, apesar de ter recebido uma estrepitosa vaia do público, o filme de George Remington tinha arrebatado o Leão de Ouro. Só na noite de entrega do Leão, envergando um *smoking* impecável, é que Washington revelou a verdadeira identidade de George Remington.

Os holofotes atraídos pelo novo Leão de Ouro aguçaram a cobiça das agências concorrentes. O primeiro convite para que ele deixasse a DPZ veio de Júlio Ribeiro, que fora seu patrão no breve período após a fusão da JRM com a Lince. Julio agora era presidente da sólida MPM/Casabranca, que acabara de conquistar a conta da Fiat, grande montadora de carros recém-instalada no país. O convite era para que Washington assumisse a direção de criação da agência com um salário que ele hoje não sabe precisar, mas do qual se lembra que era "uma montanha de dinheiro irrecusável". Simultaneamente, e sem que Washington soubesse, os dois sócios de Júlio Ribeiro responsáveis pela criação da MPM/Casabranca, Armando Mihanovich e Sérgio Graciotti, faziam oferta igualmente irrecusável a Gabriel Zellmeister. Tentando reunir a dupla que só viria a existir em 1982, na DPZ, os dois jogaram pesado ao tentarem seduzir Gabriel: "Nós te oferecemos um carro LTD Landau com motorista, um apartamento de frente para o mar no Rio de Janeiro e dinheiro é quanto você quiser" – o Ford LTD

Propaganda
ANO XXI - Nº 239 - Cr$ 15.00
Andrés e Washington: bi-campeões em Cannes.

Washington e Bukowinski
laçam em 1976 seu segundo
Leão de Ouro em Cannes
(desta vez, com pseudônimo).

Landau era então o mais luxuoso automóvel fabricado no Brasil. Ambos recusaram.

O que fez Washington livrar-se da tentação de trocar de emprego foi a certeza de que ainda tinha de se consolidar melhor como um grande criador. Na DPZ, além de todos os instrumentos para isso, ele tinha a mobilidade de poder criar, escrever, dirigir filmes, fazer apresentações de campanhas aos clientes e, ainda, representar a agência nas tais palestras que tanto o animavam. E lá as possibilidades de fazer coisas de qualidade também eram maiores, dado o invejável volume de trabalho da DPZ – durante o ano de 1976, por exemplo, a agência produziu cerca de duzentos comerciais para cinema e TV, o que dá a média de um filme a cada dia de trabalho.

Ele e Petit trabalhavam em um ritmo febril, e se metiam em todas as fases de produção de um anúncio. Era comum Petit aparecer no estúdio onde estivesse sendo realizada uma filmagem e interromper a produção:

– Está tudo errado. A câmera não pode estar aqui, tem que ficar mais para cima. Tem que trocar a lente: essa é uma grande angular, eu quero uma lente tipo 70/90 milímetros.

Os colegas da época ainda se lembram com espanto da capacidade de trabalho da dupla. José Carlos Piedade, que costumava acompanhar Washington e Petit nas visitas aos clientes, conta o que testemunhava:

– Certa vez fui com eles à Nestlé, que ia lançar um novo iogurte. Sentamos, o cliente passou o *briefing*, contou o que era o produto e um minuto depois o Washington propôs: "Vamos fazer um filme assim, assado, com a música tal...". O cliente, surpreso, não teve alternativa: comercial aprovado.

O que mais o impressionava não eram só a qualidade e o requinte das campanhas produzidas por eles, mas o volume:

– Ele e o Petit tinham uma capacidade de trabalho absurda, produziam um volume incrível. Sozinhos eles atendiam o Itaú, a Nestlé, a Sadia, a Olivetti, a GM, um pedaço da Souza Cruz e a Bombril. E o Washington não redigia só o filé, escrevia folhetinho, mala direta, vo-

Washington e Petit: sozinha,
a dupla atendia a Bombril, Nestlé,
Banco Itaú, Sadia,
Olivetti, General Motors...

lante. Até as capas dos cheques do Itaú os dois faziam, não passavam para assistentes. E eles pareciam trabalhar com um enorme prazer, tanto que o Washington era um dos primeiros a chegar à agência e um dos últimos a sair. Trabalhava pra burro, tinha uma extraordinária capacidade de produzir.

A mania de acompanhar um anúncio do começo ao fim às vezes criava situações insólitas, como na ocasião em que Washington se meteu em uma tertúlia semântica que o obrigaria a fazer duas viagens ao Rio, no mesmo dia, por causa de um ponto final. Isso mesmo, ponto final, o sinal de pontuação com que se encerra um período – idêntico ao que vai no fim desta frase. O redator Laurence Klinger e a diretora de arte Helga Miethke tinham feito um *outdoor* para ser afixado em bairros populares de todo o Brasil, no qual aparecia uma foto do maço de cigarros Continental sob o título: "Vai ver se eu estou no bar da esquina". Washington tomou um avião, foi ao Rio, apresentou o anúncio, conseguiu a aprovação e retornou a São Paulo. Horas mais tarde alguém liga do Rio de Janeiro para dizer que fora feita uma pequena mudança no texto do *outdoor*: o ponto final da frase fora retirado, respeitando uma inexplicável tradição da Souza Cruz, que nunca usava ponto final nos títulos de seus anúncios. Embora aquilo parecesse algo irrelevante, Washington esperneou:

– Não pode. Tem que ter o ponto, senão o título ficará solto no *outdoor*. Tirar o ponto tira a força da frase.

Ao perceber que por telefone não conseguiria resolver o problema, tocou de novo para o aeroporto, pegou outro avião para o Rio e só deixou o prédio da Souza Cruz depois de convencer o gerente de marketing da empresa de que o *outdoor* deveria sair com o ponto final. À noite, durante o vôo de volta a São Paulo, Washington pediu à aeromoça um uísque para relaxar e pensou: "Só mesmo um maluco como eu seria capaz de viajar quatro horas de avião por causa de um ponto final...".

Nem todo esse perfeccionismo, porém, seria suficiente para evitar alguns tropeços, como o que ele e Petit enfrentaram ao criar um comercial para a Sadia. A empresa estava colocando uma novidade no mercado, preparando as vendas de Natal: um peru com um minúsculo termômetro implantado no peito. Na hora que a carne chegasse à temperatura ideal o termômetro saltava para fora, poupando a dona de casa de abrir e fechar o forno várias vezes para saber se o assado estava no ponto. Para anunciar o produto, a Sadia queria um comercial para cinema e TV. Na hora de filmar, Washington e Petit perceberam que o termômetro era muito pequeno, tornando-se quase imperceptível para as lentes da câmera. Tentaram aplicar uma pequena seta indicando o lugar do termômetro, mas ficou muito feio. Foi aí que Washington teve a infeliz idéia:

– É muito simples: na hora que o termômetro pular, a gente coloca um bip no áudio, aí todo mundo vai perceber.

O resultado não podia ter sido pior. O filme foi aprovado, produzido e exibido em horário nobre em todo o país – e centenas de consumidoras que compraram o produto viram o peru de Natal transformar-se em cinzas. Tal como sugeria o anúncio da televisão, elas esperavam ouvir o bip para tirar o peru do forno, mas só quando a comida estava esturricada percebiam que o bip só existia no comercial.

De outra feita a trombada foi com a Olivetti, também atendida pela dupla Washington-Petit. A tradicional indústria de máquinas de escrever estava lançando um novo modelo, a Lexikon 80, de plástico duro e mais moderna, que iria substituir a velha Studio 66, de ferro, pesadona, mas a preferida de muitas empresas, inclusive das redações de jornais e agências de propaganda – uma máquina à qual muitos usuários estavam habituados fazia décadas. Washington não teve dúvidas, e ao criar o anúncio que ia sair em página dupla nas revistas semanais sapecou o título:

A Olivetti lamenta informar que está lançando uma nova máquina, a Lexikon 80.

Sob a foto do produto, um texto romântico falava das saudades que as pessoas iriam sentir da velha máquina, mas que a nova era muito melhor por isso e por aquilo. Ocorre que o verbo lamentar, utilizado no anúncio de lançamento de um novo produto, caiu como uma Studio 66 na cabeça dos diretores da Olivetti, na Itália, obrigando o bigodudo poeta Mário Chamie, gerente de marketing da empresa no Brasil, a uma viagem de urgência a Milão para explicar por que tinha aprovado algo aparentemente tão inusual.

Mas se nem o bip inexistente nem o verbo lamentar trouxeram prejuízos materiais à DPZ, o mesmo não se pode dizer de uma incontinência verbal cometida por Washington tempos depois. Em 1978, estava chegando ao final o mandato do governador Paulo Egydio Martins, que deixaria em março do ano seguinte o Palácio dos Bandeirantes. O governo militar indicou como "candidato" único à eleição indireta o ex-governador Laudo Natel (que ocupara o Palácio dos Bandeirantes em 1966-1967 e 1971-1975). A certeza de que a ditadura estava nos estertores despertou o apetite do empresário Paulo Salim Maluf – ex-presidente da Caixa Econômica Federal, prefeito nomeado de São Paulo entre 1969 e 1971 e, depois, secretário dos Transportes do próprio Laudo Natel –, que anunciou: ele também iria disputar as eleições. A insubmissão de Maluf aos planos dos militares aguçou a cupidez de outros políticos. Enquanto a novidade fervia nos corredores palacianos, Washington foi convidado por um velho amigo para almoçar no caro e requintado restaurante La Tambouille, na região dos Jardins. O anfitrião abriu o jogo logo nos aperitivos:

– O deputado Adhemar de Barros Filho está pensando em se candidatar a governador e quer saber se você topa fazer a campanha dele.

Conhecido por "Adhemarzinho", a despeito de pesar mais de cem quilos, socados em um corpanzil de quase 2 metros de altura, congressista de vários e opacos mandatos, o deputado, embora tido como homem correto, carregava no nome algo da má fama deixada pelo pai, que fora interventor (1938-1941) e duas vezes governador do Estado de São Paulo (1947-1951 e 1963-1966), prefeito da capital (1957-1961) e duas vezes candidato à Presidência da República (1955 e 1960). Dado como autor (e seguidor) do *slogan* "Rouba mas faz", Adhemar pai era acusado de ter engordado a fortuna familiar à custa do emagrecimento dos cofres públicos. Quando ele deixou o Palácio dos Bandeirantes pela última vez, em 1966, cassado pelos militares que ajudara a colocar no poder, Washington Olivetto ainda tocava sanfona na Academia Mário Mascarenhas. Mesmo não tendo convivido com o ademarismo, bastou ouvir o amigo tocar no nome para saber que aquilo não cheirava bem. Respondeu que não. Não topava fazer a campanha. O sujeito acenou com arcas de dinheiro, mas ele fincou pé. Na verdade, fazia algum tempo que Washington decidira não se meter em campanhas políticas – não havia ninguém e nenhum partido político no horizonte que tivesse conseguido sensibilizá-lo. Se não trabalharia para ninguém, não havia por que abrir exceção justamente para alguém com aquele monumental esqueleto no armário. Como o amigo insistisse, ele resolveu fazer uma piada:

– Então diz pro Adhemarzinho que eu não faço a campanha dele, mas dou o *slogan* de presente: "Para governador, Adhemar de Barros Filho. Ele veio para devolver".

Teria sido apenas isso, uma piada, se o próprio autor, em um de seus surtos de "loucura por um brilhareco", não tivesse se encarregado de torná-la pública. Em uma entrevista ao repórter Sérgio Pinto de Almeida, da revista masculina *Status*, ele não resistiu e contou a história, em meio a gargalhadas de ambos. O que Washington não sabia (e só viria a saber muitos anos depois de deixar a DPZ) é que fazia um ano e meio que seu patrão Roberto Duailibi trabalhava para conquistar a conta de propaganda da fábrica de chocolates Lacta, cujo dono era ninguém menos que o deputado Adhemar de Barros Filho. Aquela era uma conta que, a partir de então, jamais passaria sequer pela calçada em frente à sede da DPZ.

Naquela que seria a primeira grande entrevista dada por Washington, ele foi desafiado pelo repórter de *Status* a criar *slogans* para outros políticos brasileiros e foi soltando frases à queima-roupa, à medida que os nomes eram citados:

– Faça um slogan para o presidente Figueiredo.

– Acho mais fácil fazer para o Maluf: "Vote no Maluf que você será recompensado".

– Lula.

– O Lula ainda está no ABC da política, não é? Então o slogan é "PT Saudações".

– Brizola.

– "O PDT é o único partido que tem um programa de índio" [brincadeira com o fato de que um dos membros da bancada federal do PDT era o cacique Mário Juruna].

– Jânio Quadros.

– Prefiro o Renato Aragão.

– Magalhães Pinto [o jornalista referia-se ao ex-ministro e ex-governador de Minas Gerais, que não tinha um escasso fio de cabelo na cabeça].

– A cabeça mais brilhante da política brasileira.

– O ministro Delfim Netto.

– Não faço. O Delfim é um fenômeno da impunidade nacional. Imagina, um cara com aquela figura ir à televisão dizer que "precisamos desengordurar o país"? Realmente não dá.

– Então faça um slogan para o Corinthians.

– Também não. Eles que façam primeiro um time. Eles que façam primeiro o produto, depois eu faço o slogan. Se tivesse que fazer um hoje seria: "Corinthians: dez doentes correndo atrás de um doutor" [referência ao craque Sócrates, que era médico e começava sua carreira no Corinthians, vindo do Botafogo de Ribeirão Preto].

E foi também nessa reportagem que os leitores tiveram a rara oportunidade de ver Washington Olivetto, alguém habitualmente discreto nas críticas, polemizando e falando mal das pessoas. Atirando a torto e a direito, ele esculhambava dramaturgos, chamava cineastas de "chatos" e músicos de "esquerda da retaguarda". Surpreendia vê-lo expressar suas opiniões com tanta franqueza, sobretudo porque Washington era um tipo mundano, um homem da noite, que corria o risco permanente de cruzar com algum dos alvos de suas críticas. Era público que ele podia ser encontrado em um de seus quatro domicílios fixos em São Paulo, circunscritos a um quadrilátero percorrível a pé: a DPZ, no entroncamento das avenidas Cidade Jardim e Nove de Julho; o apartamento onde morava com a mulher, Luiza, e o filho, Homero, na rua Haddock Lobo; o restaurante Rodeio, exatamente em frente à sua casa; e o Plano's Bar, na alameda Lorena, todos na região nobre dos Jardins, em São Paulo. O apartamento em que vivia tinha uma divisão interna tão singular quanto o dono: no primeiro andar do edifício ficava a parte social – salas, *livings* e um deslumbrante bar, tão fornido quanto os melhores da praça – e no décimo a parte íntima: dormitórios, banheiros, copa e cozinha. Isso mesmo: a família Olivetto vivia em um apartamento separado por nove pavimentos.

O Plano's era um pequenino e sóbrio bar de propriedade da elegante decoradora Silvia Kowarick, um lugar onde se falava baixo para ouvir o piano de João Maria de Abreu e onde se podiam ver principalmente políticos e empresários. Um bar de gente adulta, que cultivava a excentricidade, hoje politicamente incorretíssima, de não permitir a entrada de mulheres desacompanhadas. O Rodeio tinha outro estilo. Uma das primeiras churrascarias chiques de São Paulo, foi durante longos anos o ponto de encontro de uma colorida e ruidosa fauna que reunia atrizes, modelos, publicitários, pilotos de corrida, jogadores de futebol, jornalistas, escritores, políticos e candidatos a todas essas categorias. Nas horas de almoço e jantar filas enormes de celebridades à espera de mesa chegavam a vazar para a calçada da rua Haddock Lobo. Mesa reservada era exclusividade que o gerente, o galego Ramón Mosquera López, guardava para duas dúzias de privilegiados, como o boxeador peso-pesado Adilson Maguila, o astro Bernard, da seleção brasileira de vôlei e, claro, Washington Olivetto. Na época a revista *Playboy* publicou uma reportagem sobre o restaurante intitulada "O mais poderoso almoço do país e seu prato forte: uma celebridade em cada mesa". Como ilustração vinha um mapa indicando a mesa de cada um dos famosos freqüentadores do lugar. À direita de quem entrava, cercada pelas de Roberto Civita (Editora Abril), Chiquinho Scarpa, André Ranschburg (indústrias Staroup), Pelé e Carlito Maia (TV Globo), ficava a mesa de Washington. Foi de autoria deste, aliás, um anúncio encomendado por Mosquera que dizia: "Fazer anúncio bom é fácil. Difícil mesmo é conseguir uma mesa boa no Rodeio".

O restaurante também foi palco de desforços físicos, como o ocorrido entre os jornalistas Tarso de Castro e Milton Coelho da Graça. Antiga estrela do *Pasquim*, Tarso assinava uma vitriólica coluna diária no jornal *Folha da Tarde*, na qual espinafrava Deus e o mundo. Quando Milton, que dirigia a sucursal do jornal *Gazeta Mercantil* em Washington, retornou a São Paulo para assumir a direção da revista *IstoÉ*, Tarso brindou-o com uma nota em que advertia os jornalistas paulistanos: "Cuidado, muito cuidado. O jornalista Milton Coelho da Graça é agente do doutor Roberto Marinho em São Paulo". Tarso sabia que estava insultando um veterano militante do Partido Comunista Brasileiro conhecido por ser um sujeito de pavio curto, que penara nas mãos dos militares. Preso em Recife logo após o golpe militar de 1964, quando era diretor da sucursal de *Última Hora*, Milton tivera os dentes arrancados a golpes de coronha de fuzil em sessões de torturas.

Uma noite ele e seus colegas Roberto Müller e Dirceu Brisola encerraram mais uma edição do *Crítica & Autocrítica*, enfadonho programa de economia que apresentavam aos domingos na TV Bandeirantes, e foram jantar no Rodeio. Estavam instalados em uma mesa quando Tarso de Castro entrou no restaurante – àquela hora superlotado. Aproximou-se da mesa dos três, cochichou alguma coisa no ouvido de Müller e já se retirava quando foi interrompido por um berro dado por Milton, de pé no meio do salão:

– Tarso de Castro! Agente do Roberto Marinho é a puta que te pariu! Ouviu? Vou repetir mais alto: agente do Roberto Marinho é a puta que te pariu!

Especialidades da Nossa Cozinha
chef 's specialties

1602 | **CARNE SECA À MODA DA CASA** *Sun dried meat Rodeio style*
1154 | **PICADINHO RODEIO** *Rodeio beef stew*
1601 | **HAMBURGUER "OLIVETTO"** *Hamburguer "Olivetto style"*
1169 | **STEAK TARTARE** *Steak tartare*
1172 | **STEAK À DIANA** *Steak Diana*

O publicitário vira personalidade e batiza pratos em restaurantes da moda, como o Rodeio (acima) e o Antiquariu's (abaixo).

Ovos e Pastas

Ovos à Antiquárius

Spaghette com Frutos do Mar Fettuccini Alfredo

Peixes Bacalhau à Washington Olivetto

Truta com Molho de Amendoas

Salmão Grelhado C/M de Manteiga

Bacalhau Nunca Chega

Moqueca de Bacalhau Fresco

Bacalhau ao Forno à Portuguesa

Carnes

O burburinho que sobrevoava as mesas virou um silêncio absoluto, e todos os olhares se voltaram para o lugar de onde vieram os gritos, à espera da reação do ofendido. Foi um anticlímax. Tarso simplesmente fingiu que não era com ele e continuou andando em direção ao balcão. Mas Milton ainda não parecia satisfeito. Levantou-se com um copo vazio na mão, esvaziou nele dois ou três vidros de pimenta malagueta que achou sobre as mesas mais próximas, aproximou-se de Tarso e quando este virou-se para trás recebeu todo o conteúdo do copo nos olhos. Carregado para um táxi enquanto urrava de dor, Tarso ainda ouviu Milton gritar mais uma vez:

– Agente do Roberto Marinho é a puta que te pariu!

E foi durante um almoço no Rodeio que, em 1978, Washington Olivetto recebeu o mais tentador dos convites que já lhe tinham feito. Sérgio Ferreira, presidente da Denison Propaganda, tradicional agência com sede no Rio, viajara a São Paulo para, olhos nos olhos, fazer a proposta:

– Quero que você seja diretor de criação nacional da Denison.

Antes que Washington se refizesse do susto, Ferreira explicou que a agência lhe oferecia um salário mensal de R$ 200 mil, quatro vezes mais do que ele ganhava na DPZ, um automóvel importado zero quilômetro e um apartamento de cobertura na avenida Vieira Souto, no Leblon, onde, dizia-se, estavam os imóveis mais caros do Brasil. Para se ambientar melhor no Rio, ele receberia também um título de sócio do exclusivo Country Club, do qual Ferreira era diretor social. Era pegar ou largar.

8

Diante de um Francis Bacon,
Gabriel desiste de ser pintor e se junta
ao *dream team* da DPZ.

Washington não pegou. Ele sabia que não era todo dia que aparecia na vida de um publicitário um emprego com um salário quinze vezes maior que o do presidente da República, um apartamento na Vieira Souto com um carrão do ano na garagem e a direção de criação da agência que disputava com a DPZ o quinto lugar no *ranking* das maiores do Brasil. Mesmo que seu nome fosse Washington Olivetto e ele já fosse dono de uma razoável coleção de leões de ouro, prata e bronze. A tentação de aceitar o convite era quase incontrolável, mas algo continuava a lhe dizer que ainda era cedo para mudar de vida. Trocar a liberdade e a visibilidade que a DPZ lhe dava, só se fosse por um vôo solo, mas a hora certa para isso não tinha chegado.

Mesmo quando recusados, convites como esse acabavam chegando aos ouvidos dos patrões, que sabiam só haver uma maneira de tornar seus criadores surdos ao canto das sereias da concorrência: subir seus salários. Além de um substancial aumento, a proposta da Denison animou os três sócios da DPZ a lhe oferecer o cargo de diretor de criação da agência. Washington tinha consciência de quanto valia. A DPZ se mudara da mansão da avenida Brasil para um moderno prédio próprio nas imediações da avenida Faria Lima, a poucos quarteirões do antigo endereço, região para onde convergiam as sedes das grandes empresas da capital paulista. Na nova casa a criação ocupava dois dos dez andares. No quinto andar ficava a equipe comandada por Petit e Washington e, no sexto, as duplas chefiadas por Zaragoza e Neil. Com o passar do tempo a criação se estendeu para o sétimo andar, onde trabalhava Roberto Duailibi. Embora detivesse o título oficial de diretor de criação da agência, Washington raramente interferia no trabalho das outras duplas. Mas, como a glória, as luzes e o ouro dos leões moravam no quinto andar, não era incomum que um cliente pedisse para "mudar de andar" de forma a ser atendido por ele e por Petit. Washington não via aquela situação com bons olhos – embora ele e seu parceiro fossem beneficiários dela – porque sentia que na verdade existiam ali dentro três agências diferentes, não só competindo entre si, o que seria saudável, mas até disputando contas, como se fossem concorrentes. Até hoje Petit continua defensor daquela forma de organização:

– A DPZ são duas agências: a do Zaragoza e a do Petit. Isso foi muito criticado internamente durante muito tempo, mas acabou redundando numa grande vantagem: quando uma conta não vai bem no quinto andar, que é o meu, vai para o sexto, que é o do Zara. Quando não vai bem no sexto andar, vai para o quinto. Então nós temos duas agências, com dois estilos diferentes, dentro da mesma agência.

Foi em uma dessas mudanças internas que Washington sugeriu a Petit fazerem um comercial de cinema e TV para as camisinhas Jontex, fabricadas pela Johnson&Johnson, cliente da DPZ que era atendido pelo sexto andar. Washington lera mais uma declaração do papa condenando o uso da pílula como método anticoncepcional e, como João Paulo II não fizera qualquer referência às camisinhas, ele entendeu que ali estava uma boa brecha para anunciar preservativos – ousadia rara naquela época. O máximo a que se chegara na DPZ na área, anos antes da chegada de Washington, fora um premiado anúncio para o mesmo cliente em que aparecia a foto de um jovem com ar de sedutor, sob o título "Bonitinho, pero sifilítico". Sem o terror da Aids, epidemia que só surgiria nos primeiros anos da década seguinte, o sexo era risonho e franco e envolvia um risco básico, além da gravidez indesejada: uma gonorréia, doença que não sobrevivia a três dias de Tetrex 500mg, antibiótico vendido em qualquer farmácia do país. Se não fosse tratada direito, a gonorréia podia se complicar, mas a verdade é que o sexo ainda não era uma atividade que ameaçasse a vida de quem o praticava. Ao ler a notícia vinda do Vaticano, Washington pensou em um filme para a Johnson&Johnson:

– Se o papa não condenou, tá liberado. E a mulherada já tem grilos contra a pílula, diz que engorda, que dá celulite. Vamos vender camisinhas na televisão!

No comercial, a tela é invadida por uma escultural perna feminina – a da atriz Kate Lira, casada com o compositor Carlinhos Lira e famosa pelo bordão que repetia em um programa humorístico de TV, com leve sotaque norte-americano: "Brasileiro é tão bonzinho...". Enquanto cantarolava com o mesmo sotaque uma canção suave (cuja letra dizia algo como "Eu me preparo para você... E você, se prepara para mim?"), Kate enrolava uma meia de náilon vagarosamente, até cobrir toda a longa perna, simulando o ato de colocar uma camisinha. No auge da sensualidade, uma voz em *off* assinava o anúncio:

Jontex. O anticoncepcional sem contra-indicação.

No *front* externo o filme teve vida curta: uma semana depois de sua primeira veiculação, foi tirado do ar por ordem da censura, que o considerou imoral e impróprio para exibição. No interno, reacendeu a fogueira das vaidades que contrapunha a equipe do quinto à do sexto andar na sede da DPZ – disputa que ganhou ainda mais visibilidade quando foi anunciado que o comercial recebera um Leão de Ouro no Festival de Cannes. Como conseqüência imediata do prêmio, a DPZ do sexto andar perdeu para a DPZ do quinto a conta da Johnson&Johnson (para a qual Washington e Petit ganhariam mais um Leão de Ouro, no ano seguinte, com uma campanha para xampus femininos). A verdade é que o andar comandado pelos dois já era responsável por dois terços dos R$ 250 milhões que a DPZ faturava anualmente no começo da década de 1980.

Nenhum deles, porém, parecia dar maior importância a isso. Aparentemente a única coisa que os preocupava era continuar sendo uma prolífica e afiada máquina de fazer anúncios de bom gosto e alta qualidade. Além de tocar seu trabalho como criador, Washington funcionava como uma espécie de olheiro, um caçador de talentos que tanto podiam surgir no próprio mercado como nas hordas de estagiários que as faculdades produziam todo ano. Para sua surpresa, quem lhe telefonou um dia, solicitando uma vaga nessa condição, não foi um calouro, mas um veterano que nunca trabalhara em publicidade e propaganda: o jornalista Murilo Felisberto, que acabara de deixar a direção de redação da revista *Senhor Vogue*. Washington se surpreendeu com a demonstração de humildade. Aos quarenta anos de idade, magro, pálido e dono de uma crespa cabeleira precocemente branca, Murilo era um dos mais respeitados nomes do jornalismo brasileiro. Entre outras façanhas tinha sido o criador, ao lado de Mino Carta, de um dos maiores fenômenos da imprensa dos anos 60, o *Jornal da Tarde*, vespertino lançado em 1966 pela família Mesquita, proprietária do tradicional *Estadão*. Washington disse a ele que a única vaga aberta para estagiários naquele momento não era para redator, mas para diretor de arte. Não havia problemas. Homem de cultura e modos refinados, Murilo era um dos raros profissionais da imprensa que, além de dono de um texto elegante e moderno, era também um diretor de arte reconhecido tanto pelo mercado jornalístico como pelo publicitário (ele fora o criador do revolucionário projeto gráfico do *JT* e pai de suas sucessivas mudanças visuais). Mais do que boa parte dos publicitários, Murilo sabia tudo o que se passava no mundo da mídia e da propaganda em Nova York e vivia com revistas e livros importados de artes gráficas e *design* debaixo do braço. Ao final do período do estágio, quando conviveu com jovens que poderiam ser seus filhos, Murilo foi contratado como diretor de arte, cargo em que permaneceria por vários anos.

Profissionais desse calibre davam a Washington mais tempo livre para "cuidar da sintonia fina" da agência. Graças aos laços que tivera com a música, tornou-se particularmente exigente com as trilhas sonoras dos comerciais produzidos pela DPZ. Ele se convencera de que a preocupação da agência com a qualidade das trilhas musicais dos filmes, *jingles* e *spots*, devia ser a mesma que tinha com o conteúdo ou a estética de um anúncio. Se os clientes da DPZ pagavam pelos melhores redatores e diretores de arte, que tivessem também música dos melhores autores da praça, razão pela qual Guarabira e Tom Zé entraram para a folha de pagamento da agência, como funcionários regulares – isso muito tempo antes que o baiano Tom Zé fosse reconhecido pelas gravadoras estrangeiras como o cérebro do movimento tropicalista que revolucionara a música brasileira no final da década de 1960. Washington guardaria uma curiosa lembrança do tempo dos "buzinórios" e "instromzémentos" de Tom Zé. Um dia apareceu na DPZ o funcionário de uma agência arrecadadora de direitos musicais, com papéis para ele assinar. Ao perguntar do que se tratava, o sujeito respondeu que Washington tinha direitos autorais a receber pela letra de *Amor de Estrada*, música feita em parceria com Tom Zé e gravada no LP *Correio da Estação do Brás*. Não era uma parceria convencional: Tom Zé aproveitara trechos de um *jingle* que havia feito com Washington para um anúncio da General Motors e fizera a delicadeza de incluir o publicitário como co-autor na versão gravada.

Essa estreita ligação com a MPB iria aproximá-lo de uma das mais fascinantes figuras do mundo fonográfico brasileiro, o empresário André Midani. Vinte anos mais velho que Washington, nascido em Damasco, na Síria, Midani naturalizou-se francês e viveu em Paris até 1955, ano em que fugiu para o Brasil a fim de escapar à convocação do serviço militar que arrebanhava recrutas para lutar na Guerra da Argélia. Trabalhou algum tempo na gravadora Odeon, no Rio de Janeiro, e passou o começo da década de 1960 percorrendo a América Latina em busca de novos talentos musicais, período em que vivia simultaneamente em Los Angeles e na Cidade do México. Em 1968 Midani retornou ao Brasil na condição de presidente da Phonogram/Polygram. Os dois primeiros meses de trabalho ele gastou ouvindo os discos de cada um dos 150 nomes do elenco da gravadora, número que depois reduziria a um terço. Os que ficaram – só gente do primeiro time, como Caetano Veloso, Elis Regina, Gal Costa e Gilberto Gil – passaram a ter acesso direto ao presidente, comportamento jamais visto nas relações dos músicos com executivos de gravadoras. As novidades correram a praça e foi por meio do boca-a-boca que ele contratou Tim Maia, indicado por Rita Lee e Erasmo Carlos; pela mão de Jorge Ben, hoje Jorge Ben Jor, chegou a Chico Buarque, Luís Melodia, Jards Macalé, Raul Seixas. Quando só faltava uma grande estrela para ter toda a constelação musical brasileira nas mãos, a Phonogram/Polygram publicou um anúncio de duas páginas de jornal com todo seu elenco e o seguinte título:

Só não temos o Roberto Carlos, mas ninguém é perfeito.

Em 1976 André Midani recebeu um convite-desafio: trocar a direção da bem-sucedida Phonogram pela presidência da Warner. À primeira vista parecia um péssimo negócio: a Warner era uma gravadora que detinha uma minguada fatia de 3% do mercado brasileiro de discos, com um catálogo inteiramente composto por música americana. Era quase como fundar uma empresa do zero, mas ele topou. E começou a fazer o caminho de volta. Com a mesma agressividade utilizada na montagem do elenco da Phonogram, arrastou para o novo selo todos os artistas que tinha contratado nos anos anteriores, e ainda conseguiu incluir nesse timaço da MPB nomes que iam de Tom Jobim a Baby Consuelo, passando por Belchior, Hermeto Paschoal, Paulinho da Viola, Ney Matogrosso e Pepeu Gomes, entre outros. Nuvens escuras no horizonte, no entanto, ameaçavam o céu de brigadeiro em que Midani e a Warner voavam. A crise internacional da economia da virada dos anos 80 o apanhou com as mãos cheias de contratos caríssimos, enquanto a recessão fazia desabar as vendas de discos. Sem dinheiro, o consumidor cortava primeiro o supérfluo. André Midani e a Warner do Brasil estavam tecnicamente quebrados. A falência só não se consumou porque a matriz americana veio em seu socorro.

Dono de celebrado olfato para o negócio da indústria fonográfica, Midani sabia que só havia duas maneiras de sair do buraco: a primeira era procurar artistas novos mas promissores, que custassem menos; a segunda, investir em propaganda para mostrar ao consumidor que, apesar da crise, ainda dava para comprar disco, afinal um produto barato. O que estava mexendo com os ouvidos da juventude, na época, não era mais o som tradicional da MPB, nem a música-cabeça dos tropicalistas, e sim o novíssimo *rock* brasileiro. Em poucas semanas de rastreamento de novos talentos em São Paulo e no Rio, Midani descobriu e contratou as desconhecidas bandas Titãs, Kid Abelha, Ultraje a Rigor, Ira! e músicos de nomes exóticos, como Lulu Santos, entre outros. Quanto à segunda medida, a campanha publicitária, ele convencera seus colegas da Associação Nacional de Produtores Fonográficos a fazer um trabalho coletivo que beneficiasse a todo o setor, e não apenas à Warner. Mas ainda não decidira a quem entregar a conta. A agência que trabalhava tradicionalmente com a Warner era a criativa Gang, do italiano Lívio Rangan, mas, com a morte prematura do dono, a qualidade dos seus serviços já não era a mesma de antes. Midani gostava da cara das coisas feitas pela DPZ e resolveu procurar Roberto Duailibi, a quem expôs as dificuldades do setor e suas próprias queixas das agências de propaganda em geral:

– Como homem de disco, minha experiência com agências de publicidade não é boa. Os publicitários em geral não sabem o que é a indústria fonográfica e têm um grande desconhecimento do que seja a música.

Duailibi o ouviu pacientemente e ao final da conversa tranqüilizou-o com um sorriso:

– Esse tipo de problema você não terá conosco. Vou mandar chamar para trabalhar com você um menino que é um grande criador e adora música. Vocês vão se entender muito bem...

Washington Olivetto – que a essas alturas da vida estava mais para balzaquiano do que para menino – entrou na sala como se o encontro tivesse sido ensaiado. Assim que Duailibi o apresentou a Midani, ele mostrou que era do ramo:

– Que legal poder trabalhar para você. Eu o admiro desde o tempo em que estava na faculdade e via você botando uma gigante como a Phonogram para bancar um movimento musical contestador como o Tropicalismo. Eu via você como um empresário moderno, ousado, que tinha objetivos e que corria riscos para atingi-los. Não é bajulação: você era um modelo para mim.

Ganhou a conta da Warner, ganhou um aliado para suas investidas em direção à MPB e ganhou para sempre o coração de André Midani. Nisto também Roberto Duailibi acertara na mosca, ao prever que eles iam se entender: naquele breve encontro de negócios nascia uma profunda amizade entre os dois, uma relação que às vezes lembraria a de dois irmãos, às vezes de pai e filho – "eu talvez seja uma das poucas pessoas que tem toda liberdade de falar qualquer coisa para ele", confessaria Midani a um amigo, muitos anos depois. Apesar do sucesso escancarado de Washington na propaganda, o "irmão mais velho" (ou pai eventual) sempre sustentou a tese de que ele havia escolhido a profissão errada. Para Midani, teria sido melhor para todos – "para o Washington, para a música, para o Brasil" – se ele tivesse exercido esse talento militando na área musical:

– A música é uma coisa mais importante que a propaganda. E o Washington tinha – tinha, porque agora é tarde – o perfil perfeito, perfeito, perfeito para ser um grandíssimo executivo da música. Como o Brasil nunca teve, nem antes nem depois.

Com a paciência de quem não tem pressa, Midani tentava convencer Washington de que, mesmo sendo a propaganda uma atividade prestigiosa, útil, que ajudava o mundo dos negócios a andar, o que movera a cultura brasileira nas últimas décadas fora a música, em suas mais diversas manifestações, do romântico ao contestatório. Seus planos não pretendiam apenas arrastar o publicitário para o mundo da música. Midani queria prepará-lo para ser seu sucessor:

– Cheguei a mencionar isso para o Washington, muitos anos atrás, mas ele não mordeu a isca. Acho isso realmente uma grande pena. Considero catastrófico o fato de o Washington não ter entrado para o mundo da música. Mas não vou ficar azucrinando ele a cada dois ou três anos, dizendo: porra, seu filho da puta, você não vai parar de fazer anúncios?

Ao contrário daquilo com que sonhava o amigo, Washington tinha planos de continuar na propaganda e voando cada vez mais alto.

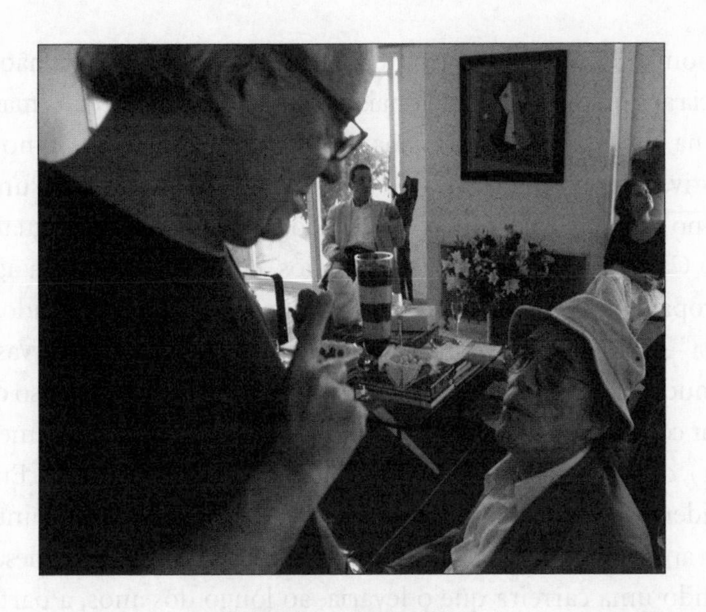

O amigo Midani (de chapéu):
"A música é mais
importante que a propaganda".

Seu nome ultrapassara as fronteiras do Brasil e agora ele já não comparecia aos prêmios internacionais apenas como concorrente, mas também na condição de jurado. Sua estréia aconteceu em 1980 no FIAP, o Festival Ibero-Americano de Publicidade, realizado em Punta del Este, no Uruguai. Lá ele foi reconhecido pelo milionário uruguaio Antonio Capone, dono de vários negócios, entre os quais uma agência de propaganda. Apresentou-se como "alguém que compra tudo o que deseja" e ofereceu uma cordilheira de pesos uruguaios para Washington mudar-se para Montevidéu e dirigir sua agência. Temeroso de trabalhar com alguém com tais predicados (e de sobrenome tão amedrontador), o brasileiro agradeceu e gentilmente recusou a oferta. Embora considerasse "uma chatice" fazer parte de júris, no ano seguinte, aos trinta anos, tornou-se o mais jovem jurado do Festival de Cannes, inaugurando uma carreira que o levaria, ao longo dos anos, a participar da seleção dos principais prêmios brasileiros e internacionais, como os festivais da Austrália e de Nova York, do Clube de Criação de Londres e do Clio Awards, de Miami.

Por mais que aquilo parecesse aborrecido, ele jamais recusou um convite. Afinal, a chatice dos júris trazia como compensação o acesso ao *grand monde* da propaganda internacional. Incorporado ao *jet set*, sua turma agora era formada pelos bambambãs da Madison Avenue, em Nova York, onde se concentravam as mais importantes agências do mundo. Gente como Barry Day, Jay Chiat, Ed McCabe e Carl Ally. O premiado Chiat, um sósia quase perfeito do ator Paul Newman, era o autor, entre outras criações, da célebre maçã colorida que se converteu na marca dos computadores Apple. Pela mão de Jay Chiat, Washington conheceu alguns de seus clientes célebres, como Phil Nike, dono da Nike, e Steve Jobs, o pai da Apple.

Foi no júri de um festival internacional que Washington conheceu pessoalmente Michael Schirner, sócio e diretor de criação da GGK alemã, sucursal da agência suíça GGK e considerado o melhor homem de criação da Alemanha. Washington o admirava à distância desde que assistira a um comercial de TV que ele fizera para o lançamento de um novo produto da IBM alemã: uma máquina de escrever que substituía os antigos tipos por uma moderna esfera que permitia corrigir os erros de datilografia apagando-os sem o uso de borrachas. No filme feito por Schirner a palavra "máquina de escrever" (*Schreibmaschine*, em alemão) aparece na tela datilografada em letras minúsculas, a uma velocidade incrível para a época. No final, a esfera volta, apaga três letras minúsculas e as substitui por maiúsculas, trocando "Schreibmaschine" por "SchreIBMaschine". Nada mais. Schirner, que também ouvira falar de Washington, acabou se tornando seu amigo. Os dois só voltariam a se falar no começo de 1982, quando o anuário do Clube de Criação de Dusseldorf, na Alemanha, prestou uma homenagem ao brasileiro. No texto de abertura do livro, uma surpresa. Lá estava escrito que "*die Europäer und insbesondere die Deutschen, müssen lernen Reklame mit dem brasilianischen Washington Olivetto zu machen*" – ou seja, "os europeus, e particularmente os alemães, precisam aprender a fazer comerciais com o brasileiro Washington Olivetto". Dias depois de ler o anuário, Washington recebeu um telefonema internacional. Era Schirner com uma proposta, feita à queima-roupa:

– Quer trabalhar na GGK?

Responsável pela publicidade da Volkswagen na Europa, a GGK se instalara no Brasil no começo da década de 1970 com planos de abocanhar um naco da generosa conta da VW brasileira, atendida pela Almap desde a instalação da indústria alemã no país. Para testar a capacidade dos suíços de fazer anúncios para uma cultura muito diferente da européia, a direção mundial da Volkswagen decidiu entregar à GGK brasileira a campanha de lançamento do Passat, seu primeiro carro refrigerado a água. A experiência acabou não dando certo, a conta do Passat foi parar na Almap e a GGK permaneceu por aqui com pequenas contas de filiais de indústrias suíças no Brasil. Na época do flerte com Washington, ela amargava o 78º lugar na lista das agências brasileiras.

Não havia por que aceitar o convite – assim como ele recusaria, poucos meses depois, outra proposta, infinitamente mais tentadora que a dos suíços: participar como sócio de uma filial a ser instalada em Nova York pela Chiat/Day, de Los Angeles, uma das mais prestigiadas e premiadas agências do mundo. Seu capital na sociedade seria exclusivamente a criatividade. Ao fazer a proposta, os sócios Jay Chiat e Robert Day apostavam em que o único senão do brasileiro – não ter domínio absoluto da língua inglesa – seria compensado por sua capacidade de criação. Passados mais de trinta anos, Washington só se lembra que a "operação Nova York", como foi apelidada pelos americanos, vinha embalada em uma dinheirama:

– Não me lembro exatamente quanto me ofereceram, mas era muuuita grana.

E não era só o dinheiro que aumentava o desejo de dizer sim. Além de talentosos, os donos da Chiat/Day eram homens cultos e refinados a ponto de contratarem Frank Gehry – amigo de Jay Chiat e já reconhecido como o maior arquiteto americano vivo – para projetar o prédio da matriz da agência em Los Angeles. Mesmo tendo rejeitado o convite, foi ali que ocorreu a Washington, pela primeira vez, a idéia de ter sua própria agência. Mas foi só uma idéia. Ele acreditava que ainda havia um longo caminho a percorrer antes de pensar nisso a sério.

Com o ego na estratosfera, voltou ao Brasil disposto a investir energias na ampliação do plantel de criativos da DPZ. A agência acabara de perder um nome do primeiro time, o redator Laurence Klinger, que decidira fazer carreira em Chicago. Em busca de novos talentos, Washington descobriu um nome na própria DPZ: era Camila Franco, filha do escritor Jorge Andrade, uma garota miúda que logo entraria para o time das grandes estrelas da propaganda. Noiva de um filho de José Carlos de Moraes Abreu, diretor do Banco Itaú, ela fora colocada por Javier como estagiária da Factótum, empresa de promoções da DPZ. "Ela escrevia muito bem, tinha tido uma oportunidade numa agencinha pequenininha, junto com a dramaturga Consuelo de Castro", recorda-se Washington. "Chamei-a para trabalhar comigo e de cara ela já começou fazendo coisas muito relevantes." Para a cadeira deixada por Klinger ele chamou Paulo Ghirotti, redator da sua idade que, após começar na Gang, passara alguns anos na Denison, e agora trabalhava na Salles. Washington o conhecera muitos anos antes, quando Ghirotti ainda era estudante de Publicidade, e acompanhava à distância sua carreira.

Outra sugestão foi dada pelo publicitário Francisco Soriani, responsável pela área de mídia da agência. Ele chamou a atenção de Washington para um jovem e promissor gaúcho de nome esquisito que andava por São Paulo em busca de emprego. Era Stalimir Vieira, de 27 anos, que o pai, velho militante, registrara com esse nome em homenagem a dois ícones do comunismo internacional, Josef Stalin e Vladimir Lênin. Depois de uma viagem à Europa, Stalimir se sentia um cidadão do mundo e decidiu se mudar da capital gaúcha para São Paulo. Washington o recebeu, gostou do seu portfólio e disse que tinha uma vaga na redação, mas antes de contratá-lo ia tentar reparar uma injustiça que havia cometido, involuntariamente. Estava tentando localizar um redator que havia contratado num momento inadequado e fora obrigado a demitir pouco tempo depois, causando enorme frustração para o sujeito. Para sorte de Stalimir, o redator havia se mudado para o Paraná e não foi localizado.

A atividade como diretor de criação – função que o obrigava a bolar seus próprios anúncios e ainda contratar e demitir gente e supervisionar o trabalho de outras duplas – não o afastou do contato com os clientes. Sempre que podia, ele enchia pastas com *layouts, slides* e desenhos, e ia pessoalmente vender seu peixe para quem ia aprovar ou rejeitar o trabalho – em geral era o gerente ou o diretor de marketing, mas com freqüência o próprio dono do negócio presidia as reuniões de apresentação. Em meados de 1982 ele agendou um encontro com a direção da Anderson Clayton para apresentar uma campanha para a maionese Gourmet. Ao chegar à empresa foi recebido pelo diretor de marketing em uma ante-sala, que lhe contou que tinham contratado um consultor na área de propaganda e queria saber se Washington se importaria com a presença dele na reunião. Sem problemas, respondeu, claro que não se importava. Ao entrar na sala de reuniões,

Washington arregalou os olhos: o consultor da Anderson Clayton, metido em um elegante terno azul-marinho, era seu velho amigo Gabriel Zellmeister.

Desde a despedida, em 1975, quando cada um decidiu tomar um rumo na vida, Gabriel e Washington haviam se visto poucas vezes. Enquanto um se convertera em personalidade internacional, o outro já tinha experimentado e abdicado das carreiras de fotógrafo, artista plástico e agitador cultural, e, na época, dava consultoria de estratégias de marketing para várias multinacionais. Após ter montado um estúdio de fotografia e mergulhar nas artes plásticas, produzindo quadros com figuras distorcidas, segundo ele algo "que tinha muita referência histórica, filosófica e emocional, mas muito mais no sentido reflexivo do que de representação". Nas artes plásticas, as coisas pareciam caminhar bem, até que encontrou sua apostasia sob a forma de uma coleção de livros de pinturas do inglês Francis Bacon, que alguém lhe trouxera de presente da Europa. Descobrir Bacon foi um choque, segundo ele:

– Eu já tinha tomado porrada na cara quando conheci a obra de artistas como De Kooning e Dubuffet, mas ver Francis Bacon foi uma paulada na minha cabeça. Eu parei, travei. Aquela arte me deu uma brochada, me jogou na real. Ele era um pintor, eu não. A única coisa que eu conseguia pensar era: sou uma anta, não sei nada.

A partir daquele momento, já em 1979, decidiu que sua relação com as artes plásticas passaria a ser a de um mero colecionador. Pintar, só para seu próprio deleite. Estava chegando a hora de retornar ao mundo da publicidade. Aos poucos Gabriel começou a prestar serviços, não a agências, mas diretamente às empresas. Trabalhando como *freelancer*, criou embalagens para a Johnson&Johnson, redesenhou e modernizou para a Warner Lambert a marca do chiclete Adams e criou a do chiclete Bubaloo. Vários desses clientes tentavam seduzi-lo com salários altos em troca de dedicação exclusiva, mas Gabriel não queria se amarrar de novo a nenhum compromisso fixo. Seus serviços eram prestados por meio de contratos mensais de consultoria, o que

Auto-retrato de Gabriel Zellmeister, quando ele ainda hesitava entre a pintura e a propaganda.

lhe dava a impressão – falsa, como se veria – de que ele não era empregado e também não era um patrão, alguém que tivesse de cuidar de pessoal, contabilidade, finanças. Mas a demanda crescia e chegou um momento em que não dava mais para fazer tudo em casa. Alugou um pequeno prédio de três andares na rua Cônego Eugênio Leite, em Pinheiros, onde sua mulher, a fotógrafa Ana Teophilo, mantinha o estúdio AT. Com o passar do tempo ele contratou uma secretária, depois um assistente, e em seguida mais outro e mais outro. Quando a indústria de alimentos Anderson Clayton o encarregou de fazer uma gigantesca promoção nacional para a margarina Claybom, Gabriel teve de incorporar mais seis auxiliares. Entre secretária, assistentes e *office boys*, já eram doze pessoas trabalhando lá, o que exigiu a instalação de um aparelho de PABX. Sem que ele percebesse, o pequeno estúdio se convertera em uma agência de propaganda.

Uma tarde, quando Gabriel chegava ao trabalho, a secretária lhe disse que havia um problema em uma gráfica e que o cliente estava reclamando do atraso na entrega de uma arte. Ele teria de ir pessoalmente resolver o problema. Só então entendeu que a vida o levava para um destino que ele não queria: tornar-se um dono de agência. Até podia vir a ser, algum dia, mas não queria ser o dono de uma agência onde ele fizesse tudo, como ali. Gabriel tinha recebido a proposta de, inicialmente, assumir toda a conta da margarina Claybom e farejara: a Anderson Clayton pretendia passar-lhe toda a sua conta – e a empresa investia anualmente em propaganda dezenas de milhões de dólares, verba que na época era dividida entre a DPZ e a Almap. Ele sentou-se na sua sala, abriu o vidrinho de remédios contra úlcera, engoliu três pastilhas e entendeu que tinha de decidir o que ia fazer da vida:

– Foi aí que caiu a ficha. Eu disse pra mim mesmo: o que é isso? Estou trabalhando dezoito horas por dia, tenho um bando de funcionários, esse negócio vai crescer e não vou querer tocar isso sozinho. Vou acabar vendendo a empresa para alguém e voltar a ser empregado. Se for assim, por que não retornar já para uma agência? Então resolvi: vou fechar logo esta porra.

Tomada a decisão, avisou aos empregados que dentro de noventa dias ia encerrar as atividades da empresa. Entre os colegas de profissão, um dos primeiros a receber a notícia foi Otoniel Santos Pereira, que fora preso quando trabalhavam juntos na Lintas e que agora era diretor de criação da Salles. Gabriel disse a ele que tinha decidido voltar a trabalhar em agência e que estava de novo na praça. Enquanto não surgisse um bom convite, continuaria trabalhando como consultor de empresas. E foi assim que a Anderson Clayton, como cliente, o convidou para participar da reunião com a DPZ. O encontro serviu para mostrar uma dupla de criativos em plena atividade. Gabriel dava um palpite aqui, Washington acrescentava outro ali, e em minutos a reunião estava encerrada e a campanha da maionese Gourmet integralmente aprovada.

Depois do encontro os dois saíram juntos da Anderson Clayton. Washington perguntou a Gabriel:

– E aí, desistiu da vida artística?

– Eu não sou pintor. Pintor é o Francis Bacon.

– Lembre-se do nosso trato: se algum dia você decidisse voltar à publicidade, viria trabalhar comigo.

Gabriel disse que sim, em princípio toparia trabalhar na DPZ. Ele avisou a Washington que não concordava com tudo o que a agência fazia, mas achava legal trabalhar lá:

– Você sabe que eu discordo do estilo "decorativo" da DPZ. Para mim propaganda tem que ser *pop*, falar com o povo, e não ficar exibindo aquelas *chaises longues* da Forma/Knoll que as pessoas nem reconhecem como uma cadeira. Eu topo ir, mas se for para uma DPZ renovada por você e por mim.

Se Gabriel não gostava do estilo da DPZ, então estava zero a zero, porque um dos criadores dela, Francesc Petit, também não gostava do estilo de Gabriel, como se lembraria anos depois:

– O Gábi nunca foi o diretor de arte do meu perfil. Ele sabe disso. Não é o diretor de arte dos meus sonhos. Ele já era uma pessoa, digamos, muito formada. Gosto de pegar gente mais jovem e formá-los. Para que fiquem bem do jeito DPZ.

Mais do que apenas não gostar, Petit afirma que, se dependesse dele, Gabriel nem teria sido contratado:

– O Washington adorava o Gábi, adorava. Mas sabia que eu não gostava do estilo dele. E uma vez que eu saí de férias ele aproveitou e contratou o Gábi. Fiquei meio assim, meio chateado, e tive que engolir aquilo. Mas eu nunca o teria trazido. Nunca.

Gabriel Zellmeister, que parece não guardar mágoas do antigo patrão, nega que tenha sido contratado na ausência de Petit. Ao contrário, afirma, os acertos finais de sua ida para a DPZ foram tratados pessoalmente entre ele e Petit. Seja como for, dois dias depois do encontro na Anderson Clayton, Washington ligou para Gabriel e comunicou-lhe que a DPZ o convidava para ser diretor de arte. O salário oferecido – R$ 40 mil por mês – era inferior ao que faturava como consultor, mas ele estaria livre dos aborrecimentos de ter de dirigir sozinho uma pequena empresa. O que ambos queriam não era muito diferente.

A idéia que Washington pretendia implantar – dinamitar as tradicionais duplas redator-diretor de arte e fazer a criação trabalhar em grupos de três ou quatro – já havia sido comentada por Gabriel com ele anos antes, que a colocara em prática, com êxito, no tempo da Almap. Era algo meio subversivo: enquanto o dono, Alex Periscinoto, e seu diretor de criação, Sérgio "Arapuã" de Andrade, estimulavam as duplas e a competição entre elas, Gabriel reuniu os melhores criadores da agência, como Bjarne Norking, Zbigniew Campioni, Tom Figueiredo, Alcides Fidalgo e João Galhardo para trabalharem todos em conjunto. A idéia só iria ser aplicada para valer muito tempo depois, na W/Brasil. De qualquer forma, com a contratação de Gabriel, Washington sabia que estava praticamente encerrada a montagem da equipe. Nos três andares da criação da DPZ, sob o comando dos três sócios, trabalhava uma constelação composta, entre outros, por Washington Olivetto, Neil Ferreira, Gabriel Zellmeister, Murilo Felisberto, Stalimir Vieira, Helga Miehke, Kélio Rodrigues, Camila Franco, Nelo Pimentel, Ruy Lindenberg e Paulo Ghirotti.

Passados vinte anos, muitos deles montaram seus próprios negócios, outros se associaram entre si, alguns continuam amigos, outros nem se cumprimentam. Mas algo eles mantêm em comum: a convicção de que a propaganda brasileira jamais havia conseguido – e dificilmente voltará a fazê-lo – reunir tantos talentos a um só tempo e no mesmo lugar. Washington talvez fosse a única voz dissonante em relação a essa certeza: na sua cabeça ainda estava faltando alguém.

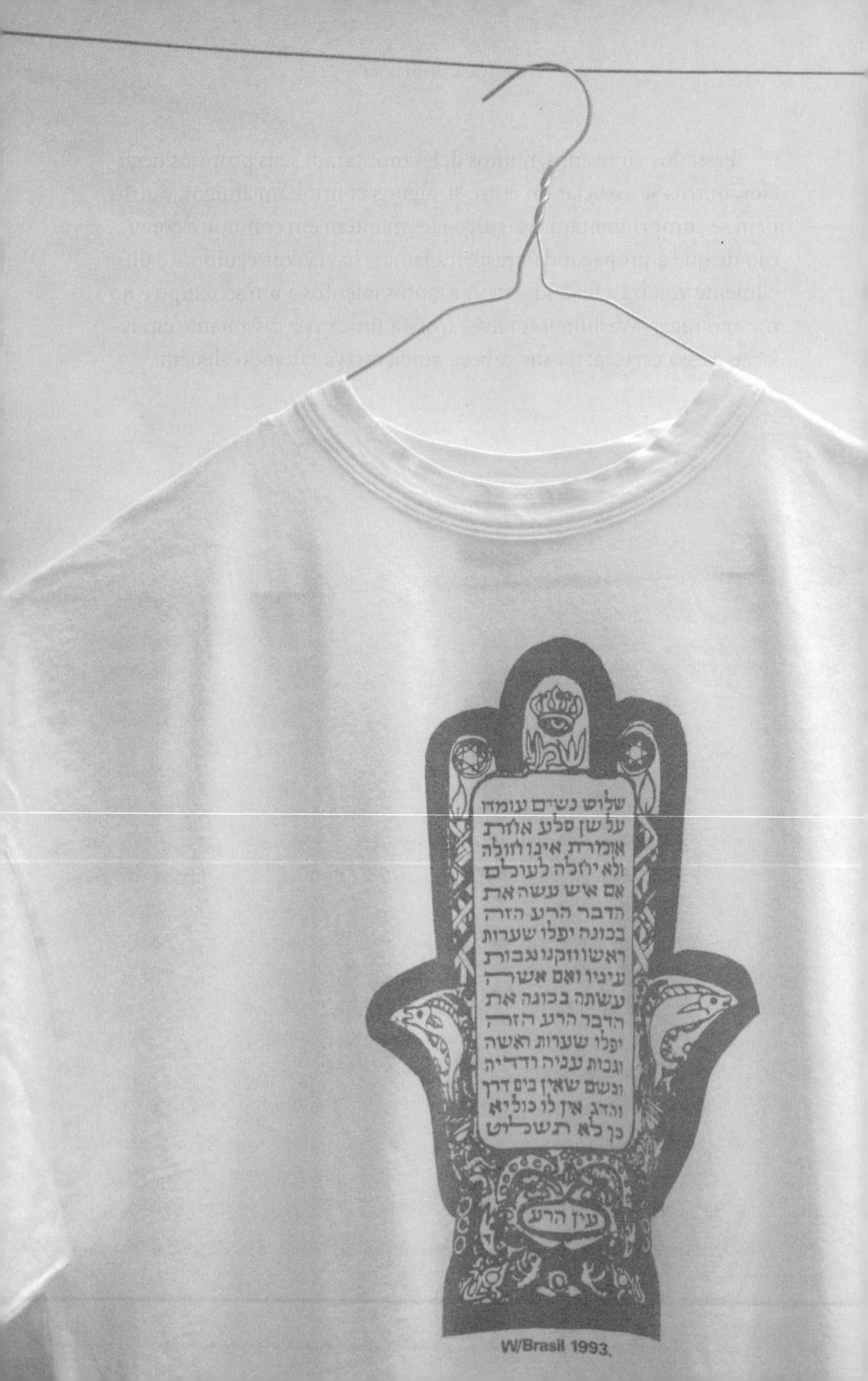

W/Brasil 1993.

9

Agora quem manda no Parque São Jorge são os jogadores: entra em campo a Democracia Corintiana.

Os meteorologistas da economia brasileira previam nuvens negras no início dos anos 80. Ao começar a escurecer o horizonte, as empresas foram compelidas a apertar o cinto. Para não cortar custos na criação, a DPZ decidiu economizar nos gastos com as inscrições em festivais estrangeiros. Que não custavam barato, considerando que para cada peça era preciso gastar em taxa de inscrição, versão para o idioma da sede do festival ou para o inglês, dublagem e acabamento, por exemplo, de todos os filmes em condições de disputar – não era incomum as grandes agências inscreverem dezenas, às vezes mais de uma centena de comerciais. Foi assim que a DPZ decidiu, em 1983, que não mais participaria de festivais internacionais. A medida teria uma só exceção: o tradicional Festival de Cannes. Até que as vacas engordassem, a DPZ só entraria em certames nacionais.

Aparentemente ninguém se queixou da medida. Washington declarou aos jornais que a palavra de ordem era "menos ouro e mais economia de dólares". Neil Ferreira lembrou que fora uma decisão democrática, tomada de comum acordo por todos os componentes da equipe. A verdade é que deve ter sido doloroso para a criação não concorrer aos grandes prêmios internacionais com campanhas que certamente fariam bonito lá fora. Sobretudo porque os festivais estavam se tornando uma barbada para a agência. Só nos dois anos anteriores a DPZ havia abiscoitado em Cannes quatro Leões de Ouro (um para a Bombril, três para a Johnson&Johnson) e quatro de Prata (Guaraná Taí, Válvula Hydra Duratex, Sonrisal e CBS Discos). Um Leão de Bronze foi concedido ao comercial "Casa Própria", feito para o Itaú, filme que ainda receberia o Clio Award do ano. E isso sem falar nas dezenas de outros prêmios, estrangeiros ou brasileiros, de menor repercussão.

Uma das primeiras grandes campanhas produzidas depois da decisão foi a do Atari. Trazido do Japão pela Gradiente, cliente da DPZ, o videogame Atari foi o pioneiro da febre dos jogos eletrônicos que, tal como ocorria em quase todo o mundo, invadiria o país. Entregue a Washington e Gabriel, a tarefa permitiria que eles inovassem, como lembra Washington:

– Nós dois mergulhamos de cabeça na campanha e fizemos um negócio inovador, excepcional: tudo era mostrado do ponto de vista do jogador. Os comerciais, anúncios e *outdoors*, tudo dava a impressão de que o consumidor estava operando o joguinho. O Gabriel e o Abraham Metri fizeram fotos que nunca tinham sido feitas antes, com aquela luz azul de televisão na frente, textos muito bem escritos, um monte de comerciais geniais, dirigidos pelo Julinho Xavier.

Gabriel conta que foi utilizado um estúdio tão grande – para fotografar quatro diferentes planos, distantes cinco metros um do outro com iluminação para cada cena – que a agência teve de alugar todas as baterias de *flash* disponíveis em todas as locadoras de equipamento de São Paulo.

Em um momento de seminepotismo, Washington colocou o filho Homero, então com nove anos, como ator de um dos comerciais, mas obrigou-o a submeter-se ao teste como os demais inscritos. O "semi" vem do fato de que Washington não interferia no *casting*, preferindo seguir a orientação do diretor. Apesar do sucesso desta e das demais campanhas, seus criadores tinham que se conformar com os prêmios tupiniquins ou, o que era mais remoto, tentar a sorte no disputadíssimo Festival de Cannes.

Com ou sem prêmios internacionais, a equipe continuava trabalhando com o mesmo pique. O time só ficaria completo, porém, alguns meses depois, com a chegada do baiano Nizan Guanaes. Washington o conhecera no final dos anos 70, quando ambos se encontraram no Sandoval, uma popular gafieira de chão de terra batida e iluminada por luzes de néon no bairro da Pituba, em Salvador. Nizan lembra como foi:

– Eu era um jovem redator de publicidade de Salvador, trabalhava com o Duda Mendonça na DM-9. Um dia estou lá, dançando, quando vejo que a figura tinha saído do Olimpo e estava ali, na minha frente. Fiquei completamente passado. Fui lá, como até hoje fazem centenas de jovens fãs dele, e disse que era um imenso prazer conhecê-lo de perto, que eu amava as coisas que ele fazia na DPZ.

Tempos depois Nizan saiu da Bahia e foi trabalhar na Artplan, no Rio de Janeiro. Embora gostasse mais do Rio, ele sabia que a indústria da publicidade estava em São Paulo e acabou se mudando para a capital paulista. Foi com a cara e a coragem: ficou hospedado na casa de uma amiga, Célia Muylaert, e passava os dias visitando agências, com uma pasta nas mãos, atrás de um emprego. Foi à Talent, foi à Fischer, foi a um monte de agências mas nada conseguiu. Só não procurou Washington porque, segundo suas próprias palavras, "não se bate na porta da Seleção Brasileira pedindo para jogar". Voltou para o Rio e para a Artplan, onde criou a campanha "Vem pra Caixa você também", para a Caixa Econômica Federal, estrelada pelo ator Luís Fernando Guimarães.

Inscrita pela agência no festival da ABP – Associação Brasileira de Propaganda, a campanha disputava o Grand Prix, que além do troféu dava ao vencedor uma viagem para Cannes, para assistir ao Festival Internacional do Filme Publicitário. Na seleção final, o júri se dividiu e o vencedor deveria ser um anúncio da DPZ para o "Chambinho, o queijinho do coração", no qual cada criança cantava um verso da canção *Carinhoso*, de Pixinguinha. Voto vencido no júri, Washington – o autor do comercial premiado – levantou uma questão de ordem: um comercial e uma campanha não podiam concorrer entre si, pois eram coisas diferentes. Assim, segundo ele, o prêmio deveria ser concedido também à campanha da Caixa. Aprovada a proposta, Nizan recebeu o Grand Prix e ainda embolsou a passagem para Cannes. Tempos depois Washington o convidava para integrar a criação da DPZ.

Foi um começo difícil para o jovem baiano. No primeiro dia de trabalho ele cometeu um dos sete pecados capitais da DPZ: "Não mexerás nos jornais do Murilo Felisberto". Considerado aquilo que em Minas chamam de um sujeito sistemático, minucioso, detalhista, cheio de manias, Murilo detestava que lessem seus jornais antes dele. Era mais do que isso: bastava que alguém apenas tocasse neles para azedar seu dia. Era assim desde os tempos do *Jornal da Tarde*. Ao chegar de manhã na agência, a primeira coisa que fazia era olhar os jornais empilhados sobre a mesa – e eram muitos: a *Folha*, o *Estado*, o *Jornal do Brasil*, *O Globo*, o *Jornal da Tarde*, o *New York Times* e, dependendo do dia da semana, revistas nacionais e estrangeiras de notícias, cultura e artes gráficas. Se encontrasse uma ruga, uma página dobrada, algum indício que seu tesouro tivesse sido tocado, reagia com um gesto mal-humorado, mas silencioso: simplesmente afastava toda a pilha de publicações para um canto e não lia nenhuma. Pois no primeiro dia, sem saber que estava cometendo um grave delito, Nizan chegou cedo e, enquanto esperava o resto da criação, aproximou-se da mesa de Murilo, folheou despreocupadamente alguns jornais e revistas e os recolocou no lugar. Ninguém disse nada, e todos esperaram a chegada do dono da mesa para vê-lo repetir o gesto: afastou os jornais, sem ler nenhum deles, fuzilou Nizan com um olhar de ódio e puniu-o com alguns dias de silêncio.

Washington colocou o novato no grupo de que já participavam ele próprio, Petit e Gabriel – e deu-lhe sua cadeira para trabalhar. Nizan achou que era cedo demais para fazer parte de uma equipe tão consagrada – e, principalmente, para sentar *naquela* cadeira. Se dependesse de sua vontade, ele teria preferido trabalhar com o pessoal mais verde. "Se eu tivesse a idade que tenho hoje", diz ele, "teria pedido: pelo amor de Deus, Washington, não faz isso comigo, me colocar na *sua* cadeira é demais". Mas mesmo assim enfrentou a parada. Seus primeiros anúncios, feitos para o Banco Itaú, foram considerados "muito insolentes" por Afonso Serra, o contato que atendia o banco (e que viria a se tornar seu sócio, anos depois) e terminaram no lixo. Nizan se lembra de que com Gabriel era a mesma coisa:

– Eu sentava na frente dele, batucava alguma coisa na máquina e perguntava: "Veja se você gosta dessa idéia". Ele passava os olhos superficialmente e simplesmente respondia: "Não". E pronto.

Era uma ducha de água fria atrás da outra. Além disso, ele se convertera na vítima dos sermões estéticos de Petit. Conforme reza a tradição baiana, como bom filho-de-santo Nizan costumava vestir-se inteiramente de branco. Mas sabia que bastava entrar na DPZ de sapatos, calça e camisa brancos para ouvir a mesma cantilena:

– O Petit me achava horroroso. Eu era gordo, baiano, vestido desleixadamente, ele não podia mesmo perdoar. Passava o dia dizendo que eu era um baiano cafona, que eu não sabia me vestir, que eu devia comprar sapatos de uma loja, calças da outra, camisas de não sei quem...

Aquilo estava virando um inferno. Um dia Nizan perdeu a esportiva, chamou Petit num canto e tentou colocar um fim na brincadeira dando um aperto no patrão: "Petit, não implica comigo porque preciso deste emprego". Não adiantou. A campanha só terminou quando Nizan entregou os pontos: descobriu os nomes das lojas onde Petit se vestia e passou a comprar suas roupas lá. Mas ele sabia que o patrão não fazia aquilo por mal:

– Ele era implicante, mas não desalmado. O Petit é uma bela figura humana, uma linda figura. Não só ele, a DPZ era um lugar esplêndido para se trabalhar.

Lá as quizilas cotidianas tinham hora marcada para acabar. Quando terminava o expediente o pessoal da criação ia bebericar no Plano's ou no Anexo, um bar instalado no primeiro andar do edifício Dacon, ao lado da DPZ, e comentar os *spots*, cartazes e filmes produzidos durante o dia. Com freqüência (e desde que nenhum dos três patrões estivesse presente), a *happy hour* era encerrada com uma cobrança feita pelos colegas a Washington:

– E aí, quando é que você vai assumir?

Assumir significava limpar as gavetas, dizer adeus ao D, ao P e ao Z e montar sua própria agência. Cada vez que esse assunto surgia, ele respondia com os mesmos argumentos:

– Assumir pra quê? Estamos tocando tudo muito bem, estamos fazendo um trabalho do caralho. Assumir pra quê?

Se seus colegas achavam que mais dia menos dia ele deixaria a DPZ para tocar seu próprio negócio, era natural que essa possibilidade ocorresse também aos patrões. O primeiro a detectar o risco, no entanto, não foi nenhum dos três donos, mas o superintendente Javier Llussá. Em vez de colocar o assunto em uma das reuniões semanais do *board*, ele preferiu primeiro conversar reservadamente com Duailibi:

– Acho que está na hora de vocês darem uma participação para o Washington. Ele trabalha há muitos anos aqui. Não sei se a solução é uma participação na sociedade. Pode ser sob a forma de ações preferenciais, que não têm valor de voto, mas que farão ele se sentir dono. Isso vai garantir uma permanência maior dele na empresa.

Duailibi respondeu que tinha pensado nisso, mas achava que ainda não era o momento de mexer no assunto. Como Javier insistisse, fez uma consulta formal à *Four As*, American Association Advertising Agencies, a associação de agências de propaganda dos Estados Unidos, em busca de informações sobre os métodos mais adotados de *profit sharing* – compartilhamento de lucros com funcionários. Como resposta, soube que essa era uma prática comum entre as agências internacionais, tanto que o legendário publicitário David Ogilvy tinha apenas 3% da agência que levava seu nome, o mesmo acontecendo com os irmãos Charles e Maurice Saatchi, que conservavam em suas mãos 12% da Saatchi & Saatchi.

De concreto, a consulta seria a única iniciativa da DPZ. Quando achou que podia expor a proposta a Petit, Javier encontrou seu conterrâneo armado:

– Não abro mão de um tostão da minha participação para ninguém. Muito menos para o Washington.

Diante do espanto de Javier, Petit continuou:

– Gosto muito do Washington como parceiro e amigo, mas ele não é de aceitar ser minoritário em nada. Ele não pode ser o sócio menos importante. Ele tem que ser o mais importante, não passa pela cabeça dele algo diferente. E a presença dele aqui iria destruir a sociedade existente entre nós três.

Petit tinha claro – convicção mantida até hoje – que o verdadeiro milagre da DPZ era a convivência de três sócios tão diferentes entre si. E estava certo de que a entrada de qualquer novo parceiro quebraria a harmonia que tinham conseguido manter até ali:

– O milagre é que eu quero a DPZ com a minha cara, o Zaragoza quer a DPZ com a cara dele e o Roberto quer a agência com a cara dele. E isso existe! Isso existe! Então, se entra um elemento estranho nesse triângulo amoroso, fodeu. Desculpe a expressão, mas fodeu...

O terceiro sócio, José Zaragoza, que já achava Washington exibido demais, era tão radicalmente contra a idéia que se recusou até a conversar sobre o assunto. O infatigável Javier, porém, ainda não tinha jogado a toalha. Voltou à carga com Duailibi, agora com uma nova proposta: montar uma segunda agência em sociedade meio a meio com Washington. A DPZ ficaria por trás, injetando recursos para a implantação, e Washington seria o sócio-criador. Além de continuar achando cedo para tratar do assunto, Duailibi agora sabia que nada disso teria a concordância de Petit e de Zaragoza. O assunto morreu.

Alheio à discussão que seu nome provocava entre os três donos da DPZ, Washington estava metido em uma nova e inusitada aventura: transformar-se em um cartola de futebol. Isso mesmo, um desses manda-chuvas que compram e vendem jogadores, dão palpite no time, aparecem na mídia e carregam troféus em fins de campeonatos. Naturalmente, só poderia fazer isso para o Corinthians. No começo de 1982 ele fora encarregado pela DPZ de criar uma campanha para a Rádio Globo (antigo nome da CBN) em que anunciava sua maior contratação na área de esportes: o locutor Osmar Santos, até então na rádio Jovem Pan. Bem-humorada, a campanha intitulada "Imita o Osmar Santos" colocou no ar filmetes em que pessoas anônimas e conhecidas apareciam tentando repetir os bordões que o locutor utilizava nas narrações de jogos, como "ripa na chulipa" e "pimba na gorduchinha". Os dois acabaram tornando-se amigos.

Tempos depois, Osmar foi procurado pelo diretor de futebol do Corinthians, o sociólogo Adilson Monteiro Alves, que queria ser apresentado a Washington. Adilson lera a entrevista da revista *Status* em que o publicitário declarava amor eterno ao Corinthians mas se dizia decepcionado com o pífio desempenho do Timão, que só merecera dele um *slogan* depreciativo. Osmar fez a ponte e promoveu o encontro entre os dois. Dias depois, enquanto tomavam um trago no Plano's, Adilson abriu o jogo: depois de passar 22 anos sem títulos, o Corinthians conquistara duas vezes o Campeonato Paulista (em 1977 e 1979) mas novamente estava entrando em marasmo. Desmotivado, em 1982 o clube caíra para a humilhante disputa da Taça de Prata, o equivalente da época à atual Série B do Campeonato Brasileiro, a chamada "segundona". Washington já sabia de tudo aquilo, e ao final da exposição quis saber: o que ele tinha a ver com isso? Adilson explicou:

– Tenho lido alguma coisa sobre esse negócio de marketing em futebol. Não entendo disso, e queria saber se você topa trabalhar no Corinthians cuidando dessa área.

A idéia inicial era mexer profundamente na estrutura do clube, o que incluía a concessão de mais liberdade de decisão aos jogadores. Washington adorou a idéia, mas impôs algumas condições para aceitar o convite:

– Olha, Adílson, da mesma maneira que só trabalho com iniciativa privada, não faço campanhas políticas nem aceito contas de governo, eu só trabalharei para o Corinthians se for de graça. Não quero dar a impressão de que estou me aproveitando do meu clube. E tem que ficar acertado que nenhuma das pessoas envolvidas no projeto vai tirar proveito eleitoral disso.

Adilson topou, embora a segunda exigência acabasse relegada ao esquecimento: além do lateral direito Zé Maria, que se elegeria vereador pela capital paulista em 1984 pelo PMDB, o próprio Adilson acabaria obtendo uma cadeira de deputado estadual em 1986 pelo mesmo partido; em 1988 seria a vez do meio-campo Biro-Biro se eleger vereador em São Paulo pelo PDS, partido sucessor da Arena, que dera apoio político à ditadura militar. Adilson saiu do Plano's e disparou telefonemas para estações de rádio e TV e para colunistas esportivos dos principais jornais. No dia seguinte o assunto estava na boca do povo: o Corinthians acabara de contratar Washington Olivetto como vice-presidente de marketing, cargo criado especialmente para ele.

O movimento nasceu com objetivos exclusivamente esportivos, como flexibilizar as normas rígidas de disciplina e de hierarquia a que os atletas estavam submetidos, abolir a concentração antes dos jogos e dar mais liberdade e poder de decisão aos jogadores. Mas naquele ano de 1982 todos os brasileiros iam escolher os governadores estaduais por voto direto, pela primeira vez desde o golpe militar de 1964. A expectativa de que se pudesse eleger também o presidente da República dali a dois anos, colocando fim ao regime militar, tomara conta do país. Em todos os lugares o assunto era democracia, voto secreto, eleições diretas. A agitada atmosfera política que se respirava nas universidades, sindicatos e partidos acabaria chegando ao Corinthians. Do primeiro debate público sobre o movimento de renovação do clube, organizado no auditório do Tuca, na PUC paulista, participaram Adilson, Washington e o atacante Sócrates, tendo como mediador o jornalista Juca Kfouri. Quando terminava o pingue-pongue entre platéia e mesa, Juca agradeceu a presença de todos:

– Estamos tendo o privilégio de ver nascer a democracia corintiana. Boa noite.

Washington ouviu aquilo, pegou um pedacinho de papel, escreveu "Democracia Corintiana" e o guardou no bolso. Acabava de ser batizada a revolução que ia virar o Timão de ponta-cabeça. O núcleo central da Democracia Corintiana era composto por Adilson, Washington e os jogadores Sócrates, Vladimir, lateral-esquerdo, e Casagrande, centroavante. E o que eles queriam implantar era fiel ao nome escolhido: todas as medidas que dissessem respeito ao time seriam decididas no voto, pelos jogadores. O representante do clube nas deliberações seria Adilson, mas seu voto valeria o mesmo que qualquer outro. À exceção da escalação do time, a cargo do técnico, tudo o mais era decidido por votação.

Titulares, reservas e técnico punham tudo a votos: a que horas seriam os treinos, a dispensa dos casados das concentrações, as contratações de jogadores, o esquema tático, as viagens para fora de São Paulo. O tradicional "bicho" – o prêmio dado pelo clube aos jogadores após a conquista de títulos ou de bons resultados em jogos importantes – deu lugar a um acordo de produtividade em que a premiação seria proporcional ao público que o time conseguisse atrair para os estádios. Se a equipe conseguisse levar muita gente para assistir a seus jogos, ganharia mais. Em vez do "bicho", cujo valor ficava sempre a critério da diretoria, os jogadores teriam uma porcentagem sobre algo que a atuação do time poderia influenciar diretamente – a renda da partida. Podiam ser mil ou um milhão de torcedores, a equipe receberia sempre proporcionalmente à renda da bilheteria. Tudo isso era decidido por maioria simples, em voto aberto, com todos presentes, em uma roda que se reunia quase diariamente. Como lembraria anos depois o cientista político Emir Sader, "quando ninguém no país podia votar, os jogadores do mais popular time brasileiro conquistavam o direito de decidir sobre seus rumos".

A Democracia Corintiana entrou na moda. Para auxiliá-lo no trabalho como vice-presidente, Washington montou um Conselho de Marketing para o clube, formado só por corintianos notáveis, como os dois principais executivos da Rede Globo, Walter Clark e José Bonifácio de Oliveira Sobrinho, o Boni, a estilista Glória Kalil, representante no Brasil da grife italiana Fiorucci, a roqueira Rita Lee e alguém que, embora não sendo especialmente interessado em futebol, tinha sólida amizade com Washington e gostava de marketing, o jornalista Thomaz Souto Corrêa, diretor da Editora Abril. A primeira contribuição de Boni para o Conselho foi mandar enfiar na novela *Vereda Tropical*, grande sucesso da época, um personagem novo, vivido pelo ator Mário Gomes, que era jogador de futebol... do Corinthians, claro. Vestida com a camisa da Democracia, Rita Lee dava *shows* para milhares de pessoas no Parque do Ibirapuera, em São Paulo – que costumavam ser encerrados com os craques Sócrates e Casagrande em carne e osso, rebolando com ela no palco. Durante as transmissões de jogos pela Rede Globo, Osmar Santos convocava o público para esses espe-

Em anúncios de jornais,
Washington pede idéias para
a Democracia Corintiana.

táculos, sempre lembrando que Rita Lee era uma militante da Democracia. Para retribuir o apoio da roqueira, jogadores batizavam seus gols com o nome dela. Washington tinha uma curiosa teoria a defender, quando trabalhava nessa aproximação dos jogadores com artistas, músicos e gente de outras áreas que não o futebol:

– Jogador de futebol jovem sai do estádio depois do jogo e vai caçar mulher em puteiro. A idéia era tirar o atleta da cultura do puteiro e inseri-lo na cultura do *rock'n'roll*, deixá-lo conviver com gente da sua idade, mas com outra cabeça.

A receita, a julgar pela avaliação de alguns dos craques, parece ter dado resultado. Muitos anos depois desses acontecimentos, o bem-sucedido comentarista de futebol da TV Globo Walter Casagrande Júnior afirma que "teria tomado muita porrada na vida" se não fosse aquela convivência:

– Não sei dizer o que teria sido a minha carreira e a minha vida sem a Democracia Corintiana. Eu poderia ter virado um drogado, um bandido.

O vendaval mexia com a vida de todos eles, mas especialmente com os que surgiram como líderes, como Casagrande, um menino que da noite para o dia viu-se convertido em ídolo de políticos, artistas e intelectuais:

– Nós recebíamos cartas de apoio vindas do mundo inteiro e isso fez com que começássemos a nos cobrar mais leitura sobre a realidade social e política do país. Líamos muito, líamos até nos intervalos dos treinos.

Aos poucos aquele deixava de ser apenas um grupo de atletas que jogam no mesmo time, mas uma roda de amigos. Sócrates lembra que a união da equipe não se dava apenas em campo:

– Íamos juntos ao cinema e ao teatro e depois sentávamos para tomar um chope e conversar sobre o que tínhamos acabado de assistir.

O clube, nesse período, contratou os serviços do psicanalista Flávio Gikovate, encarregado de resolver os problemas da alma do plantel. Os jogadores sabiam, no entanto, que a torcida estava interessada em gols, vitórias e títulos, não em reflexões lítero-existenciais. Sabiam e cumpriram o prometido: nos dois anos da Democracia o clube sagrou-se duas vezes campeão paulista. Durante a breve existência do movimento – que vai do início de 1982 até a transferência de Sócrates para a Fiorentina, em 1984, quando a Democracia começa a murchar –, o Corinthians jogou 180 partidas, obteve 91 vitórias e 56 empates e sofreu apenas 33 derrotas. O saldo de gols no período também era excelente: 298 gols marcados, contra 166 sofridos. Em seus quase cem anos de vida o clube só viveu duas campanhas mais felizes que a da Democracia: entre 1951 e 1955 e, depois, entre 1998 e 2000. E tudo isso com dinheiro no caixa: entre 1982 e 1984 todas as dívidas do clube foram pagas, e quando o movimento chegou ao fim os cofres do Corinthians acumulavam nada menos que US$ 3 milhões.

Além de boa de bola, a Democracia se revelou um eficiente instrumento político. Os principais líderes do grupo participavam abertamente da campanha eleitoral, pedindo à população que no dia das eleições, 15 de novembro, votassem em candidatos identificados com a luta contra o regime militar. "A Democracia Corintiana é progressista", dizia Sócrates, para quem quisesse ouvir, "e não pede voto para candidato reacionário." Quando faltavam poucos dias para o pleito, o time entrou em campo, por sugestão de Washington, com duas inscrições nas camisas: "Dia 15 vote" e, logo abaixo, "Democracia Corintiana". O que também podia ser lido como "Dia 15 vote democracia". O governo militar não gostou daquilo e encarregou o presidente do Conselho Nacional de Desportos, brigadeiro Jerônimo Bastos, de dar um aperto no presidente do clube, Valdemar Pires. "Vocês não podem mais usar esse espaço para fins políticos", ameaçou o militar. "Caso insistam, vamos intervir no clube." Indiferente às intimidações, a Democracia avançava. Quando o técnico Mário Travaglini pediu demissão, em 1983, os jogadores se reuniram para algo jamais visto no futebol brasileiro: escolher seu sucessor. A preferência da maioria recaiu sobre um dos líderes do movimento, o lateral-direito Zé Maria, o "Super Zé", como era chamado pela torcida devido a seu notável preparo físico, que já se aproximava do fim de carreira como jogador. O *Jornal da Tarde* interpretou a escolha como uma revolução no futebol:

> *A Democracia Corintiana atinge seu ápice: os jogadores chegaram ao poder. Um momento raro no futebol brasileiro: os jogadores tiveram o direito de escolher o novo técnico; tiveram nas mãos toda a força de decisão sobre o comando do time.*

Nem tudo, porém, era um mar de rosas. A Democracia não tinha inimigos apenas no governo e em setores conservadores da imprensa esportiva, que enxergavam apenas "bagunça" no movimento, mas em sua própria casa. Ou, mais precisamente, em seu próprio gol: seu nome era Emerson Leão, talentoso e polêmico goleiro que era visto por boa parte do time como individualista e reacionário. Washington já havia contratado os serviços de Leão dez anos antes, em uma campanha para o peru Sadia em que o goleiro virava-se para a câmera e dizia: "Este é o único frango que eu gosto de engolir – o da Sadia". Sua contratação pelo clube, quando a Democracia já ia longe, se dera por folgada maioria de votos – até jogadores que se tornariam seus desafetos, como Sócrates, relevaram seus traços de personalidade por reconhecerem nele um dos melhores goleiros do Brasil. Apesar disso, o ex-palmeirense Leão não escondia sua opinião sobre o movimento e ironizava:

– Esta é a única democracia do mundo onde só mandam três: o Sócrates, o Vladimir e o Casagrande.

A imprensa esportiva simpática à ala de Vicente Matheus, veterano cartola à antiga colocado para escanteio pela Democracia, não dava tréguas ao movimento nem aos seus líderes e organizadores. Um indignado locutor esgoelou no microfone de uma rádio que "depois de setenta anos de lutas e glórias o Corinthians está entregue a um bêbado, um comunista, um maconheiro e um maluco" – maneira depreciativa com que se referia, respectivamente, a Sócrates, Vladimir (que era filiado ao PT), Casagrande e Washington.

Enquanto a Democracia Corintiana ganhava campeonatos, a brasileira também marcava gols. Em abril de 1984, o Congresso Nacional afinal colocaria em votação a emenda à Constituição proposta pelo deputado Dante de Oliveira (PMDB-MT), que restituía ao povo o direito de eleger o presidente da República. Uma mobilização popular jamais vista em toda a história do Brasil levava multidões a praças de todo o país como forma de pressionar deputados e senadores a votarem por "Diretas Já", expressão que passou a ser o *slogan* da campanha. Foi preciso pouco tempo para que os líderes da Democracia Corintiana se incorporassem ao vendaval que varria o Brasil, convertendo-se no braço esportivo da campanha pelas Diretas Já. Nos palanques que reuniram milhões de pessoas era obrigatória a presença de Sócrates, Casagrande e Vladimir, ao lado de políticos como Tancredo Neves, Ulysses Guimarães, Franco Montoro, Lula e Leonel Brizola. Osmar Santos, um defensor da Democracia, passou a ser o apresentador oficial dos comícios. Nos dias de clássicos, o time entrava em campo carregando faixas pró-diretas e inscrições nas camisetas usadas sob a camisa do clube.

Na mesma ocasião em que as primeiras páginas dos jornais estampavam fotos dos comícios que se sucediam pelo país, os cadernos de esportes noticiaram que a italiana Fiorentina, um dos mais importantes clubes de futebol da Europa, fizera uma oferta astronômica pelo passe de Sócrates. Apesar de estar com o caixa alto, o Corinthians não tinha bala suficiente para cobrir a proposta. Ir ou não para o futebol europeu – e embolsar alguns milhões de dólares – dependia exclusivamente da vontade do atacante. Enquanto os colunistas especulavam se o "Doutor", um dos melhores jogadores do mundo, ia ou não ceder à tentação, ele fez uma declaração bombástica:

– Se a emenda das diretas for aprovada, eu não sairei do Brasil.

Mas a emenda não passou. Pontualmente às duas horas da madrugada do dia 26 de abril de 1984 o presidente do Congresso, senador Moacir Dalla, do PDS capixaba, proclamou o resultado: apesar de ter obtido 298 votos favoráveis (apenas 65 votaram contra), a emenda Dante de Oliveira não alcançara por 22 votos o necessário quorum de dois terços do total de deputados e senadores. As eleições diretas estavam sepultadas. Um indignado Sócrates cumpriu o que prometera e anunciou aos jornais:

– Vou embora dessa merda de país. Isso vai demorar muito pra virar gente.

Semanas depois ele se apresentava à direção do seu novo clube, em Florença, deixando para trás o time cuja camisa vestira 302 vezes e para o qual marcara 116 gols. Mais alguns meses e o pai de Adilson, Orlando Monteiro Alves, concorria à presidência do Corinthians e perdia para um cartola convencional, Roberto Pascqua. A Democracia Corintiana começava a morrer.

A derrota da emenda das diretas deixou marcas na população. Os 65 deputados e senadores que haviam votado contra ficaram estigmatizados como os responsáveis pela injeção de ânimo em uma ditadura agonizante até em meios pouco politizados, como o da propaganda. Não era incomum que alguns deles sofressem constrangimentos públicos, como aconteceu com o senador maranhense José Sarney, do PDS que apoiava o regime. Em uma visita de cortesia à DPZ, pouco tempo depois da rejeição das eleições diretas, sua presença causou mal-estar e quase custou a cabeça de Stalimir Vieira. Roberto Duailibi recebera o senador para um café em sua sala, no sétimo andar, e em seguida descera pelas escadas para apresentá-lo à criação. Stalimir conta como foi o incidente com o futuro presidente da República:

Na hora em que ele entrou, o Washington levantou e saiu da sala. Quem passou para a história fui eu, por ter tratado o Sarney com desdém, mas isso só aconteceu porque todo mundo saiu da sala da criação, a começar pelo Washington, que sempre demonstrou uma grande má-vontade com tudo que soasse a autoritarismo ou imposição de vontade. Eu não tinha percebido a razão, porque sentava de costas para a porta. Estava folheando um livro, quando ouvi a voz do Roberto Duailibi:

– Sarney, deixa eu te apresentar um jovem talento gaúcho.

Foi só então que me voltei e dei de cara com o Sarney me oferecendo a mão. Fui minimamente educado, apertei-lhe a mão e voltei ostensivamente à leitura. O Roberto ficou lívido e disse:

– Não liga não, Sarney, ele é PT.

E eu:

– Não sou PT, não!

Ambos se afastaram. Depois, o Roberto me deu uma bronca, dizendo que a DPZ não aceitava que um visitante fosse tratado daquela maneira. Respondi que não agi em meu nome, mas em nome do povo brasileiro. Depois, todo orgulhoso, contei a minha resposta para o meu irmão comunista e ele me respondeu que era muita presunção da minha parte. Mas virei herói para o Washington e inclusive para o Petit, que sempre adorou ver o circo pegar fogo.

Salvo esses pequenos percalços pós-eleitorais, a vida prosseguia sem sobressaltos na DPZ, até que no final de 1985 Javier Llussá se desentendeu com Duailibi, pediu demissão e se transferiu para a GGK. Como a gigante suíça já tentara algumas vezes, sempre sem êxito, comprar a DPZ, Washington suspeitava que a contratação de Javier era parte de um plano de longo prazo da GGK:

– Naquela época a GGK no Brasil era uma agência pequena demais para um executivo do tamanho do Javier. Na minha opinião, os suíços acreditavam que uma maneira de começar a comprar a DPZ era contratar o Javier, o homem que conhecia tudo lá dentro.

Pode ser mera casualidade, mas uma pesquisa nos jornais e revistas da época revela que a ida de Javier para a GGK coincide com as primeiras declarações de Washington em que ele considera, ainda que hipoteticamente, a possibilidade de deixar a DPZ. Não se tratava de nada afirmativo, mas de frases significativas salpicadas aqui e ali que ele não proferia antes, tais como "não sou patrimônio da DPZ", "ninguém é imprescindível", "o W não é a quarta letra da DPZ", "estou a fim de ficar na DPZ... no momento". Ou até leves alfinetadas na casa:

"Como agência de propaganda a DPZ é estruturalmente muito boa. Não tem só coisas certas, tem também um monte de erros. Mas eu sempre vou vestir a camisa de onde eu trabalho".

Washington jura que quando Javier foi para a GGK ele não imaginava que um dia iria – ele, e não a DPZ, como supunha – se associar aos suíços. Tanto que ainda permaneceria alguns meses produzindo normalmente, como se nada estivesse acontecendo. Como Petit começou a passar longas temporadas em sua Barcelona natal, ele afinava ainda mais seu trabalho com Gabriel. Juntos eles fizeram as campanhas para o Itaú Banco Eletrônico, para a boneca Amore (Leão de Ouro em Cannes), para a Johnson&Johnson – esta teve uma peça que chamou especialmente a atenção do público. Veiculado na época em que a Fuvest divulgava os resultados dos vestibulares nas universidades públicas de São Paulo, o anúncio mostrava uma foto de três garotos de cabeças raspadas e com o corpo pixado, sob a qual vinha o título "*Breve aqui, xampu Johnson's*".

Outra campanha de grande repercussão foi a dos amortecedores Monroe, que comparava as curvas de Marilyn Monroe às curvas das estradas brasileiras. Criaram também peças engavetadas pelo cliente, como os *outdoors* machistas feitos para os cigarros Continental, no início da onda antitabagista, cujos títulos diziam: "*Faz mal sim, mas quem gosta, fuma porque quer*". Ou então, "*Fume se você for homem*". A ausência de Petit no dia-a-dia da agência levou Washington a sugerir aos demais sócios que ele "promovido a patrão". Afinal, Petit já fizera uma sala especial, anexa à da criação, onde trabalharia quando estivesse no Brasil. Na antiga cadeira do patrão, Washington instalou Gabriel Zellmeister.

No seu primeiro retorno ao Brasil, depois da mudança, Petit entrou na agência, a caminho de sua nova sala, e ao passar pela criação pareceu surpreender-se com a presença de Gabriel naquela que tinha sido a sua cadeira. Gabriel sentiu um certo cheiro de ciúme no ar e conversou Washington:

– Fizemos uma cagada. Cometemos o erro de colocar alguém –

eu – na cadeira em que o Petit passou dez anos trabalhando. Ele parece não estar gostando nada disso.

Na hora do almoço, naquele mesmo dia, Gabriel inverteu os lugares: Washington passou para o lugar onde antes ficava o Petit e ele sentou-se no lugar que era de Washington. "Como ficou provado", ele se recorda, "não adiantou nada."

Petit não disse palavra. Passadas algumas semanas, Gabriel estava trancado em uma sala de reuniões com diretores da Monroe quando uma secretária avisou que o chamavam com urgência ao departamento de RH, três andares abaixo. Ele explicou que estava ocupado, insistiram em que era urgente mas Gabriel só desceu horas depois, encerrada a reunião. Ao chegar foi recebido por um constrangido Antenor Negrini, responsável pela administração da agência, que liquidou o assunto com uma frase:

– Você está demitido.

A ordem para a demissão fora dada pessoalmente por Petit. Gabriel ainda teve que assinar um papelzinho azul com a comunicação do aviso prévio ("Só então entendi por que as pessoas dizem que receberam o 'bilhete azul' ao perderem o emprego", se lembraria depois), voltou à criação, limpou suas gavetas e comunicou a todos:

– Acabei de ser demitido, com bilhete azul e tudo mais.

O quinto andar parou com a notícia. Colegas de trabalho e secretárias tentavam em vão localizar Washington, que estava no Rio, fazendo a apresentação de uma campanha na Souza Cruz, e que ignorava a bomba que tinha explodido na agência. Quando chegou à DPZ, no final da tarde, encontrou a agência sob um silêncio de velório e não acreditou no que ouviu. Telefonou para a casa de Gabriel e disse que iria descer ao RH para tentar reverter a demissão. O amigo recusou o gesto:

– Não vá. Não dá mais, não há clima, acabou. Estou fora.

Poucos poderiam prever que aquilo ia ter o fim que teve, mas não era segredo que Gabriel e Washington tinham divergências com os donos a respeito da forma pela qual a DPZ era administrada, como lembra o próprio Gabriel:

– Eu já tinha dito ao Petit que imaginava uma DPZ com 80 pessoas, e não as 400 que trabalhavam lá. Sugeri que fechassem as sucursais de Porto Alegre e do Rio, demitissem 80% do pessoal e ficassem com apenas 80 funcionários – aí incluídos motoristas, secretárias e os três sócios. E ainda achava muito: com 40 pessoas eu e o Washington tocaríamos a DPZ muito bem. O Petit concordava comigo, mas não fazia nada.

Em meio ao espanto que tomava conta da criação Washington correu à sala de Petit para saber o que tinha provocado decisão tão drástica e testemunhou mais uma vez a proverbial franqueza do patrão e amigo:

– O Gábi era ótimo, mas estava disputando o meu lugar aqui dentro, e a agência é minha. Eu sou o dono, então demiti.

Washington voltou para a criação desolado. Naquela tarde de março de 1986 ele começou a pensar a sério, pela primeira vez, em deixar a DPZ e montar sua própria empresa.

W/Bras

W/USA

10

Uma notícia sacode o mercado. Washington deixa a DPZ e se associa aos suíços: nasce a W/GGK.

Três meses depois da demissão de Gabriel, Washington embarcou para o Festival de Cannes, como fazia quase todos os anos. Durante os dez dias de badalação na Riviera francesa ele evitou conversar demasiado com os colegas que encontrava, fossem eles brasileiros ou estrangeiros. Foi a maneira que encontrou para não cair na tentação de contar um segredo que guardava a sete chaves fazia dois meses. Pela primeira vez alheio ao farfalhar de jantares e festas que se seguem à premiação, tão logo o resultado foi anunciado Washington colocou na mala os Leões que acabara de abiscoitar, tomou um avião e sumiu. Dos sete Leões conquistados por agências brasileiras naquele ano (um de ouro, dois de prata e quatro de bronze), a DPZ ficara com três (um de prata e dois de bronze), todos atribuídos a anúncios criados pela equipe chefiada por Washington. E 1986 seria também o ano em que a filial brasileira da suíça GGK arrebataria o único Leão de toda sua existência, o de bronze, atribuído a um filme chamado "Outdoor", feito para o creme Nívea.

O segredo que fizera Washington sair de fininho de Cannes durava algumas semanas e era compartilhado por apenas cinco pessoas, além dele: sua mulher na época, Luiza, o presidente da GGK no Brasil, Peter Erzberger, o amigo e agora superintendente da agência, Javier Llussá, o empresário Francisco Alberto Madia de Souza, contratado por Washington para assessorá-lo, e o suíço Paul Gredinger – dono da GGK da Suíça e o maior proprietário individual de agências do mundo, as dezesseis GGKs espalhadas por dez países. Um segredo que nascera lá mesmo, em Cannes, um ano antes, durante o 32º Festival. Washington recebera um Leão de Ouro, dois de Prata e um de Bronze por comerciais feitos por ele em parcerias com Petit, Gabriel, Paulo Ghirotti e Helga Miehke. No dia seguinte à premiação, foi procurado por Michael Schirner que, falando em nome de Paul Gredinger, lhe fez um convite:

– Queremos que você assuma o comando da GGK no Brasil. Você passa alguns meses lá, dando um gás, e depois se quiser vai cuidar de algumas das nossas agências na Europa.

Mas o bom clima de trabalho existente na DPZ e os salários que a agência lhe pagava – nunca declarados, mas algo em torno de R$ 150 mil mensais – eram anteparos suficientemente sólidos para resistir até a propostas como aquela. Washington pediu tempo para pensar e passou meses procrastinando a decisão, sem procurar os suíços para dizer sim ou não. Com o traumático episódio da demissão de Gabriel, a luzinha da GGK acendera de novo na sua cabeça, mas ele só voltaria a se preocupar de fato com o assunto semanas depois, ao ser procurado por Javier, que reiterou o convite de Gredinger, detalhando-o melhor:

– Eles não querem contratá-lo como empregado, com um supersalário. A GGK quer você como sócio no Brasil. Se quiser, você depois pode sair pelo mundo.

A reunião terminou sem que qualquer decisão fosse tomada, mas Washington não conseguia mais pensar em outra coisa. Contou para Luiza que estava muito tentado a aceitar, mas, antes de decidir, preferiu, prudentemente, se socorrer dos serviços de um amigo, o consultor internacional Francisco Madia, que o ajudaria a julgar a conveniência ou não do negócio. Dias depois Madia resumiria para Washington o conteúdo da folha de papel em que os suíços formalizaram a proposta: ele seria presidente e diretor de criação da GGK brasileira, receberia um pró-labore equivalente ao que ganhava na DPZ e seria dono de metade da nova agência – e, conseqüentemente, de metade do que ela viesse a faturar.

Mesmo perdida no 46º lugar da lista das agências brasileiras, e tendo tido no ano anterior um faturamento dez vezes inferior ao da DPZ (a quinta no *ranking*), segundo especialistas do mercado, a GGK valeria, na época da negociação, algo em torno de US$ 5 milhões. Ou seja, o que Paul Gredinger lhe propunha era continuar ganhando o mesmo que recebia na DPZ, mais metade do lucro que resultaria de sua associação com uma empresa desse porte. Washington concluiu que sua hora tinha chegado e autorizou Madia a tocar o negócio. As semanas seguintes foram consumidas em reuniões intermináveis entre Javier, representando os suíços, e Madia, em nome de Washington. As duas partes sabiam que o segredo era indispensável para o sucesso da operação. Se a notícia vazasse e chegasse aos ouvidos dos três sócios da DPZ, eles acabariam arranjando alguma maneira de segurar Washington por lá. Por determinação de Paul Gredinger, nem mesmo Michael Schirner, que fizera os primeiros contatos, poderia saber que a negociação estava em curso. Sabedores da fama de boquirroto de Washington, Madia e Javier faziam-lhe marcação cerrada, temendo que em um momento de incontinência verbal ele pusesse tudo a perder. Por incrível que pareça, o segredo sobreviveu cerca de dois meses em um meio no qual eles não costumam durar horas. Gabriel Zellmeister jura de mãos juntas (e Washington nega) que nesse período o amigo tentou contar-lhe um segredo que ele não podia revelar a ninguém. "Se é assim", respondeu, "então não me conte". Gabriel recorreu a uma frase atribuída ao general Golbery do Couto e Silva, tido como o Maquiavel da ditadura:

– Eu disse a ele: se é segredo, não me conta, senão deixa de ser. A verdade é que só depois de ler os jornais eu soube o que o impedira de contar. Ele não se agüentava mais.

A operação funcionou com a precisão de um relógio suíço. Além dele, só Luiza, Gredinger, Erzberger e os dois negociadores continuavam sabendo do que estava acontecendo. Nas poucas semanas que decorreram entre a decisão e o anúncio público ele impôs mais ritmo ao trabalho na DPZ, preocupado em não deixar absolutamente nada por fazer, na hora de ir embora. Como se nada de excepcional estivesse acontecendo, no dia 20 de junho Washington embarcou para o Festival de Cannes, de cujo júri ele faria parte. Dez dias depois, ao ser encerrada a premiação, ele saiu discretamente, foi ao hotel Gray d'Albion, onde estava hospedado, fechou as malas, tomou um táxi para o aeroporto mais próximo, que fica em Nice, a 30 quilômetros de Cannes. Em vez de repetir o tradicional trajeto de volta – Nice–Paris–São Paulo – que fizera tantas vezes ao final de outros festivais, desta vez Washington comprou um bilhete para o aeroporto de Zurique, na Suíça.

Mesmo habituado aos padrões do *jet set*, ele se espantou com a recepção de califa que a GGK lhe preparara. Uma suíte com vista para o lago de Zurique já o esperava no Dolder, um castelo do tempo de Martinho Lutero restaurado e transformado num dos mais elegantes hotéis da Europa. À noite, mesa reservada para ele e Gredinger no exclusivo Kronenhalle, que teve entre seus ilustres comensais gente como o dramaturgo suíço Friedrich Dürrenmatt e o escritor irlandês James Joyce. Com as paredes recheadas de originais de Picasso, Matisse, Miró e Chagall, a casa traz até hoje gravada na capa de seu cardápio uma frase pouquíssimo modesta: "O Kronenhalle não é um restaurante, é um mito". Com tais predicados, não é de estranhar que os guias de turismo costumem classificar os preços do Kronenhalle como "extorsivos". Foi ali, entre taças de vinhos raros e garfadas de *Wiener Schnitzel* – prato que deu origem ao bife à milanesa –, que Paul Gredinger convenceu Washington Olivetto a, sem enfiar a mão no bolso, se tornar seu sócio meio a meio nos resultados futuros de um negócio avaliado em US$ 5 milhões.

Batido o martelo em Zurique, Washington ainda passou por Londres e no dia 30 de junho estava de volta a São Paulo. Começava a contagem regressiva. Francisco Madia já vinha plantando notinhas em colunas de jornais, criando clima para "uma bomba" que ia sacudir a propaganda brasileira no mês de julho. Foi Washington quem decidiu o dia, o local e a forma como o anúncio seria feito. A data escolhida foi 8 de julho, uma terça-feira, dia em que, segundo ele, "todas as revistas semanais começam a produzir suas matérias" e, teoricamente, poderiam reservar mais espaço ao evento. O anúncio seria feito num almoço, seguido de entrevista coletiva, para trinta jornalistas e colunistas. O lugar era o Manhattan, um pequeno e elegante restaurante

A garçonete do Kronenhalle,
em Zurique, aguarda Washington:
uma recepção de *popstar*.

com mesas dispostas sob uma frondosa figueira, no coração dos Jardins. Como o dono da casa, o empresário José Victor Oliva, era um velho amigo de Washington, Madia teve que fazer a reserva informando apenas que se tratava de "um evento para publicitários".

Washington passou o fim de semana em casa, em companhia da mulher e do filho. Rabiscou no papel o eixo da exposição que faria aos jornalistas na coletiva de terça-feira. Em resumo, diria que no momento em que a propaganda mundial vendia a idéia da megaagência, seu projeto era remar na direção contrária: construir uma agência enxuta, mas com megaidéias. No domingo à noite apareceram em seu apartamento Ricardo Scalamandré, na época diretor comercial da Rede Globo, e José Victor Oliva, convidando-o para um bife no Rodeio. Os três jantaram, beberam e conversaram até meia-noite – e só mesmo graças a um enorme esforço Washington não entregou o segredo a dois de seus melhores amigos.

Na segunda de manhã ele agiu como em um dia comum: acordou cedo, foi para a agência e sentou-se diante da velha máquina de escrever Olivetti Lettera 32. Não fosse a ansiedade do pessoal da criação, curioso por saber o que seria anunciado na tal coletiva do dia seguinte, terça-feira, aquela teria sido uma jornada normal de trabalho. A principal especulação do mercado sobre o evento de terça dizia que a McCann Erickson iria anunciar a compra da DPZ. Washington trabalhou normalmente: terminou uma campanha para a Nestlé e ainda criou um anúncio para o uísque Drury's. No fim do expediente passou um bilhetinho circular para os demais membros do *board* da agência, pedindo uma reunião extraordinária às 9 horas da manhã seguinte, terça-feira. O *board* se reunia a cada quinze dias, mas não era raro um de seus membros solicitar reuniões extraordinárias sem especificar o tema.

Na terça de manhã Washington estacionou seu carro na garagem da agência e subiu direto para o sétimo andar, onde ficava a sala de reuniões do *board*. Havia duas cadeiras vazias: a de Petit, que estava em Barcelona, e a de Zaragoza, que reagira à convocação com desdém:

"Se foi o Washington que convocou, não preciso ir", disse ele, "porque tudo o que ele vai dizer eu já sei". Todos os demais estavam presentes: Duailibi, José Carlos Piedade e Flávio Conti, diretores de atendimento, Antenor Negrini, diretor administrativo, e Daniel Barbará, diretor de mídia.

Como presidente do *board*, Duailibi deu a palavra a Washington, que resumiu tudo em três frases:

– Pedi essa reunião para comunicar a vocês que estou deixando a DPZ. Não tenho outro jeito de ir embora desta agência, senão vocês não vão me deixar ir embora. Queria agradecer a todos, foram treze anos maravilhosos, sensacionais mesmo, mas eu estou indo embora hoje.

O espanto dos presentes não teria sido maior se ele dissesse que ia pular da janela. Foi Duailibi quem perguntou:

– Como assim? Você vai embora para onde?

– Infelizmente não posso dizer. O segredo, exigido em contrato, será revelado às duas da tarde, no tal almoço convocado para o Manhattan. Preferi manter o sigilo para que este desfecho fosse menos doloroso. É como arrancar um *band-aid* da pele: de uma vez só, dói menos.

Ainda sob o impacto do que ouvira, mas sem esconder sua irritação com a notícia, Duailibi reagiu com secura:

– Se é isto, a reunião está encerrada. Bom dia a todos.

O pedido de demissão produzira sua primeira vítima: naquele momento chegava ao fim a amizade de treze anos entre ele e Duailibi. Washington desceu dois andares a pé, entrou na criação para esvaziar as gavetas e comunicar aos colegas que estava indo embora – ainda sem poder revelar o destino que tomaria. Passou em casa, deu alguns telefonemas e foi para o Manhattan, onde já o esperavam, ansiosos, os trinta jornalistas convidados. Ele sentou-se entre Javier e Peter Erzberger, até então o presidente da GGK no Brasil, e anunciou:

– Acabo de me demitir da DPZ. A partir de hoje, sou presidente e diretor de criação da W/GGK, empresa da qual passo a controlar 50% do capital.

A tarde seria consumida em entrevistas para a televisão, rádios, jornais e revistas. Aos que lhe perguntavam que perfil teria a nova agência, ele repetia a mesma resposta:

– Não queremos ser a maior agência do Brasil, apenas a melhor.

A tensão dos últimos dias tinha deixado marcas em sua aparência, como observou o *Jornal da Tarde*:

> *Com o rosto cansado de quem não dorme há várias noites, Washington almoçou com a imprensa para contar a novidade que provocou verdadeiro frisson entre os colunistas do setor – todos saudavelmente indignados com um sigilo tão duradouro num meio em que um segredo jamais demora mais que um telefonema para ser divulgado.*

Encerrada a maratona com a mídia, ele foi para casa e passou o resto do dia fazendo telefonemas para os donos de grandes veículos, anunciantes e clientes que atendia pessoalmente na DPZ, para lhes comunicar que estava mudando de casa e anunciar a filosofia da nova empresa. "O que tem que ser grande", repetia a todos, "é a idéia, não a agência." Entre uma e outra chamada, ligou para Barcelona para contar a notícia a seu ex-patrão e parceiro Francesc Petit, que lhe disse ter ficado "tristíssimo" com sua saída da DPZ. À noite toda a equipe de criação do quinto andar apareceu no seu apartamento para festejar a novidade. Paulo Ghirotti, que dias depois seria nomeado diretor de criação em seu lugar, apareceu com uma carinhosa lembrança: embrulhada em papel de presente, levou para Washington sua ferramenta de trabalho: a máquina de escrever Olivetti, que o acompanhava desde seu primeiro dia na DPZ, treze anos antes. Ali mesmo ele anunciou as duas primeiras contratações:

– O Nizan e a Camila também vão esvaziar as gavetas e já começarão amanhã na W/GGK.

Depois de ocupar espaço em todos os telejornais da noite, na manhã de quarta-feira Washington estava na primeira página de todos os jornais importantes. Ele e Javier sabiam qual seria a tarefa principal do primeiro dia de trabalho: visitar os clientes da GGK para comunicar-lhes pessoalmente a notícia. O primeiro escolhido foi a multinacional Dow Química. Íris del Picchia, secretária de Javier, marcou para antes do almoço um encontro deles com o diretor de marketing da empresa, Fernando Kaufmann. Embalados pela massa de noticiário sobre a mudança, Washington e Javier se sentiam os verdadeiros bambambãs ao entrar na sede da Dow, na rua Iguatemi, na região dos Jardins.

O primeiro a falar foi Javier:

– Como o senhor deve ter visto nos jornais e na televisão, a agência mudou de nome e vai mudar de orientação, agora tendo o Washington como sócio dos suíços.

Kaufmann ouvia em silêncio. Depois foi a vez de Washington, que se lembra bem do episódio:

– Naquele dia eu estava na capa de todos os jornais brasileiros, tinha saído na TV Globo, nas rádios, no diabo. Expus ao gerente as virtudes de uma agência criativa, provocadora, moderna, agressiva, como passaria a ser a W/GGK. Fiz um *speech* caprichado, mas o sujeito só olhava, sem dizer uma palavra.

Só então Kaufmann abriu a boca. E foi curto e objetivo:

– Eu desejo muita sorte a vocês nessa empreitada, mas a Dow é uma empresa muito *low profile*, muito discreta. Você, Washington, é muito famoso, muito talentoso, sabemos disso, mas queremos uma agência mais recatada. Lamento, mas a conta da Dow não vai continuar com a W/GGK.

A resposta provocou um frio na espinha dos dois. Perder uma conta na primeira visita do primeiro dia de trabalho de uma nova agência não parecia um bom presságio. E se outros clientes da GGK seguissem o caminho da Dow? Ao contrário das grandes agências, em que a perda de um cliente, em meio a dezenas de contas, não chega a significar uma ameaça, a W/GGK tinha um esquelético carnê de onze empresas em sua pasta. Além da Dow, que acabara deixá-la, a agência administrava as contas do Creme Nívea, Eternit, Max Factor, Phillip Morris, Swissair, Telefunken, Mozarteum Brasileiro, Roche, Laboratórios Braun e da Associação Brasileira de Amianto. Nenhum deles era um grande anunciante, o que tornava a perda ainda mais preocupante. Os temores de Javier e Washington, no entanto, eram infundados. Não só os dez clientes permaneceram na nova agência, como em muito pouco tempo algumas gordas fatias da DPZ começariam a migrar para a W/GGK.

O impacto da saída de Washington parecia ter sido absorvido com naturalidade pela DPZ até que começaram a pipocar nos jornais, aqui e ali, declarações atribuídas a tradicionais clientes da agência que deixaram os três sócios alertas. A primeira declaração foi de Oscar Manuel de Castro Ferreira, gerente de marketing do Banco Itaú, que disse: "Como cliente posso dizer que um dos pontos mais fortes da DPZ é a sua criação e nesse sentido Washington Olivetto ocupava um espaço importante. Mas todos sabem que uma das maiores qualidades dele é formar uma equipe de nível, e essa equipe permanece". Ouvido pelos jornalistas, o diretor de marketing da Bombril, Álvaro Gambarini, deu uma resposta ambígua:

– A notícia nos pegou de calças curtas e ainda não tivemos tempo para pensar nesse assunto. Mas posso dizer que está tudo normal entre nós e a DPZ. Por enquanto.

Os boatos sobre a possibilidade de grandes clientes trocarem a DPZ pela W/GGK não paravam. Quatro dias depois do anúncio no Manhattan, a revista *Veja* deu uma grande cobertura para o acontecimento, qualificando-o como "a mais retumbante troca de emprego ocorrida na propaganda brasileira nos últimos vinte anos". Mas a notícia que iria botar fogo nas relações de Washington com os ex-patrões estava perdida no décimo parágrafo da reportagem: "No mercado publicitário calcula-se que, até o final do ano, pelo menos seis clientes [da DPZ] seguirão com Olivetto para a GGK". Mais alguns dias e a revista de negócios *Exame* voltaria ao assunto, dando nomes aos bois. Segundo a revista, o fantasma que assombrava a DPZ era "o risco da perda de grandes clientes como Itaú, Nestlé, Grendene e Bombril, que poderiam inclinar-se a acompanhar Olivetto".

O palpite de *Exame* era 50% frio, 25% morno e 25% quente. Das quatro empresas citadas, só a Grendene estava na caçapa da W/GGK. Na rodada de telefonemas feitos no dia 8 à tarde para seus antigos clientes da DPZ, Washington não conseguira localizar um dos mais importantes deles, o industrial gaúcho Pedro Grendene, dono da fábrica de calçados Melissa, situada em Farroupilha, no interior do Rio Grande do Sul. Só no dia seguinte, quando a imprensa noticiou o fato é que ele próprio tomou a iniciativa de ligar para Washington, que se lembra com detalhes da conversa:

– Parabéns, acabo de saber que você montou uma agência nova. Você já tem escritório? Se não, a Grendene tem um grande, na avenida Faria Lima, com muito espaço, você pode usar.

O publicitário nem pestanejou:

– Escritório nós já temos, Pedro. O que não temos são contas. Será que vocês querem trabalhar comigo?

A resposta foi surpreendente:

– Claro que quero. Na próxima semana venha a Farroupilha para fechar isso com meu irmão.

Só os dois sabiam dessa conversa quando a imprensa vazou a notícia, mas a mera especulação fez ferver o sangue árabe de Roberto Duailibi. Dias depois ele responderia ao zunzum em um artigo publicado no suplemento *Propaganda & Marketing*, um encarte do jornal *Gazeta Esportiva*, afirmando com todas as letras que a saída de Washington tinha sido positiva para a DPZ. Se a alguém restavam dúvidas a respeito de seu ânimo, Duailibi deu uma entrevista do tipo pergunta-e-resposta para o jornal *Meio&Mensagem*, para deixar claro que estava na chuva para se molhar:

***Meio&Mensagem** – Você escreveu que a saída do Washington foi positiva para a DPZ. Pode explicar isso?*

***Roberto Duailibi** – Foi positiva porque um dos aspectos do comportamento do Washington era essa excessiva busca de auto-promoção, a ponto de querer até fazer sombra à própria agência que propicia-*

va a criação daquelas peças. A um ponto que realmente se citava o nome da agência de passagem, um absurdo em qualquer lugar do mundo. Isso nos irritava muito, expressei isso várias vezes para o Washington, mas ele era absolutamente insensível. Agora a DPZ volta a ser a DPZ e o mérito será dado realmente às duplas que criaram as peças. Eu não vou mais ter diretor de criação.

M&M – E como os clientes receberam a noticia?

RD – Muito bem, sem nenhum problema. A excessiva divulgação do fato criou uma grande solidariedade por parte dos clientes conosco – quase todos nos ligaram para dizer "mas que coisa ridícula, o que é isso?". De maneira que até sob esse ponto de vista foi muito positivo.

M&M – Continuando nessa linha, a Veja publicou que é possível que até o final do ano seis clientes de DPZ debandem para a W/GGK. Isso é de fato possível?

RD – Isto é outra infantilidade. Eu mandei uma carta para o Elio Gaspari [então diretor-adjunto de *Veja*] *e conversei com Roberto Civita* [presidente da Editora Abril] *dizendo o seguinte: por menos que vocês jornalistas acreditem nisso, existe ética sim na nossa profissão. É pecado mortal em propaganda, em qualquer lugar do mundo, o profissional a quem foi confiada uma conta numa determinada agência ir solicitar essa conta depois que ele sai da agência. Isso é antiético. Nas raríssimas vezes que isso aconteceu na história da propaganda no mundo inteiro, o profissional foi rejeitado e condenado para o resto de sua carreira, porque provou ser uma pessoa que não inspira confiança ou não é digno de confiança. Pode até acontecer, mas não será bom para eles. Quando eu saí da Standard – era vice-presidente e único responsável pelo escritório de São Paulo – para fundar a DPZ, vários clientes na ocasião quiseram me acompanhar. Eu me recusei a aceitar qualquer um deles.*

M&M – Mas segundo as primeiras declarações do Washington, ele não pensa da mesma maneira...

RD – Os profissionais têm que ter um comportamento que deve ser lembrado o tempo todo, senão isso vira uma selva. Você entrega uma conta para o contato atender e ele labora para mais tarde levar essa conta. Isso transformaria nossa profissão num negócio sem nenhuma dignidade.

M&M – A DPZ sente-se desafiada a sustentar sua fama sem o Olivetto? O Petit e o Zaragoza devem voltar a viver mais de perto o dia-a-dia da agência, pôr mais a mão na massa?

RD – O Petit e o Zaragoza põem a mão na massa o tempo todo. O que o Petit está fazendo em Barcelona nesse instante é se alimentar em termos de arte para criar melhor ainda. O Zaragoza está aqui acompanhando cada anúncio que é feito. Essa campanha da Hering que está no ar é do Zaragoza, a do Itautec é do Petit. Eles nunca deixaram de trabalhar duro nessa agência.

M&M – Comenta-se no mercado – e já há algum tempo – que o Petit e o Zaragoza não têm mais a mesma vontade de "tocar" a agência e você vem levando o barco praticamente sozinho. Mesmo você não teria mais a mesma motivação de antes.

RD – Isso é totalmente falso. O nosso negócio é a DPZ, estamos dedicados a cada um dos clientes da DPZ. Evidentemente eu me envolvi muito em política associativa no último ano por causa das responsabilidades da ABAP [Associação Brasileira das Agências de Propaganda, da qual Duailibi era presidente] *– felizmente pedi licença porque tem um limite. Nós não abandonamos nem um minuto, eu venho aqui todos os dias, estou aqui a partir das oito e meia da manhã, o Petit é mais madrugador e chega às sete e meia – nunca saio antes das oito da noite, nosso pessoal tem muita consciência disso. Nós não somos sócios capitalistas da DPZ, somos formiguinhas da comunicação, continuamos trabalhando e gostamos de fazer isso.*

Confrontado com a entrevista vinte anos depois, Washington tem apenas um reparo a fazer às declarações do ex-patrão:

– Não é verdade que o Roberto tenha se recusado a levar contas da Standard, quando deixou a agência. Todo mundo sabe que ele levou, por exemplo, a Sadia e a Fotoptica para a DPZ.

Seja como for, a tinta do jornal com a entrevista de Duailibi ainda estava fresca quando Washington desembarcou no aeroporto de Porto Alegre, à espera de um carro das indústrias Grendene que o levaria a Farroupilha, a 120 quilômetros da capital gaúcha. Como o veículo não chegasse, e ansioso para fechar logo o negócio com os Grendene, ele não teve dúvidas: parou o primeiro táxi que passou na porta do aeroporto – um modesto Fusca amarelo – e tocou para Farroupilha. Naquela mesma tarde ele retornava a São Paulo levando na bagagem a conta da Grendene, que investia algo em torno de R$ 50 milhões anuais em propaganda. Passam-se mais algumas semanas e outra bomba estoura na praça: tal como fora revelado pela revista *Exame*, o diretor-geral da Bombril, Marcos Sampaio Ferreira, anuncia que a empresa estava trocando a DPZ pela W/GGK. A comunicação tinha sido feita à DPZ naquela manhã, por carta. Em moeda sonante, eram mais US$ 12 milhões que deixavam o prédio do Jardim América para pousar na pequena cobertura da W/GGK na Vila Olímpia. A troca de farpas com os antigos patrões parecia não ter fim. Durante uma palestra na Fundação Getúlio Vargas, Washington foi provocado por um aluno a responder a algumas alfinetadas que Zaragoza lhe dera em uma entrevista. Ele se arrepende profundamente do que disse, mas bateu pesado:

– Ao Zaragoza eu não respondo porque ele não é mais publicitário. É autista plástico.

Não se tratava de uma questão meramente negocial, como parecia à primeira vista. Claro, havia muito dinheiro em jogo (segundo os cálculos de Francesc Petit, a W/GGK teria tirado da DPZ contas em torno de US$ 30 milhões), mas não era só o dinheiro que contava. Os quatro, Duailibi, Petit, Zaragoza e Washington, haviam passado treze anos de suas vidas convivendo dez horas por dia, cinco dias por semana. Os filhos de uns brincavam com os dos outros, como Homero, de Washington, e Julia, de Petit. A despeito dessa história comum, da noite para o dia tinham rompido relações a ponto de não se falarem – ou, pior que isso, se agredirem pela imprensa.

Quase trinta anos depois, algumas dessas feridas ainda estavam abertas. Duailibi e Washington mal se cumprimentam. Com os catalães, em medidas diferentes, a recomposição acabou acontecendo – por exemplo, uma das filhas de Petit, Isabel, a "Cuca", trabalhou durante dois anos como assistente de arte da W/Brasil, entre 1995 e 1996. Escalado pelos outros dois sócios para falar em nome da DPZ para este livro, Petit não escondeu que guarda amargas lembranças daquela época:

> *A saída do Washington foi um trauma, abalou muito a DPZ, que foi tratada muito cruelmente. O Washington andou dizendo que a saída dele significava o fim da DPZ, que a DPZ ia acabar. Dizia que eu era um pintor aposentado, que o Zaragoza era velho, que o Roberto não sei o quê... Essa foi uma das razões pelas quais abandonei a pintura. Porque além de dizerem que eu era um pintor aposentado, o Washington e os sócios diziam que eu não me dedicava mais à propaganda, que eu só pintava. Então eu aposentei a pintura e passei a me dedicar exclusivamente à propaganda.*

Enquanto o mercado e a imprensa especulavam, Washington trabalhava. Às queixas dos antigos patrões ele respondia sempre com a mesma frase: "Cliente só deixa uma agência quando não está satisfeito com o trabalho dela". A W/GGK ocupava um andar inteiro e uma pequena cobertura no prédio da Vila Olímpia, um lugar bonito, decorado com elegantes móveis suíços. Por ordem do novo sócio foram abolidas as salas – inclusive a própria –, idéia copiada de uma agência de Los Angeles e que ele considerava "uma forma de romper com dois dos grandes males dentro dessas organizações: a divisão interna e a diluição da informação". Os primeiros passos da nova agência foram dados com uma equipe enxuta. Além do próprio Washington, a criação era formada por Nizan, Camila e os três criadores que vinham do tempo dos suíços: os redatores Ricardo Freire e Rose Ferraz, e os diretores de arte Maurício de Souza e Marc Boss, este um jovem suíço com

A assistente de arte Isabel Petit, a "Cuca", quando trabalhava com Washington na W/Brasil.

boa reputação e que trabalhara em Barcelona como diretor de criação. Além deles, só Javier, a secretária Íris e um pequeno grupo de atendimento chefiado por um jovem ambicioso chamado Afonso Serra (que depois viria a ser presidente da DM9). Mas a perspectiva de faturamento com a Bombril e a Grendene já permitia a Washington realizar, mais cedo do que esperava, o plano que nascera na sua cabeça em março, quando Gabriel fora demitido da DPZ: trazê-lo para voltarem a trabalhar juntos.

Após deixar a DPZ, Gabriel passou, se tanto, três semanas desempregado. No dia em que Washington anunciou a criação da W/GGK, ele era o vice-presidente nacional de criação da SGB, uma sólida agência de porte médio, de propriedade de Sanir Sirotsky e Carlos Alberto Parente, o "Calé". Além de trabalhar em uma área que ainda engatinhava no Brasil, o marketing político, a SGB tinha algumas contas que permitiam mais ousadia à criação. Calé chamara Gabriel para o segundo posto mais importante – vice-presidente e diretor nacional de criação – para ele "dar um brilho", uma "virada criativa" na agência. Nos cinco meses que passou na SGB ele mudou os conceitos estéticos da agência e ainda teve tempo para dirigir a criação de alguns anúncios memoráveis, como o que foi feito para a vodca Wiborowa por ocasião do Dia dos Pais. Sob o título "Dê um par de meias para seu pai" vinha uma foto de duas meias garrafas de Wiborowa. O sucesso foi tal que a importadora da vodca polonesa não deu conta de atender à demanda. Além disso foi possível conquistar novas contas, investir no crescimento de clientes e, como diriam as urnas em 15 de novembro daquele ano, ajudar a eleger o novo governador de São Paulo, Orestes Quércia, do PMDB, partido para o qual a SGB trabalhava. Foi aí que Washington reapareceu. E já foi direto ao ponto, metralhando palavras:

– Gábi, quero que você venha para a W/GGK. A agência está indo muito bem, já alugamos mais um andar do prédio, eu gostaria de voltar a trabalhar com você. Quero que você seja meu segundo, meu anteparo. A equipe está afiada, descobri um garoto que veio com a GGK, chamado Ricardo Freire, que é um craque, temos a Camilinha. O Nizan também está conosco, mas como ele te acha meio prepotente, vou articular um papo entre vocês dois para liquidar isso.

Gabriel aceitou a mediação, mas ainda havia pepinos a descascar. Ao procurar Javier para conversar sobre sua ida para a W/GGK, ele foi recebido "à catalana":

– Acho você complicado demais, mas já que o Washington quer que você trabalhe conosco...

O troco veio no ato:

– Tenho que reconhecer que você é extremamente sincero, mas seria mais educado me cumprimentar antes de dizer isso. Parece que você só sabe sobre mim pela boca do Negrini, lá da DPZ. Vamos conversar.

Javier desculpou-se, os dois sentaram à mesa, conversaram com franqueza e, como diz Gabriel, "sem intermediários para envenenar". Em minutos os detalhes da contratação estavam acertados e depois de alguns meses eles já eram amigos e admiradores um do outro. "Eu sabia que algumas pessoas tinham o pé atrás comigo", Gabriel reconhece, "por causa da minha gestão muito forte, mas eu é que tinha de enquadrar as pessoas na criação." O que ele chama de "gestão forte" era visto por alguns de seus colegas como uma enorme, pesada mão de ferro sobre suas cabeças. Gabriel tinha que decidir. Ele sabia que sua passagem pela SGB era desde o princípio um plano de duração média, até rearranjar a vida, desorganizada desde que saíra da DPZ. Valéria Martini, a mulher com quem se casara dois anos antes, estava grávida de seu primeiro filho, eles tinham sido despejados com truculência de um apartamento que haviam acabado de reformar e, em meio a esse turbilhão, Gabriel ainda soube que Ruth, sua mãe, estava com câncer e com um prognóstico de poucos meses de vida. Do ponto de vista profissional, seus últimos temores – de que os suíços viessem a interferir na vida da W/GGK – tinham sido dissipados por Washington, que garantiu que era presidente de fato da agência, não apenas um figurante:

– Pensei comigo: sozinho eu faço uma das cinco melhores agências do país. Mas juntos, ele e eu, certamente faremos a melhor agência do Brasil.

Washington tinha conseguido juntar seu time novamente. O espetáculo ia recomeçar.

W/GGK

coleção inverno 88

11

Aos seis meses de vida,
a W/GGK ganha seu primeiro prêmio:
ela é a "Agência do Ano".

Quando passou o barulho produzido pelo foguetório do dia 8 de julho no restaurante Manhattan, os olhos do mundo publicitário se voltaram para a cobertura da Vila Olímpia, na expectativa de ver a produção de Washington e sua equipe na era pós-DPZ. O que mais, além de paredes, a nova agência pretendia derrubar? Para pôr em prática o que acreditava ser uma nova concepção do funcionamento de uma agência, Washington tomou algumas providências básicas logo nos primeiros dias. A primeira delas foi extinguir uma entidade que até hoje sobrevive em muitas agências: o tráfego, segundo ele "uma instituição pré-histórica":

– O que era o tráfego? Os caras da criação achavam os do atendimento burros e caretas, e os caras do atendimento achavam os da criação porras-loucas e irresponsáveis. Dos dois lados, gente ganhando uma puta grana. Então a agência contratava uns mocinhos e umas mocinhas para transportar pedidos e informações de um lado para o outro e, assim, neutralizar esse atrito.

Na opinião de Washington, além de custar caro, o tráfego era um canal a mais para diluir a informação entre criação-atendimento-cliente, nos dois sentidos. Convencido de que aquilo só atrapalhava o processo, no primeiro dia de funcionamento da W/GGK ele decretou:

– Esta agência não terá tráfego.

A segunda medida foi estimular o pessoal da criação a fazer aquilo que o ajudara a transformar-se num empresário: apresentar pessoalmente as campanhas aos clientes. Quem não quisesse estava desobrigado da tarefa, mas a cultura que ele pretendia implantar se resumia em duas frases:

1. A criação não manda o anúncio para o cliente, ela apresenta o anúncio.

2. O atendimento não passa o *briefing*. Ele é o *briefing*.

Ajustados os parafusos da máquina operacional, estava na hora de mostrar serviço naquilo que iria celebrizar a agência: a criação. A primeira grande sacada aconteceu em agosto, quando a W/GGK anunciou que a Grendene, que já era campeã de vendas das sandálias Melissinha, ia colocar no mercado um novo calçado para meninas. A novidade nem era tanto o produto, mas sua madrinha e garota-propaganda. A idéia inicial era contratar a cantora Madonna, que recebeu – mas recusou – uma oferta de US$ 500 mil de luvas mais um percentual sobre as vendas do produto. A escolha recaiu então sobre uma linda atriz gaúcha de 23 anos que no final de junho começara um programa infantil de enorme sucesso na TV Globo, chamado "Xou da Xuxa". Estreante nesse tipo de contrato, chamado "licenciamento de imagem", semanas depois Xuxa apareceria nos comerciais de TV anunciando um sapatinho de plástico para meninas, o "Xapato da Xuxa".

A segunda campanha da agência, criada por Gabriel Zellmeister, nasceu antes mesmo que ele fosse contratado. As negociações com a W/GGK ainda estavam em curso quando ele propôs algo a Washington:

– Eu vim ouvindo o rádio e tive um estalo: uma campanha para ironizar o horário eleitoral gratuito. Tem que ser para uma fábrica de relógios. Soube que você acaba de pegar a conta da Nelima e quero saber se posso vendê-la para o seu cliente.

Washington aprovou a idéia sem saber do que se tratava. A Nelima era uma indústria de relógios masculinos instalada na Zona Franca de Manaus e que chegara à W/GGK sem ter sequer um nome para o produto a ser lançado. Washington criara para a empresa a marca "Dumont" (uma homenagem ao brasileiro pai da aviação, autor da idéia de usar relógio no pulso) e o *slogan* "O primeiro a cada segundo", ambos utilizados até hoje.

A campanha de Gabriel, que se converteria no primeiro sucesso da agência, se resumia a um conjunto de filmetes de 15 segundos de duração parodiando os políticos que iam à televisão pedir votos aos telespectadores. Era o "horário nem eleitoral nem gratuito", em que apareciam os candidatos ao governo de São Paulo (Eduardo Suplicy, Paulo Maluf, Orestes Quércia e Antonio Ermírio de Moraes) e ao Senado (Fernando Henrique Cardoso e Mário Covas), todos representados pelo ator Cassiano Ricardo, que imitava seus cacoetes e dificuldades de expressão. Os minitextos criados por Gabriel e pelo novato Ricardo Freire foram entregues à produtora O2, do ainda estreante Fernando Meirelles. Neles, "Suplicy" não conseguia descobrir onde estava o seu relógio, "Maluf" aparecia com vários relógios nos dois pulsos, e "Covas" demonstrava mau humor por estar ali fazendo propaganda.

Enquanto não abocanhasse contas de peso, a W/GGK tinha que se conformar com os clientes que aparecessem, como lembra Washington:

– Se deixasse por minha conta, aquilo virava um pátio dos milagres. Pintava na minha frente eu já me oferecia para fazer anúncio. Eu queria fazer anúncio para tudo o que aparecesse. Quem me continha era o pé-no-chão do Javier, que sabia calcular quanto um novo cliente acrescentava à receita.

Ter na retaguarda um "pé-no-chão" como Javier, alguém que sabia calcular tais enormidades, era uma garantia de que Washington podia se dedicar 24 horas por dia, todos os dias do ano, à única atividade que de fato lhe dava prazer: criar anúncios. Para impedir que a fúria criativa pudesse, em algum momento, se transformar naquilo que ele chama de "uma grande errada", havia sempre a sólida figura de Javier Llussá Ciuret na grande área, por onde não passava nenhuma bola.

Washington acabaria se acostumando com o que ele chama de "o padrão Javier Llussá de qualidade":

– Duas vezes ele tentou dissuadir clientes de nos entregarem suas contas. Com o presidente da fábrica de embalagens Tetrapak ele argumentava que antes de investir em propaganda ele devia gastar em distribuição. Para o dono da rede de lojas Luigi Bertolli, o Javier foi mais enfático: "Seu problema não é propaganda. Use esse dinheiro para ampliar sua rede de lojas".

E o "padrão Javier" não mudaria jamais. Washington se lembra de que, muitos anos depois, Pacífico Paoli, presidente da Fiat, então um dos maiores clientes da agência, resolveu oferecer-lhe um jantar por ocasião de seu 39º aniversário. Ao chegar, à noite, para a homenagem, Washington jantou com um anfitrião em cólicas: naquela tarde Javier havia sugerido a Washington e Gabriel que dispensassem a conta da Fiat – com o que ambos concordaram –, em resposta a uma tentativa de Paoli de baixar a taxa de remuneração da agência. "Imagine a cara com que passei esse jantar", conta ele, "sentado ao lado de um cliente a quem o Javier e nós acabáramos de dar o bilhete azul. Mas se era coisa do Javier, nós não nos metíamos: quer dispensar, tá dispensado."

Entre as contas cobiçadas por Washington que passaram pelo *nihil obstat* de Javier estava a da rede São Paulo de postos de gasolina. Sem a dimensão nem os recursos das grandes distribuidoras, como Petrobrás, Esso e Shell, a rede São Paulo precisava do tal diferencial para enfrentar as gigantes. Pois Washington, Gabriel e Nizan arranjaram um: se não era campeã em faturamento e em número de postos, ela passaria a ser "a maior rede do Brasil em simpatia". Em um dos comerciais dos postos São Paulo os frentistas festejavam a entrada de um cliente e se derramavam em atenções, para só então descobrirem, desolados, que se tratava de alguém pedindo informações, não um cliente. Em outro, dois esperançosos frentistas sentados na mureta de um posto São Paulo vêem carros passando para lá e para cá, sem que nenhum entre no posto. Como trilha sonora, trechos de "Sentado à beira do caminho", um *hit* dos tempos da Jovem Guarda, consagrado pela voz de Erasmo Carlos:

> *Eu não posso mais ficar aqui a esperar/ Que um dia, de repente, você volte para mim/ Vejo caminhões e carros apressados/ A passar por mim/ Estou sentado à beira de um caminho/ Que não tem mais fim [...] Preciso acabar logo com isso/ Preciso lembrar que eu existo/ Que eu existo, que eu existo.*

Além dos comerciais de TV, *outdoors* espalhados por toda a cidade com a frase "Nós somos a maior zebra" reforçavam a imagem de anti-herói e de "campeão de simpatia" dos postos São Paulo. Esta seria a primeira campanha premiada da W/GGK: poucos meses depois, o trio de criadores receberia o Profissionais do Ano, na categoria "Mercado". Outro exemplo foi o da multinacional de cosméticos Max Factor, que jamais anunciara na televisão. Para mostrar como funcionava, a W/GGK criou para a empresa um comercial em que a atriz Dani Bloch, que não tem exatamente o padrão de beleza exigido pela TV, aparece se pintando num espelho durante 25 segundos, para em seguida virar-se para a câmera e pronunciar uma única frase: "Max Factor: se comigo funciona, imagine com você que é bonita desse jeito".

Antes que o ano terminasse a equipe da agência ainda teria oportunidade de marcar um golaço. Um dos novos clientes conseguidos sob a nova direção era a Discos CBS, que tinha entre seus contratados ninguém menos que Roberto Carlos, o "Rei". Este antecipara o lançamento de seu tradicional disco de fim de ano, para o qual a CBS queria uma campanha nacional de lançamento. O que à primeira vista parecia moleza tinha dois problemas. O primeiro é que a campanha teria que ser feita em 24 horas. O segundo, e mais complicado, é que Roberto Carlos não queria aparecer na campanha, para não dar a impressão de que ele precisava recorrer à própria imagem para vender discos. Entregue ao novato Ricardo Freire, de 22 anos, em um dia o abacaxi estava descascado. Ao todo foram feitos seis filmetes de 15 segundos cada, com diálogos curtos (nenhum dos roteiros tem mais de cem palavras), em que "repórteres" apareceriam na TV enviando *flashes* jornalísticos de vários lugares do país, como se quisessem dar um furo de reportagem: mostrar o novo disco do "Rei", que seria lançado nacionalmente no dia seguinte. Para dar mais autenticidade, todos os filmes foram gravados originalmente em bitola Super-8.

No primeiro deles, o repórter (vivido pelo *videomaker* Tadeu Jungle, na época um estreante que fazia bicos como ator) aparece no viaduto do Chá, no centro de São Paulo, cercado de transeuntes:

– Aqui em São Paulo o escritório da gravadora CBS acaba de confirmar oficialmente a notícia mais aguardada do fim do ano: sai amanhã o novo LP de Roberto Carlos.

Ele escolhe ao acaso uma das populares para um diálogo:

– Por favor, por favor, você gosta do Roberto?
– De paixão.
– Sabe que amanhã sai o último disco dele?
– Jura?
– Sabe cantar a última música dele?
– Perto do fim do mundo...

O repórter faz uma pequena meia-volta, vira-se para a câmera e pronuncia o bordão:

– De São Paulo, esperando o Rei.

No filme seguinte, uma repórter está em uma loja de discos do Rio e entrevista a balconista:

– Estamos em uma loja de discos em Copacabana. Aqui também é muito grande a expectativa pela chegada do disco do Roberto Carlos. Não só da parte do público, como também dos lojistas.

– Você sabe a que horas chegam os discos do Roberto hoje?

– Bom, diz que lá pelas oito da noite, depois que a loja fechar.

–Você está ansiosa?

– Claro, nem que eu fique aqui até as dez horas da noite, eu ouço esse disco hoje.

– Tem gente que vai fazer serão para o disco do Roberto Carlos. Do Rio de Janeiro, esperando o Rei.

Depois foi a vez de outro repórter, entrevistando um sujeito de cabelos grisalhos e sotaque carregado:

– Estamos aqui em Recife na casa do seu Ramón, que já mora no Brasil há um ano e é fã do Roberto Carlos há muito tempo. Seu Ramón, é verdade que o senhor não sabia que o Roberto Carlos é brasileiro?

– Sí, sí, porque yo lo escuchava muchíssimo en mi país, pero cantando en castellano. Cuando vine a Brasil lo escuché por la rádio y pensé: como canta bien en portugués ese Roberto Carlos.

– E o senhor vai comprar o disco dele amanhã?

– Seguro. Así talvez un día yo apreenda el portugués.

– De Recife, esperando o Rei.

O quarto filmete mostra uma repórter em uma loja de discos à noite, no Rio, com o gerente e todos os funcionários a postos, esperando a novidade:

– São oito e pouco aqui no Rio e esta loja está com todo mundo esperando o disco do Rei. No ano passado o LP do Roberto Carlos vendeu dois milhões e meio de cópias. Daria para encher cinco mil lojas como essa só com os discos dele.

Ela se dirige ao gerente:

– Quantos discos o senhor encomendou?
– Pra hoje uns mil e quinhentos. Mas cinqüenta já têm dono.
– Quem?

Os funcionários respondem em coro:

– A gente, ué!
– Do Rio de Janeiro, esperando o Rei.

Em outro, um repórter está na casa de uma fã de Roberto Carlos. Há fotos do cantor pregadas em todos os espaços livres na parede:

– Estamos no Recife com Maria do Socorro, uma das maiores fãs do Roberto Carlos.

– A maior.

– Ela tem todos os discos do Rei. E ela não tem um álbum de recortes, tem um verdadeiro armário de recortes. Socorro, como é essa história de que você vai ser a primeira a comprar o disco do Roberto amanhã?

– Não é história, é que eu conheço uma loja que abre às sete da manhã.

– E onde fica essa loja?

– Oxente! E eu vou ser besta de lhe contar?

– Do Recife, esperando o Rei.

O último filme, ambientado em São Paulo, traz de volta o primeiro repórter. Ele está na porta de uma loja em que um caminhão entregou um caixote de discos. Ao ver a equipe de TV, o funcionário baixa a porta de aço. O repórter se agacha e fala com o funcionário que está do lado de dentro, também acocorado:

– Atenção, Brasil. Está chegando agora nesta loja um lote com o novo disco do Roberto Carlos. Vamos tentar pegar um para você ouvir...

Dirigindo-se ao empregado:

– Por favor... Não, não, por favor, um minutinho só. O Brasil está ansioso para ouvir o novo disco do rei Roberto Carlos. Será que você pode tocar para a gente?

– Sinto muito, amigo, não dá.

– Um pouquinho só.

– Não dá. Eu posso mostrar a capa para vocês.

O repórter mostra a capa para a câmera:

– Obrigado. Aqui está a capa. O disco, pelo jeito, só mesmo amanhã nas lojas. De São Paulo, esperando o Rei.

O resultado da campanha viria dias depois, sob a forma de uma carta de dois parágrafos que a direção da CBS enviou à agência:

Caro Washington: estamos todos, aqui na CBS, muito satisfeitos com os resultados da campanha do Roberto Carlos. O objetivo foi alcançado plenamente, pois em menos de 24 horas tiramos 1 milhão de discos das lojas, o que é o recorde nacional de todos os tempos.

A campanha, no formato e linguagem em que foi concebida, contribuiu decisivamente para aumentar a expectativa da chegada dos discos à loja e detonou aquela venda espetacular. Parabéns à sua equipe pela eficiência e agilidade. Sérgio Lopes, gerente de marketing.

Gabriel chama a atenção para o fato de que tais resultados foram obtidos com uma campanha veiculada toda em um único dia, algo inédito em propaganda:

– Como a idéia era incrementar a venda nos primeiros dias e a verba era pequena, tivemos a idéia de transformar o problema em solução. Todos esses filmes foram veiculados em um só dia, na véspera da chegada do disco às lojas. Se a verba era pequena para um *flight* tradicional, veiculada em um só dia e concentrada no horário nobre, ficou com uma visibilidade fabulosa. Isso era algo que não tinha sido feito até então.

Esse tipo de reconhecimento corria o mercado, e uma agência que conseguia aliar criatividade a resultados era tudo com que os empresários sonhavam. Nada mais natural, portanto, que clientes batessem às portas da W/GGK oferecendo suas contas de publicidade. Foi o que

À
W/GGK Publicidade.
SÃO PAULO - SP

Rio, 14 janeiro 1987.

Caro Washington.

Estamos todos, aqui na CBS, muito satisfeitos com os resultados da campanha do Roberto Carlos.

O objetivo foi alcançado plenamente, pois em menos de 24 horas tiramos 1.000.000 de discos das lojas, o que é o recorde nacional de todos os tempos. A campanha, no formato e linguagem em que foi concebida, contribui decisivamente para aumentar a expectativa da chegada dos discos à loja e detonou aquela venda espetacular.

Parabéns à sua equipe pela eficiência e agilidade.

Um abraço.

Sergio Lopes
Gerente Serv. Criativos.

Com uma campanha de 24 horas a W/GGK põe Roberto Carlos para vender um milhão de discos em um só dia.

ocorreu com empresas como Maguary, Medial Saúde, Irga, Discos WEA, D. F. Vasconcelos, Lastri Editora e Mar Hotel de Recife, todas incorporadas ao portfólio da agência. O final de ano não poderia ser mais gratificante para a equipe. No dia 4 de dezembro Washington recebera o Prêmio Caboré como o "Publicitário do Ano", entregue na mesma cerimônia em que Roberto Duailibi receberia o Caboré de "Empresário do Ano". Quando chegou a notícia de que a W/GGK, embora só tivesse seis meses de vida, fora escolhida a "Agência do Ano", pelo júri do "Prêmio Colunistas", Washington redigiu este anúncio, publicado em página inteira nos veículos dirigidos ao mundo da propaganda e dos negócios:

> *A W/GGK foi a agência do ano, mas devia ter sido a do semestre. Tá certo que a gente conseguiu inventar um jeito de trabalhar mais feliz, ganhar 16 novas contas, dar mais 25 empregos, inaugurar outro andar, dobrar o faturamento, ganhar prêmios no JB, Meio&Mensagem, FIAP, Festival do Rio, Voto Popular. Aventura, Nova, Colunistas Promoção, etc., etc., e tal. Mas isso foi só de agosto pra cá. Por isso, ganhar a agência do 2º semestre de 86 já estava mais do que bom pra nós. Resolveram dar a do ano, muito obrigado.*

Parecia exagero, mas a W/GGK tinha motivos de sobra para festejar. Em tempo recorde, as dezesseis novas empresas incorporadas à sua carteira de clientes permitiram que ela tivesse nesse período um faturamento superior ao de todo o ano anterior. Quase sessenta comerciais para TV tinham sido produzidos, e resultados concretos, como no caso do disco de Roberto Carlos, pipocavam aqui e ali: a Grendene, com a marca Mutation, chegou a vender 2 milhões de pares de sandálias em dois meses e meio de campanha. Resultado semelhante foi obtido pela Melissa Cristal e pela linha infantil Grendene, que também venderam 2 milhões de pares. A revista infanto-juvenil *Crics* obteve em três meses o objetivo de seis: em seu quarto número a publicação chegou a 80 mil exemplares.

Foi na crista dessa onda de realizações que Washington conheceu o jovem industrial Aron Rosset, cuja família acabara de adquirir as indústrias Valisère, especializada em moda íntima feminina e até então um dos braços da multinacional francesa Rhodia – que continuaria a fornecer o fio de náilon para a fabricação de seus produtos. Aron o procurara dizendo que queria dar uma arejada na marca Valisère, que tinha sido até um razoável anunciante (ficou célebre o anúncio feito pela Lintas, agência da Rhodia, em que um adamado costureiro Clodovil recomendava às suas telespectadoras: "Eu, se fosse você, só usava Valisère"). Não foi preciso muita conversa para os dois se entenderem, e quando Aron se levantou a conta da Valisère já estava na W/GGK. Começava ali uma relação que iria durar pelo menos duas décadas, incluídas as interrupções, e que, como na canção, iria trazer muito prazer e muita dor às partes envolvidas.

Pelo menos os prazeres iam acontecer antes. O primeiro *briefing* passado pelo cliente à agência dizia que a *lingerie* de náilon, mais popular, como a fabricada pela Valisère, era vista pelas consumidoras como menos confortável que a de algodão. O que os Rosset queriam era um comercial para TV que ajudasse a rejuvenescer a marca e passar a idéia de que o produto de náilon era tão confortável quanto o de algodão. Não era para vender nada, especificamente, mas tinha um objetivo mais conceitual, pretendendo passar uma idéia, um sentimento. Washington conta como nasceu um dos mais premiados e festejados comerciais da propaganda brasileira de todos os tempos, que, ao contrário do que muita gente supõe, não é de sua autoria exclusiva:

– Saí da reunião pensando em buscar a emoção de uma menina ao usar seu primeiro sutiã. A delicadeza da "primeira vez" ajudaria a quebrar o preconceito contra o náilon.

Quando chegou à agência ele já tinha a idéia do filme na cabeça. Chamou as redatoras Camila Franco e Rose Ferraz e explicou o que queria:

– Vocês vão escrever isso melhor do que eu: um filme em que a menina usa seu primeiro sutiã.

O roteiro escrito pelas duas redatoras se desenrola em uma atmosfera entre a delicadeza e a sensualidade. Uma mocinha que aparenta ter treze anos – a modelo Patrícia Lucchesi – começa a descobrir que seus seios estão crescendo. No vestiário da escola, depois da aula de educação física, percebe que não consegue ficar sem roupa na frente das amiguinhas – a maioria já usando sutiã – e muda de roupa meio escondida atrás da porta do vestiário para que ninguém a veja. A mãe, percebendo isso, deixa em cima da cama dela uma caixinha com um sutiã. A menina tranca a porta do quarto e, diante de um espelho, maravilhada, coloca o sutiã. Na cena seguinte ela está na rua, a caminho da escola, andando de nariz empinado, com a segurança de uma mulher. Um garoto que vem em sentido contrário faz um gracejo e lhe dirige um olhar insinuante – é o que basta para ela perder a pose, se envergonhar e colocar o fichário escolar na frente dos seios. Aí a garota percebe que chamara a atenção do menino por causa do sutiã. Recobra a autoconfiança, tira o fichário da frente e caminha, decidida como uma adulta, enquanto uma voz em *off* diz a célebre frase: "*O primeiro Valisère a gente nunca esquece*".

Quando Júlio Xavier chamou a trinca de autores à moviola para ver o filme pronto, ouviu de Washington uma entusiástica avaliação:

– Olha, Julinho, esse talvez seja um dos melhores filmes que a publicidade brasileira já conseguiu fazer. Não sei qual vai ser a reação, mas acho que ficou uma maravilha.

Era uma declaração pouquíssimo modesta, mas profética. Entre os inúmeros prêmios que o comercial receberia estavam um Leão de Ouro de Cannes, um Profissionais do Ano e um inesperado e surpreendente "O melhor filme do mundo", atribuído pela NTV, a Nippon Television, do Japão.

O balanço dos primeiros seis meses da W/GGK revelou uma empresa saudável sob todos os pontos de vista, com um ritmo de crescimento que apontava em uma só direção: em pouco tempo ela estaria brigando com as grandes. Mas para chegar lá a agência ainda precisava superar algumas fragilidades. Uma delas era o fato de que, salvo dois

A modelo Patrícia Lucchesi
grava um dos mais
premiados comerciais
da W/GGK: o "primeiro sutiã".

ou três clientes, como a Grendene, a Bombril e a própria Valisère, ela ainda não conquistara nenhuma conta efetivamente de grande porte, daquelas que dão segurança nas eventuais perdas de clientes pequenos. Todas as apostas do mercado indicavam que a próxima conta a migrar da DPZ para a W/GGK seria a do Banco Itaú. O próprio Washington alimentava essa esperança:

– Dos antigos clientes que eu atendia na DPZ, o pessoal do Banco Itaú era o que mais gostava de mim. Eles me amavam apaixonadamente. Acredito que eles pensaram: vamos dar um tempinho e esperar um pouco para ver se o Washington vai dar certo.

Mas o tempo passava sem que nada acontecesse e ele decidiu tomar outro rumo. Ao saber que o Unibanco estava pensando em deixar a agência que utilizava, a Denison, Washington marcou uma reunião com um dos diretores do banco, Israel Vainboim. Não era uma solicitação formal de conta, uma *presentation*, mas apenas uma sondagem inicial. Foram ele e Javier, que havia preparado um *press kit* da agência com o resumo do que ela havia produzido nos primeiros meses de vida, algumas fotos de anúncios e fotogramas de filmes – entre os quais, naturalmente, o carro-chefe da casa, o "primeiro sutiã". No material promocional tinha sido incluída uma foto posada de Washington. Enquanto conversavam, o banqueiro passava os olhos no material. A certa altura Vainboim pegou uma foto na pasta que recebera e a estendeu para Washington, caçoando de seu exibicionismo:

– Você me daria um autógrafo?

Como lembra Washington, deixar sua foto no pacote tinha sido "um cochilo", que acabou provocando risos dos três. Passados alguns meses, Vainboim e o responsável pela área de marketing do Unibanco, Antonio Fernando De Franceschi, convidaram três agências a se apresentarem como candidatas à conta. Além da W/GGK, haviam sido chamadas a Lage/Magy (herdeira da outrora pequenina Lage/Dammann, onde Washington pedira emprego em 1971) e a multinacional Young&Rubicam, associada ao brasileiro Eduardo Fischer. As apresentações eram individuais, uma agência de cada vez e, como exigiam os banqueiros de antigamente, solenes. Presidida por um singular personagem da política e das finanças brasileiras, o embaixador Walther Moreira Salles, acionista controlador do banco, a diretoria se reuniria em um pequeno auditório, veria as exposições de cada um dos três concorrentes para então deliberar quem iria abiscoitar uma megaconta de R$ 70 milhões anuais.

Washington respirou aliviado ao saber que as apresentações seriam feitas ao vivo, pelos donos das agências. Afinal, ele se gabava de que essa era uma de suas especialidades: ganhar no gogó, no discurso. Semanas antes tinha dado prova disso, quando Rubens Carvalho, diretor-geral do SBT, o convidara para participar do encerramento de uma convenção dos afiliados da rede de televisão. O objetivo aparente era convencê-los da importância de fazerem boa publicidade em suas regiões, mas na verdade Washington estava de olho mesmo era na conta do SBT, cujo dono, Silvio Santos, estava lá e falaria antes dele. Com a resistência e a tarimba de grande animador de auditório, Silvio Santos falou durante mais de três horas, sem que ninguém se mexesse na cadeira. Ele contava piadas e casos, misturava cifras com histórias do dia-a-dia, prendendo a atenção das dezenas de empresários que o ouviam. Quando chegou sua vez, Washington começou com uma frase que, segundo ele, ganhou a conta:

– Bem, minha gente: depois do animador, o desanimador.

Com os banqueiros, no entanto, ele sabia que não ia ganhar com uma gracinha. Tinha que mostrar eficiência. Quando chegou o dia da sua apresentação, Washington ainda estava envolto nos vapores do XX Festival de Cannes, de onde saíra carregando um Leão de Ouro, atribuído ao "primeiro sutiã", e um de Prata, conferido ao comercial com Deni Bloch para a Max Factor. Junto com Gabriel e Afonso Serra, enfrentou o seleto e silencioso auditório que os ouviu durante duas horas e meia, quando ele mostrou coisas, insistiu nisso e naquilo. Quando terminou, tinha conquistado a conta. Não integralmente, mas 80% dela – os 20% restantes (a chamada "publicidade fechada", fatia representada por folhetos e volantes) foram entregues à Lage/Maggy.

Washington acredita que a decantada prudência dos banqueiros mineiros, como os Salles, do Unibanco, acabou falando mais alto:

– Alguém lá no banco deve ter dito: e se esse negócio do Washington for fogo de palha? O melhor é dividir isso...

Como banqueiros, mineiros ou de qualquer outra origem, não costumam queimar dinheiro, não era fogo de palha. A primeira campanha solicitada pelo cliente tinha um *briefing* preciso: o Unibanco queria ser visto como um banco diferenciado, que tratava o cliente de maneira personalizada, como se fosse um banco feito sob medida para ele. No jargão administrativo, um "banco de varejo seletivo", projeto que redundaria no fechamento de dezenas de agências e na dispensa de centenas de contas-correntes. Dois dias depois, Washington e Gabriel tomavam um drinque na pérgola do Copacabana Palace Hotel, no Rio, à espera de um diretor da Souza Cruz, do qual pretendiam arrancar a conta de pelo menos uma marca de cigarros. Washington notou que Gabriel escrevera no guardanapo de papel a palavra UNIBANCO e parecia brincar com aquilo, tapando e destapando com os dedos algumas letras. A certa altura ele colocou o indicador e o anular sobre as letras B, A e N e mostrou o guardanapo para Washington, perguntando:

– O que você lê aqui?

Sem as três letras, restava outra palavra:

– Único.

– Bingo! Unibanco, o banco Único.

Estava criado o *slogan*. No fecho dos filmes da campanha, alguém sempre parava diante da placa de uma agência do Unibanco, de forma a que seu corpo impedisse a leitura das três letras do começo, exatamente o U, o N e o I descobertos por Gabriel, deixando visível apenas a palavra "BANCO". Quando a pessoa se mexia alguns centímetros, tapava as letras B, A e N, permitindo que se lesse só a palavra "ÚNICO". Uma voz "assinava" o anúncio, como se lesse o mesmo que o telespectador via na tela: "Unibanco, o banco único".

Ao contrário do "fogo de palha" temido por Washington, a agência não parava de crescer. Ainda assim, a projeção feita por ele no fim de 1986 (de que sua empresa cresceria pelo menos 20% no ano seguinte), foi debitada a mais um surto de falta de modéstia. Porém, quando foi fechado o balanço da agência, no dia 31 de dezembro de 1987, os números revelavam que a previsão não era megalomania do dono: a W/GGK crescera inacreditáveis 156%. Isso em um período no qual a economia brasileira aumentara modestos 3,6% e a maioria das agências patinava em cifras de crescimento de um só dígito (só dez delas tinham conseguido chegar a dois dígitos). E ao circularem os jornais e revistas com o *ranking* das maiores agências do país por faturamento, o mundo da propaganda foi informado de que a W/GGK saltara do anonimato do 46º lugar para o 23º, o que a colocava no time das que haviam faturado algo em torno de R$ 25 milhões no ano anterior. Washington ainda não conseguira entrar no clube das dez maiores – privilégio para quem tinha faturado pelo menos R$ 50 milhões – mas os números mostravam que estava a caminho. Embora sempre repetisse que seu objetivo era estar entre as dez agências mais criativas – e não entre as dez maiores –, parecia inevitável que chegasse lá também.

A W/GGK não se contentava em ser apenas uma eficiente e criativa usina de anúncios, e com freqüência enveredava pelo caminho da prospecção de negócios ou até de saneamento de empresas para seus clientes. Há pelo menos dois casos de intervenções dessa natureza nos seus primeiros anos de funcionamento. Um deles foi a compra da indústria de calçados Vulcabrás pela Grendene, em 1988, um negócio sugerido e articulado por Javier Llussá. Outro aconteceu com o Mappin, na época a maior loja de departamentos de São Paulo, cujo conselho era presidido por Carlos Antonio Rocca, colega de Javier na Faculdade de Economia. A amizade facilitou a aproximação e como resultado a W/GGK conquistou mais uma conta. Não era o filé-mignon – os anúncios de varejo que enchiam páginas e páginas de jornais. Este o Mappin mantinha nas mãos de uma *house agency* sem nenhum charme mas altamente lucrativa, já que embolsava os 20% sobre a veiculação de anúncios a que as agências faziam jus (percentual que oscilou muito ao longo dos anos e que em 2004 variava em torno dos

15%). Com a W/GGK ficaria apenas a conta institucional do Mappin, que compensava o fato de ser a menor parte do bolo com a enorme liberdade criativa. A primeira campanha era uma homenagem à cidade de São Paulo ou, como lembra Washington, às várias cidades existentes dentro de São Paulo:

– Fizemos uma declaração de amor à cidade. Nós associamos o bairro da Liberdade a Tóquio, o Bexiga à Itália, tudo isso coberto pelos acordes daquela sinfonia do Billy Blanco cuja letra diz "São Paulo que amanhece trabalhando...".

Um filmete para o lançamento da moda de inverno do Mappin acabaria incorporando mais um Leão de Ouro à coleção da agência. Sob uma música suave, a câmera vai mostrando, vagarosamente, todas as estátuas nuas da cidade. Quando a trilha diminui, entra uma voz dizendo: "Se você mora em São Paulo e também está se sentindo meio sem roupa, não deixe de ver a coleção de inverno do Mappin".

A relação entre cliente e agência era tal que Rocca pediu a Washington que lhe "emprestasse" Javier em meio expediente, durante algumas semanas, para ajudá-lo na reestruturação do Mappin. Em sua passagem pela empresa, Javier deixaria três marcas: demitiu toda a velha guarda encostada havia décadas na administração; mandou instalar escadas rolantes (ele se espantou ao ver os clientes da loja em intermináveis filas diante dos elevadores); cortou fundo na verba destinada à propaganda – inclusive o naco que ia para a W/GGK.

Mas se a agência perdia um pouco de um lado, ganhava muito do outro. Em meados de 1988 Washington foi procurado pelo irmãos Luís e Otávio Frias Filho, respectivamente presidente e diretor de redação da *Folha de S.Paulo*, que queriam lhe entregar a conta de propaganda do jornal. A primeira peça produzida pela agência, o filme "Hitler", iria se converter em um dos dois únicos comerciais brasileiros a receber o prêmio "Melhor do Mundo" (o outro tinha sido o "primeiro Valisère..."). Um dia Nizan Guanaes entrou na criação com a idéia pronta na cabeça. Segundo seu roteiro, uma mão invisível iria riscando os primeiros traços numa tela de vidro. O espectador não veria a mão, só o que ela desenhava. A um dado momento perceberia no desenho um rosto de homem, ainda não identificável. À medida que os traços ganhassem forma, uma voz em *off* diria frases como "*este homem salvou seu país*", "*reduziu a inflação de um milhão por cento para 25% ao ano*", "*deu emprego para milhões de seus compatriotas*", num rol de virtudes que só se encerraria quando o espectador percebesse de quem era o rosto do desenho: Adolf Hitler. A voz retornaria, em *off*: "*É possível contar um monte de mentiras só dizendo a verdade. Por isso, é preciso tomar muito cuidado com a informação e o jornal que você recebe*". No final, viria a assinatura: "*Folha de S.Paulo*".

Entre todos os que viram Nizan declamar seu roteiro havia uma unanimidade: tratava-se de um comercial para fazer história. Conquanto concordasse com os demais colegas, Gabriel – sim, era sempre ele – achava que a idéia ainda precisava de algumas limadas. Aquela história de mão invisível não lhe cheirava bem, mas isso ia ficar a cargo do diretor escolhido para fazer o filme, Andrés Bukowinski. Nizan saiu atrás de bibliografia sobre os feitos de Hitler durante a duração do Terceiro Reich e dois dias depois o texto final estava pronto. O parafuso espanou quando Bukowinski propôs trocar a mão invisível por outro recurso, o mesmo utilizado por ele e Washington no filme "Homem de 40 Anos", que conquistara o primeiro Leão de Ouro da propaganda brasileira: a câmera abriria sobre um ponto negro e, à medida que a locução avançasse, ela iria recuando vagarosamente e permitindo que o espectador percebesse que se tratava de uma retícula, o minúsculo pontilhado de que se compõe uma foto de jornal. O recuo da câmera seria articulado com a leitura do texto, para coincidir o fim das "realizações" com a identificação do rosto de Hitler. Nizan esperneou, disse que não, que a idéia original era dele e tinha que ser respeitada. Para ele, o papel de Bukowinski era dirigir um roteiro que estava pronto, e não criar outro. Foi preciso que Washington e Gabriel "Gestão Forte" Zellmeister interviessem – para desolação de Nizan, a favor da versão de Bukowinski.

O resultado provocou tamanho impacto que o próprio Nizan reconheceria que a solução adotada era a melhor: um pequeno ponto preto aparecia na tela da TV. À medida que a câmera se afastava, ele se juntava a mais dezenas, centenas de outros pontos pretos, deixando antever que se tratava da retícula de uma fotografia. Enquanto isso, o texto era lido por uma voz solene:

Este homem pegou uma nação destruída.

Recuperou sua economia e devolveu o orgulho ao seu povo.

Em seus quatro primeiros anos de governo, o número de desempregados caiu de 6 milhões para 900 mil pessoas.

Este homem fez o produto interno crescer 102% e a renda per capita dobrar.

Aumentou o lucro das empresas de 175 milhões para 5 bilhões de marcos.

E reduziu uma hiperinflação a no máximo 25% ao ano.

Este homem adorava música e pintura.

E quando jovem imaginava seguir a carreira artística.

Só nesse instante a câmera pára, deixando ver o rosto de Hitler. A voz retorna, sempre em *off*:

É possível contar um monte de mentiras só dizendo a verdade.

Por isso, é preciso tomar muito cuidado com a informação e o jornal que você recebe.

Mais uma pausa – a carranca de Hitler continua escancarada na tela – e a voz "assina" o anúncio:

Folha de S.Paulo, o jornal que mais se compra e o que nunca se vende.

Além de um Leão de Ouro arrebatado em Cannes, "Hitler" ainda venceria outros sete festivais ou premiações no Brasil e no exterior. Seu principal criador, porém, não pôde estar presente em todas elas. Em agosto de 1988, Nizan Guanaes comunicou a Washington que estava deixando a agência. Aliás, como ele esclareceu aos jornais, "não estou saindo da W/GGK, estou saindo de São Paulo". Já fazia algum tempo que ele sofria por estar longe da Bahia. De Salvador, seu amigo e ex-patrão Duda Mendonça lhe insuflava a saudade dizendo que a proposta que ele lhe fazia para retornar à terrinha ninguém cobria:

– Centenas de quilômetros de praia, centenas de igrejas, mais de quatrocentos anos de história, o povo mais alegre do mundo. A proposta é a Bahia. Essa proposta, só quem pode cobrir é o céu.

"E não estou saindo de São Paulo porque não gosto da cidade, só que ela não é a minha cidade", disse ele aos jornais, arrematando: "O trabalho é uma coisa muito importante na minha vida. Mas ele não é toda a minha vida". A gota d'água que o levou a comprar a passagem de volta para Salvador foi um episódio fortuito, sem nenhuma relação com seu trabalho.

Ao lado do prédio da W/GGK existia um edifício em construção, e das mesas da criação dava para ver que os pedreiros trabalhavam pendurados em cordas ou andaimes de tábuas, sem nenhuma segurança. Numa dessas ocasiões, Nizan desceu, foi até a obra e disse ao responsável que aquilo era um absurdo, que alguém acabaria caindo lá do alto. O sujeito não o levou a sério. Um dia ele chegou à agência e encontrou Gabriel e o diretor de arte Jarbas Agnelli chocados com o que tinham acabado de ver: um pedreiro da obra despencara do último andar, morrendo na hora. Nizan ficou atordoado com o que ouvia. Desceu de novo à construção, chamou o mesmo mestre-de-obras e o ameaçou:

– Aconteceu o que eu tinha previsto, e o senhor é o responsável por essa morte! Vou denunciá-lo na televisão e nos jornais!

Com ar de absoluto desdém, o sujeito disse apenas uma frase, que caiu como uma marretada na cabeça do publicitário:

– Imagina se a televisão vai se importar com mais um baiano que cai de prédio...

O comentário do mestre-de-obras foi a gota d'água: Nizan só ia ficar em São Paulo o tempo necessário para se demitir e juntar suas coisas antes de voltar para Salvador. No dia de embarcar ele se emocionou ao abrir o jornal e encontrar um anúncio de despedida feito por seus amigos da W/GGK, inspirado na canção de outro baiano, Gilberto Gil:

Eu vim da Bahia, mas eu volto pra lá. (Gilberto Gil)

Ele veio/ Ele veio da Bahia cantar/ Ele veio da Bahia contar/ Tanta coisa bonita que tem/ Na Bahia que é seu lugar/ Tem seu chão/ Tem seu céu/ Tem seu mar/ A Bahia que vive pra dizer/ Como é que faz pra viver/ Onde a gente não tem pra comer/ Mas de fome não morre porque/ Na Bahia tem mãe, Iemanjá.

[...]

Ele veio da Bahia/ Mas voltou pra lá/ Ele veio da Bahia/ Mas um dia voltou pra lá.

Querido Nizan: você voltou pra lá, mas ficou aqui, dentro do nosso coração

W/GGK São Paulo

O auto-exílio, no entanto, não ia durar muito. Menos de um ano depois, Nizan estaria de volta a São Paulo – desta vez para enfrentar de igual para igual o patrão que acabava de homenageá-lo.

CADÊ IDÉIA QUE TAVA AQUI?

12

**Nem Lula, nem Collor, nem Maluf.
Campanha política, só uma, e ainda assim "na mais absoluta moita".**

Quando a W/GGK completou dois anos de existência, em julho de 1988, já se sabia que ela, na época ocupando o 18º lugar no *ranking* nacional, tinha chances de fechar o balanço do ano entre as dez maiores agências de propaganda do Brasil. Dona de uma carteira de mais de trinta clientes – entre os quais alguns pesos-pesados como o Unibanco, a Sadia, a Souza Cruz, o SBT e a *Folha de S.Paulo* –, a agência estava deixando de ser vista apenas como uma *hotshop* que realizava uma revolução criativa semelhante às da Almap nos anos 60 e da DPZ nos 70. No mundo da propaganda todo mundo sabia que a W/GGK se convertera em uma máquina de fazer dinheiro.

Os suíços não podiam estar mais felizes: até dois anos antes, o faturamento da GGK brasileira representava apenas 5% do total da *holding*, participação que decuplicara após a associação com Washington. Não se tratava de ser mais ou menos criativa ou premiada, mas de números. E em números redondos, entre julho de 1986 e julho de 1988 a W/GGK transferira para a conta de Paul Gredinger exatos US$ 3 milhões, livres e desimpedidos. A confiança nos brasileiros era tal que os suíços não mantiveram ninguém da equipe original no Brasil – nem mesmo um modesto guarda-livros que auditasse as contas. Javier enviava relatórios regulares a um diretor financeiro, em Dusseldorf, e no fim do exercício depositava os 50% devidos a Gredinger na conta de uma pessoa jurídica que ele deixara no Brasil apenas para esse fim. Nessa equação havia um ingrediente que chamava a atenção: pelas mais diversas razões, todos os clientes originais da GGK brasileira tinha trocado a agência por outras – o que significava que os suíços estavam embolsando um milhão de dólares por ano sem aportar nem mais um centavo à sociedade. Isso sem falar no charme que era ser sócio de uma agência que em dois anos recebera nada menos do que 168 prêmios pelo mundo afora.

Se alguém da equipe da W/GGK pensou nisso, não se sabe. Mas o primeiro a enfatizar o sentimento foi Gabriel, em uma conversa reservada com Javier. Ele achava que estavam todos se matando de tanto trabalhar e que metade daquela energia ia para a conta dos suíços, que nem deviam mais saber onde ficava o Brasil:

– A agência está crescendo demais. Se continuar nesse ritmo, daqui a pouco o Washington não terá bala para comprar a parte do Gredinger.

Na verdade, Gabriel achava isso desde o início da associação de Washington com a GGK. E Javier já havia deixado claro, desde que foi portador da primeira proposta em nome dos suíços, que Washington nem precisava da GGK, que teria o mesmo sucesso se abrisse sua agência sozinho, do zero. No final de 1988, Gabriel comunicou a Javier e a Washington que considerava sua "tarefa" realizada. Ele não estava mais interessado em trabalhar para uma multinacional "que pode nos desligar da tomada na hora que quiser" e disse que preferia se dedicar a algum outro projeto. Foi a partir de então, aparentemente, que Washington passou a aceitar a idéia de comprarem a parte dos suíços e, garantindo a Gabriel que ia se desligar da GGK, pediu-lhe que esperasse mais alguns meses. Javier concordava com Gabriel, mas preferiu não tomar a iniciativa de tocar no assunto com o patrão:

– Você está certo, também acho que esse é o caminho para ele. Mas não acho que a gente deva pressioná-lo para fazer isso ou aquilo. O Washington certamente já deve estar pensando no assunto.

Estava, é claro. E logo que soube da preocupação de Javier e Gabriel, abriu o jogo com eles. A idéia era exatamente essa: comprar a parte dos suíços. Ia ser um negócio difícil, mas não impossível. Washington tinha na manga uma carta mas preferia desistir do negócio a ter de usá-la: ele poderia simplesmente desfazer a sociedade com os suíços, não pagar nada e abrir uma nova agência no dia seguinte. À luz dos resultados daqueles dois anos, seria ingenuidade perguntar se

Unibanco, Bombril, Grendene iriam ou não acompanhá-lo. Ele jura que jamais recorreria a isso, mas os suíços tinham plena consciência desse trunfo.

Antes de pensar em números, porém, Washington estava mais preocupado em escolher os parceiros que convidaria para a empreitada. Seu projeto era ter o controle da futura agência e dividir a parte restante entre dois sócios: um criador, como ele, não importava se redator ou diretor de arte, e um carregador de piano, o sócio que cuidaria da parte chata, a fim de que ele pudesse criar sem outras preocupações. Ele tinha na cabeça alguns nomes para o posto *hard*, como o de Javier, o de seu amigo Ricardo Scalamandré, da Rede Globo, e o de Afonso Serra, então diretor de atendimento da W/GGK. Quanto ao sócio criativo, só podia ser Gabriel.

No final do ano, mais uma vez os resultados ultrapassaram até as previsões mais otimistas. Muito antes do que se esperava, a agência tinha chegado à lista das dez mais, colocada em sétimo lugar, deixando para trás empresas tradicionais, como a Young&Rubicam, a Talent de Júlio Ribeiro e a Leo Burnett. O mercado sabia que a W/GGK poderia estar até alguns degraus acima, não fosse a decisão de Washington de não aceitar contas de governos nem campanhas eleitorais de políticos – um luxo a que nenhuma agência se dava, qualquer que fosse o seu porte. Afinal, tratava-se de um riquíssimo filão surgido com a redemocratização do país e a instituição de eleições diretas em todos os níveis. Um candidato a governador podia gastar, em uma só eleição, mais do que os investimentos em propaganda de um grande cliente, como um banco, durante um ano inteiro.

Em meados de 1989, quando a agência se preparava para comemorar o terceiro aniversário, Washington, Gabriel e Javier viajaram para o Festival de Cannes (no qual a W/GGK receberia um Leão de Ouro e cinco de Bronze). Terminada a premiação, os três embarcaram para Zurique, na Suíça, para uma reunião solicitada por eles com Gredinger, Erzberger e os demais membros do *board* da GGK internacional. Durante quatro dias o grupo discutiu números, fez contas e proje-

Javier, Washington e Gabriel
se preparam para dizer adeus aos suíços:
sai a W/GGK, entra a W/Brasil.

ções. A proposta dos brasileiros era curta e objetiva: pagar metade dos lucros futuros de dois anos pela parte de Gredinger, divididos em três parcelas: 50% à vista, 25% no primeiro ano e os 25% restantes no segundo. Como se recomenda em negócios entre cavalheiros, ninguém tinha nada a esconder, e as discussões foram transparentes e transcorreram sem contratempos de qualquer natureza. Washington e Gabriel saíram do bar do elegante hotel Baur au Lac e, quando pegaram o carro que haviam alugado, um locutor de rádio anunciou, em alemão suíço, que ia colocar no ar o presente que um amigo lhe trouxera do Brasil: o novo disco de Gilberto Gil, *O Eterno Deus Mu Dança.* Gabriel disse para o amigo prestar atenção na música que ia tocar. Subiu o volume ao máximo e arrancou em direção à sede da GGK ao som destes versos:

Sente-se a moçada descontente onde quer que se vá/ Sente-se que a coisa já não pode ficar como está [...] A gente quer mu-dança/ O dia da mu-dança/ A hora da mu-dança/ O gesto da mu-dança...

Os dois viram naquilo não uma coincidência, mas um bom presságio: se até o acaso recomendava mudança, é porque estava mesmo na hora de mudar. Não foram os astros, porém, que levaram os suíços a aceitar a proposta. Draconiana ou não, a oferta não lhes oferecia muita alternativa, por causa do ás que Washington tinha nas mãos. A linguagem franca dos negócios deixava claro que Gredinger estava em uma sinuca: se Washington resolvesse jogar pesado, recusar sua proposta financeira significava ficar sem nada.

Era melhor garantir o dinheiro. Ao final do quarto dia de negociações, Gredinger e seus parceiros bateram o martelo com Washington, Gabriel e Javier e venderam seus 50% para os brasileiros. O pagamento inicial, depositado na conta de Gredinger 60 dias depois, seria coberto com a receita líquida acumulada pela metade brasileira da W/GGK – isto é, por Washington – em três anos. E no pique em que vinha a agência, não havia motivos para temer apertos na hora de liquidar as duas parcelas anuais seguintes. Mesmo trabalhando com o pior cenário – se a agência parasse de crescer e permanecesse naquele patamar – a dívida seria paga e ainda restaria algum dinheiro. Semanas antes, em um jantar no bistrô La Cocagne, em São Paulo, os três estabeleceram a partilha da nova empresa. Na verdade, já havia um consenso de que Washington deveria ter maioria absoluta e que se manteria uma reserva de 8% a 10% para eventuais novos sócios – quem seria esse, ou esses sócios seria uma decisão também de Washington. Gabriel chegou a sugerir que sua participação fosse reduzida para algo entre 12% e 15% para facilitar a inclusão do Afonso, mas os outros dois discordaram. No fim, acabaram decidindo que Washington ficaria com 60% e cada um dos dois com 20%.

Ali também ficou decidido que a agência ia se chamar W/Brasil. Gabriel e Javier integralizariam sua parte no capital com os 40% que viessem a receber do faturamento da nova agência. Na verdade, Washington estava repetindo com os dois amigos a mesma operação que Javier lhe fizera em nome da GGK três anos antes: em troca de oferecer-lhes sociedade em condições tão vantajosas, ele tinha a garantia de que, com Javier "pé-no-chão" tocando o barco e Gabriel "gestão forte" açoitando a criação, teria todo o tempo do mundo para brilhar. Esta, aliás, tinha sido uma exigência de Gabriel, que soou como música aos ouvidos de Washington:

– Fica combinado que não darei entrevistas, nem quero aparecer na televisão. Não é o meu papel, não me sinto à vontade. Quando ligarem as câmeras você vai para a frente, eu vou para trás.

Naquela manhã do *Deus Mu Dança*, Gabriel também disse que só poderia ficar no exterior até o dia seguinte, pois sua mulher, Valéria, estava para dar à luz a qualquer momento. Os suíços aceitaram fechar o negócio, que foi sacramentado em um contrato redigido em português por Javier e traduzido para o inglês e digitado por Gabriel em uma IBM com teclado alemão. Assinaram, tiraram uma foto dos três junto com Gredinger (que, "em homenagem ao Brasil", apareceu envergando um tropicalíssimo terno branco). Gabriel voltou sozinho e, algumas horas depois de sua chegada, Valéria entrou em trabalho de parto. No caminho para a maternidade, ele deixou os negativos da foto com Gredinger para serem copiados em uma loja do Shopping Ibirapuera e foi acompanhar o nascimento de sua filha Laura. Mantendo sigilo sobre o assunto, ele depois compôs o anúncio que seria publicado no fim de semana na revista *Veja* e nos jornais, tornando pública a operação.

Foi uma semana tomada por entrevistas ao fim da qual, depois de passar por quase todos os *talk shows* da televisão, na segunda-feira seguinte Washington estava no centro do programa *Roda Viva*, da TV Cultura. Mas o Brasil de julho de 1989 estava em outra. Quase 70 milhões de eleitores espanavam o pó de seus títulos para escolher o presidente da República pelo voto direto, pela primeira vez desde o longínquo 1960 de Jânio Quadros. A quatro meses das eleições, as pesquisas davam como favorito o jovem ex-governador de Alagoas, Fernando Collor, com 41% das intenções de voto. Embolados, a 30 pontos de distância dele, vinham os demais concorrentes: Leonel Brizola, Lula, Mário Covas, Paulo Maluf, Guilherme Afif Domingos, Ulysses Guimarães, Roberto Freire, Aureliano Chaves e Ronaldo Caiado. Salvo algumas caras, novas para a maioria dos brasileiros – como o próprio Collor, Afif, Freire e Caiado –, os demais eram figuras conhecidas nacionalmente. Dos dez candidatos ao cargo, quatro bateram na porta da W/Brasil tentando contratar os serviços da agência que era a coqueluche do Brasil. Todos ouviram a mesma resposta: "Não. A W/Brasil não faz campanhas políticas e não aceita contas de governos".

(* * *)

Não consumirão mais do que mil palavras, espero, os esclarecimentos que se seguem. E que adquirem importância se estamos falando da história das duas W/, a GGK e a Brasil. Pelo menos uma vez, "e na mais absoluta moita", como exigiu seu dono, a agência fez campanha política. Foi nas eleições de 1986, quando seriam escolhidos os de-

A W/GGK COMUNICA QUE A PARTIR DE AGORA SE CHAMA W/BRASIL.

Foto by Ernst Bächtold

Gabriel Zellmeister, Washington Olivetto, Paul Gredinger e Javier Ciuret.

Esta mudança se deve ao fato de que as ações pertencentes à GGK acabam de ser transferidas à W. Essa transferência é o coroamento de uma associação que teve começo, meio e final feliz. Paul Gredinger, acionista majoritário da GGK Werbeagentur AG, retira-se da sociedade com resultados realizados muito superiores à expectativa, além de um excelente relacionamento com seu ex-sócio. E dá lugar aos brasileiros Javier Llussá Ciuret e Gabriel D. Zellmeister. A nova razão social combina o W de Washington Olivetto com o Brasil, formando, antes de mais nada, uma homenagem aos outros brasileiros que com ele trabalham, sem os quais essa operação não teria sido possível. Ao mesmo tempo, essa nova razão social é uma prova simbólica de confiança no país. A prova concreta já está dada, ao tomar o caminho inverso da maioria das empresas, transformando uma agência meio multinacional numa agência absolutamente nacional. No restante, a agência não muda. A equipe e os clientes vão continuar trabalhando com o mesmo entusiasmo e a mesma harmonia que fazem com que ela funcione como se fosse a maior house-agency do mundo. Trabalhar como uma house-agency fez, entre outras coisas, com que ela tenha se tornado a agência mais premiada do mundo no festival de Cannes deste ano. E faz com que ela seja, já no seu primeiro dia de vida, a melhor agência 100% nacional. Este é um exemplo prático da filosofia W/Brasil: quem sabe gerar bons negócios para seus clientes, sabe criar bons negócios para si mesmo.

W/Brasil

Anúncio de página inteira na revista *Veja* comunica que Gredinger (de branco) vendeu sua parte aos três brasileiros.

putados federais e senadores que iriam redigir a nova Constituição brasileira. O candidato beneficiário foi o autor deste livro – que espera a absolvição de Washington por revelar um segredo confessional guardado durante dezenove anos.

Eu era amigo dos três donos da DPZ e freqüentava as salas da criação da agência, no velho casarão da avenida Brasil, quando Washington foi contratado. Logo me aproximei dele. Salvo a intensa convivência com meu irmão mais velho, Carlinhos Wagner, redator tido como um dos craques da praça publicitária, eu não tinha maiores ligações com o meio. Conhecia alguns criadores e ia à DPZ apenas para ver as coisas bonitas que eles faziam e, às vezes, buscar assuntos para a pauta do *Jornal da Tarde*, onde eu era repórter. Nas minhas duas primeiras e bem-sucedidas campanhas eleitorais, para deputado estadual pelo MDB, em 1978, e pelo PMDB, em 1982, toda a parte de propaganda (sempre modesta, por causa do dinheiro curto, nada que se compare às farras atuais) ficara a cargo de Carlinhos Wagner que, no entanto, viria a falecer de acidente rodoviário em dezembro de 1982, poucos dias depois de comemorarmos minha vitória nas eleições daquele ano.

A separação e as desavenças entre Washington e os três sócios da DPZ não alteraram minhas relações com nenhum dos quatro. Quando decidi me candidatar a deputado federal pelo PMDB, em 1986, novamente sem recursos e, dessa vez, sem a presença de meu irmão, não tinha a quem recorrer para criar meu material de campanha. Como sabia que a DPZ colaborava com o grupo do partido que acabaria formando o PSDB – e eu não era ligado a eles –, não quis criar constrangimentos para nenhum dos três sócios. Armado de cara e coragem, fui à cobertura da Vila Olímpia e abri o jogo com Washington:

– Não sei fazer propaganda e não tenho dinheiro para pagar quem faça. Você faz pra mim, no peito?

À primeira vista ele nem quis ouvir falar no assunto. Era uma norma da empresa, aquilo podia abrir um precedente, nem pensar. Diante da minha insistência, baixou a guarda:

– Tudo bem. Eu não faço, a W/GGK não faz, mas eu ponho a mais talentosa criadora da propaganda brasileira para fazer. Isso tem um preço: moita absoluta, segredo eterno. Do que você precisa?

A mais talentosa criadora brasileira era Camila Franco, e eu precisava de um folheto e um filmete de 15 segundos para exibir no horário eleitoral gratuito na TV, nada mais. Três dias depois, quando ela me apresentou o material, eu nem sonhava que dali a alguns meses aquela menina de 22 anos seria consagrada internacionalmente como coautora do comercial "Primeiro sutiã". O folheto que ela criou era impresso em uma página tamanho ofício dobrada, como se fosse uma minirrevista de quatro páginas. Na primeira, sobre um monte de livros espalhados, havia um título:

O autor de Olga *e* A Ilha *anuncia seu próximo lançamento:*

Quando o leitor abria o folheto, no alto das duas páginas abertas aparecia a continuação da frase:

A Constituição Democrática do Brasil – um best-seller que Fernando Morais vai escrever junto com o povo brasileiro.

Logo abaixo vinha um texto com os principais pontos que o candidato se comprometia a defender na Constituinte, alguns deles envoltos em indisfarçável fumaça bolchevique – coisas como "o sistema financeiro nacional será estatizado", "a terra será de quem nela trabalha", "as concessões e o uso do rádio e da televisão serão democratizados", "o aborto será legalizado", "o ensino será público e gratuito em todos os níveis".

No pé, de uma ponta à outra, uma frase de impacto:

Nova Constituição*: um best-seller que Fernando Morais vai escrever a quatro mãos com o povo brasileiro.*

Na última página, sobre uma foto do candidato, o bordão que se converteria em *slogan* da campanha:

Fernando Morais: o escritor do povo na Constituinte.

O filme era melhor ainda. O roteiro começava com a câmera focalizando uma placa de rua num poste de São Paulo, onde estava escrito: "Rua Tutóia". Enquanto a câmera dava um giro de 180 graus, mostrando uma pacata rua de classe média, uma voz grave começava a narrar, em *off*:

Durante os vinte anos da ditadura militar, a simples menção do nome desta rua deixava os democratas brasileiros aterrorizados.

Era aqui, na rua Tutóia, que ficava o quartel do DOI-Codi, onde foram mortos o jornalista Vladimir Herzog, o operário Manuel Fiel Filho e dezenas de outros brasileiros que lutavam por liberdade.

Quando o texto chegava ao fim, a câmera começava a mostrar o candidato, de pé sob a placa, encostado no poste, de terno escuro, camisa branca e gravata. A voz prosseguia em *off*:

Só uma Constituição democrática, escrita por quem tem compromissos com o povo, pode fechar para sempre masmorras como estas.

A câmera chegava finalmente ao candidato, que "olhava nos olhos" do espectador no momento em que a voz anunciava:

No dia 15 de novembro, vote em liberdade.
Vote em Fernando Morais, o escritor do povo na Constituinte.

Apesar de ter sido exibido apenas duas ou três vezes, em virtude da enorme fila de candidatos disputando cada segundo no horário eleitoral da TV, o filme foi muito bem comentado nos meios políti-

A CONSTITUIÇÃO DEMOCRÁTICA DO BRASIL.

O jornalista e deputado Fernando Morais é um dos autores que mais vende livros no Brasil. "A Ilha", uma reportagem sobre Cuba, foi lido por mais de 250 mil pessoas, aqui e em vários outros países. Seu livro "Olga", lançado há menos de um ano, já vendeu 150 mil exemplares. Agora Fernando Morais se prepara para ajudar a escrever o livro mais importante da vida de todos os brasileiros: a nova Constituição. É por isto que ele é candidato a deputado federal pelo PMDB de São Paulo.
Mas, para escrever a nova Constituição brasileira, Fernando Morais não guardou apenas seu talento de escritor. Ele vai levar para a Assembléia Nacional Constituinte oito anos de experiência como um dos mais combativos deputados estaduais de São Paulo.
Foi ele quem denunciou o plano Maluf para arrebentar o monopólio estatal do petróleo, com a criação da Paulipetro. Fernando Morais impediu a criminosa instalação de usinas atômicas no litoral paulista, movendo ação popular contra o então presidente da República, general Figueiredo. Duas comissões de inquérito propostas e presididas por ele mostraram do que é capaz um Parlamento de homens honestos e corajosos: a da "Freguesia do Ó" desmascarou as brigadas paramilitares de Maluf; a do "Mogigate" cassou o mandato de um deputado por corrupção. Algumas leis de autoria de Fernando Morais: a que acabou com o "atestado ideológico" do DOPS de São Paulo, a que criou a "moradia estudantil" para universitários pobres e a lei que provocou o processo de democratização da TV Cultura de São Paulo.
Agora leia alguns dos pontos que Fernando Morais quer escrever na nova Constituição do Brasil:

- O ensino será público e gratuito em todos os níveis.
- Todos os serviços de saúde serão públicos e gratuitos.
- Não haverá nenhuma forma de censura no Brasil.
- O sistema financeiro nacional será estatizado.
- Todos os acordos internacionais (políticos e econômicos) terão que ser aprovados pelo Congresso.
- As concessões e o uso do rádio e da TV serão democratizados.
- Não haverá privilégios fiscais para parlamentares, juízes e militares.
- O direito de greve será livre.
- Homens e mulheres terão direitos iguais.
- A terra será de quem trabalha nela.
- O aborto será legalizado.
- Os trabalhadores poderão se organizar em comissões em seu emprego, com imunidades sindicais.
- Todos os trabalhadores (inclusive funcionários públicos) poderão se sindicalizar.

O deputado e escritor Fernando Morais continuará lutando pela organização e mobilização do povo, para evitar que a nova Constituição seja rasgada por golpistas, como fizeram em 1964. Um povo só lê e só defende uma Constituição que ajudou a redigir. E este livro não pode ser escrito por apenas um autor, tem que ser obra de 130 milhões de brasileiros. Fernando Morais vai escrever seu próximo best-seller a quatro mãos: junto com você.

UM BEST-SELLER QUE FERNANDO MORAIS VAI ESCREVER JUNTO COM O POVO BRASILEIRO.

A única campanha
política feita pela agência.
O preço: o eterno
silêncio sobre o assunto.

cos, com vários candidatos querendo saber de quem era a autoria, o que foi mantido sob sigilo. Com o folheto foi a mesma coisa: o baixo custo de produção e a boa receptividade junto a todos os públicos-alvo fizeram dele o principal material de trabalho do comitê. A campanha era ótima, o produto é que estava fora de moda: dos 53 mil votos que tivera nas eleições anteriores, caí para menos de 20 mil – não sei dizer quão menos, já que acompanhei a apuração apenas até 18 mil. Cifra com a qual se encerra este caco, que terminou muito longo – mas necessário.

(***)

Salvo esse mau passo, quando foram convocadas as eleições presidenciais de 1989 a W/Brasil continuava a ser, assim como sua antecessora W/GGK, uma agência que não fazia campanhas políticas e não aceitava contas de governos. E é por ocasião desse pleito presidencial, na verdade, que se generaliza pela primeira vez no Brasil a utilização do que se convencionou chamar de marketing político. A única empresa dedicada exclusivamente ao ramo era a TVT, do jornalista Chico Santa Rita, que fizera a vitoriosa campanha de Orestes Quércia para o governo do Estado de São Paulo, em 1986 (a mesma de que também participara Gabriel, pela SGB), tornando-se uma espécie de marqueteiro oficial do PMDB. Até então, o normal era que o candidato chamasse um publicitário ou um produtor de TV amigo, ou uma agência para dar uns palpites, "dar uma mãozinha", criar *jingles* e nada mais. Um ano antes, por exemplo, o candidato Paulo Maluf, derrotado por Luiza Erundina para a Prefeitura de São Paulo, fizera toda sua campanha com a orientação de dois amigos, o publicitário Nelson Biondi e o jornalista Ney Lima Figueiredo.

E foi exatamente Paulo Maluf, que disputava a Presidência pelo PDS, o primeiro a procurar a W/GGK. Quando Washington foi confabular com Gabriel sobre como dizer não ao pedido de Maluf, ouviu a sugestão de que deveria aproveitar o encontro para pedir ao candidato que posasse como ator para a campanha da Vulcabrás, no comercial seguinte do sapato 752. A agência já criara para o mesmo produto dois comerciais de enorme sucesso popular, ambos vencedores da medalha de bronze do Clube de Criação de São Paulo. Em um dos filmetes, um personagem da novela *Mandala*, o bicheiro Tony Carrado, interpretado por Nuno Leal Maia, dizia que aquele "era sapato de macho, sem frufru e um ótimo número, pode apostar". Em outro comercial, o então presidente do Corinthians, Vicente Matheus, elogiava o sapato à sua maneira, trocando as palavras. Ambos apareciam sentados na mesma cadeira e no mesmo cenário. Washington adorou a idéia e, a pedido de um amigo comum, aceitou o convite para tomar um vinho na casa do candidato em um começo de noite. Como ninguém que tenha ouvido falar da fartura e da sofisticação da adega de Maluf recusa um convite como esse, lá foi ele. Passados os salamaleques iniciais, o anfitrião entrou no assunto:

– Como é que funciona esse negócio de marketing político?

Washington abriu o jogo:

– Pois é, seu Maluf, estou aqui tomando esse seu vinho maravilhoso, mas vou ter que lhe dizer que eu e minha agência não fazemos campanhas políticas. Os profissionais que fazem em geral estão pensando em ganhar contas do governo, se o candidato se eleger. E nós não aceitamos contas estatais.

Maluf parecia não entender:

– Mas é lógico que tem que ser assim. Se o cara ganha a eleição, vai dar as contas para quem? Para um desconhecido? Dá para os amigos, claro! E como você é o melhor, eu queria que fizesse minha campanha.

Washington foi franco:

– Olha, seu Maluf, vou ser sincero: além de não fazer para nenhum político, eu gosto de ter identificação com os produtos que anuncio. E neste caso, particularmente, fica complicado porque eu nunca votei no senhor.

Antes que a atmosfera ambiente azedasse o Château Lafite-Rothschild que o copeiro renovava nas taças de cristal, Washington deu o seu salto mortal:

– Mas eu não vou deixá-lo de mãos abanando. Se o senhor topar aparecer em um comercial de TV para os sapatos Vulcabrás, eu indico o melhor publicitário brasileiro para fazer sua campanha. É desconhecido, mas é um craque. Mas só indico se o senhor topar fazer o comercial da Vulcabrás.

Os olhos de Paulo Maluf brilharam ao ouvir as palavras mágicas "comercial de TV". Num momento em que os candidatos se estapeavam por um segundo aqui, outro acolá na televisão, vinha um sujeito à sua casa para convidá-lo a aparecer todas as noites na TV, no horário nobre, em todos os canais? E de graça? Ou melhor: era remunerado. A Vulcabrás lhe pagaria um gordo cachê (equivalente a R$ 50 mil de 2004), dinheiro que Maluf prometeu doar aos cofres da Santa Casa de Misericórdia. E de contrapeso ainda ia ganhar a indicação de um superpublicitário para fazer sua campanha. E quem era ele mesmo, afinal?

Washington explicou-lhe então que se tratava de um baiano muito competente mas pouco conhecido no eixo Rio-São Paulo, José Eduardo Mendonça, conhecido como Duda. Maluf abriu os braços e reagiu com uma preconceituosa metáfora:

– Mas Washington, meu querido, quando eu ligo para a W/Brasil para contratar seus serviços é como se eu ligasse para o Vale do Silício, na Califórnia, e pedisse o mais moderno computador do mundo. E você me oferece um computador boliviano? Um publicitário baiano deve ser tão eficiente quanto um computador boliviano...

O candidato sequer se deu ao trabalho de pegar o telefone de Mendonça. Para fazer sua campanha manteve a assessoria informal de Biondi e Figueiredo, contratou como assessor de imprensa o jornalista Carlos Brickmann e, para o lugar que seria do publicitário, chamou Ronald Kuntz, dono do instituto de pesquisas Brasmarket. O "computador boliviano" só ia entrar na vida de Maluf no ano seguinte, quando ele disputaria a eleição para governador de São Paulo.

O combinado anúncio para a Vulcabrás, porém, estava fechado. Washington voltou para a agência, ligou para o Rio Grande do Sul para contar a Pedro Grendene, dono da Vulcabrás, sobre a "contratação", e tirou da cama o diretor de cinema Júlio Xavier:

– Arma o circo para a gente filmar isso amanhã, antes que apareça um assessor de bom senso e aconselhe o Maluf a desistir. Descubra que número ele calça, para a gente encher esse cara de sapatos Vulcabrás. Onde ele for, a partir de agora, tem que estar de Vulcabrás nos pés.

Dois dias depois o filme estava pronto. Nele, Maluf aparecia sentado em uma poltrona, com as pernas cruzadas e calçando sapatos Vulcabrás. Olhando para a câmera, só ele falava, com sua voz inconfundível:

Numa campanha eleitoral dizem que a gente gasta muito a sola do sapato.

É por isso que eu uso o 752 da Vulcabrás, um sapato resistente e confortável.

Já diz a sabedoria popular, 752 da Vulcabrás: há muitos e muitos anos, eleito e reeleito pelo povo.

752 é Vulcabrás.

O sucesso foi surpreendente. Vencedor da medalha de bronze do Clube de Criação de São Paulo e exibido dezenas de vezes na TV, o comercial renderia farta mídia gratuita para o candidato – e para o sapato, claro. Logo depois da primeira aparição, Maluf já estava no programa *Jô Soares 11:30* reproduzindo o comercial. A quem visse naquilo uma atitude típica de oportunismo eleitoral, o candidato afirmava que o Vulcabrás sempre fora seu sapato de campanha, razão pela qual aceitara fazer o filme, como afirmou nesta entrevista dada ao jornal *O Estado de S. Paulo*:

Estado *– Por que o senhor aceitou fazer propaganda de sapato?*

Maluf *– Sempre usei o Vulcabrás 752 com sola de borracha nas* *campanhas, porque é muito cômodo. Procurado pelo publicitário Washington Olivetto para fazer o anúncio, cobrei caro. Mas doei o cachê de NCz$ 16 mil à Santa Casa.*

Estado *– É verdade que as vendas aumentaram?*

Maluf *– A fábrica produzia 80 mil pares por mês e está fabricando no limite de sua capacidade, 110 mil pares, mensalmente.*

Estado *– Isso se transformaria em quantos votos?*

Maluf *– Não quantifiquei. Mas no dia 15 de novembro nós vamos ficar sabendo.*

No dia 15 de novembro Maluf ficou sabendo que estava em quinto lugar, atrás de Collor, Lula, Brizola e Covas, e na frente de Afif Domingos, Ulysses Guimarães, Roberto Freire, Aureliano Chaves e Ronaldo Caiado. Logo depois que o filme do Vulcabrás começou a ser exibido, jornalistas perguntaram a Washington se ele toparia repetir o anúncio com outros candidatos à Presidência. Ele respondeu com uma piadinha de publicitário:

– Só não dá para fazer para o Ronaldo Caiado, porque a Vulcabrás não fabrica botinas.

Era uma provocação ao candidato do PSD, também presidente da UDR – União Democrática Ruralista, organização que arregimentava fazendeiros de todo o Brasil contra os defensores da reforma agrária. Se a W/Brasil não se interessava por Caiado, no entanto, a recíproca não era verdadeira. Logo depois de Maluf, foi ele quem apareceu na agência em busca de ajuda. Chegou acompanhado de uma dúzia de *agroboys*, como eram chamados seus seguidores, e foi recebido por Gabriel e Washington. Mas a conversa durou pouco, segundo Gabriel:

– O cara era muito louco. Contou que era médico e tinha a solução para o maior problema do país, "a superpopulação dos estratos sociais inferiores, os nordestinos". Segundo seu plano, esse problema desapareceria com a adição à água potável de um remédio que esterilizava as mulheres. Fiuuu! O papo acabou aí.

Maluf ocupa a mesma cadeira usada antes por Vicente Matheus e Brizola: "Sempre usei o Vulcabrás".

Caiado terminou a campanha em último lugar, com 0,68% dos votos. Semanas depois foi a vez do jornalista Ricardo Kotscho, assessor de imprensa de Lula, candidato do PT, pedir uma reunião com a direção da agência. Ele, Lula e o então assessor econômico do candidato, Aloizio Mercadante, também foram recebidos por Washington e Gabriel, que disseram ter simpatia pela candidatura, mas, infelizmente, pelos motivos já sabidos, não poderiam pegar a campanha. Segundo Kotscho, nem se chegou a falar de política:

– Dois corintianos fanáticos, o Lula e o Washington passaram a tarde falando de futebol.

O último candidato a cobiçar os serviços da W/Brasil seria o vencedor das eleições, Fernando Collor. No lugar dos *agroboys* de Caiado, Collor chegou na agência com o estado-maior da "República de Alagoas", como era chamado o séquito do candidato: políticos de ternos lustrosos e cabelos gomalinados, uma gente que parecia sempre muito ansiosa, ligeira, querendo resolver logo as coisas e ir embora. Quando perceberam que a conversa não avançava, Collor e Leopoldo, seu irmão mais velho, abriram o jogo com Washington e Gabriel. Quase cochichando, Leopoldo resumiu com franqueza alagoana os benefícios que a vitória do irmão traria para a agência e seus donos:

– Se o Fernando ganhar essa eleição, vocês vão encher o rabo de grana, pô! Pensem nisso.

Gabriel lembra que, ao ouvir aquilo, levantou-se e saiu da sala, deixando o pepino na mão de Washington, que após mais alguns minutos dispensou os irmãos.

De novo, fim de papo. Os donos da agência ainda passariam mais um susto antes das eleições. Poucas semanas antes do pleito, quando as pesquisas indicavam que Lula ou Brizola iriam com Collor para o segundo turno, o PFL tentou um golpe de mão. Uma operação coordenada pelos pefelistas Hugo Napoleão (governador do Piauí), Marcondes Gadelha (deputado pela Paraíba) e Edison Lobão (senador pelo Maranhão) arranjou uma pequena legenda de aluguel, o PMB, e lançou a candidatura do animador de TV Silvio Santos à Presidência – fato que ameaçava provocar uma reviravolta nas eleições. Gadelha, Lobão e Napoleão diziam que Silvio Santos seria o "lobo mau" que ia acabar com a polarização entre a direita de Collor e a esquerda de Lula – comparação que, somada ao tipo de manobra urdida na última hora da eleição, lhes valeu o apelido de "os três porquinhos", dado pelos jornalistas. Nada de mais, não fosse a W/Brasil a responsável pela gorda conta de publicidade do SBT, de propriedade de Silvio Santos. Se a candidatura progredisse, os três sócios da agência já tinham decidido devolver a conta ao cliente – o que acabou se revelando desnecessário, já que a campanha foi impugnada pelo Tribunal Superior Eleitoral.

Foi Lula quem acabou enfrentando Collor no segundo turno. No último debate entre os dois – cuja edição pela TV Globo teria derrotado o petista –, Collor brandiu uma pasta de papelão e enfiou uma questão aparentemente sem pé nem cabeça:

– Eu, por exemplo, não tenho em casa um equipamento de som de qualidade tão boa como o que meu adversário comprou há poucos dias.

Segundo analistas políticos bem informados, teria chegado ao comitê de Collor uma informação segundo a qual Lula havia comprado um sistema de som do modelo 3 em 1 para presentear uma namorada. Uma cópia da nota fiscal de compra estaria dentro da tal pasta – que Collor agitava como uma senha que avisasse o adversário: não bate pesado que eu mostro o que há dentro da pasta. Ninguém entendeu aquilo – aparentemente nem Lula – e o debate prosseguiu. Um dos telespectadores do debate era Washington Olivetto. Ao ouvir Collor falar aquilo – e mesmo sem entender o significado da frase –, ele ligou para Luiz Mário Berlink, gerente de marketing da Fotoptica (que trocara a DPZ pela W/Brasil), que também assistia ao debate:

– Acabo de fazer um anúncio no qual a Fotoptica oferece ao Collor um aparelho de som igual ao do Lula, por um preço bem baratinho. Topas?

Os jornais do dia seguinte mantinham abertas apenas as páginas de política, à espera do fim do debate para começar a impressão.

Washington telefonou para a *Folha de S.Paulo*, que era cliente da agência, e conseguiu que esperassem mais vinte minutos porque ele tinha um anúncio especial para a edição que estava sendo fechada. Pediu a dois assistentes de arte que fossem para a agência, ligou para Gabriel para que supervisionasse a produção e na manhã seguinte a *Folha* estampava, junto com a cobertura do debate, o anúncio da Fotoptica:

> *Collor, já que no debate você falou que não tem dinheiro para comprar um som igual ao do Lula, venha à Fotoptica. Temos um 3 em 1 tão baratinho que até você consegue comprar...*

No final, Collor ganhou as eleições e, cumprindo a profética prescrição de Maluf, puxou para o governo todas as agências que haviam colaborado na sua vitoriosa campanha – uma campanha que levara ao paroxismo o conceito de marketing político. Antes de tomar posse, a equipe do novo presidente vazou para os jornais que o governo iria derrubar a inflação "com um único tiro" ou com um *ippon*, o golpe de judô (esporte praticado por Collor) em que o adversário é atirado de costas ao chão, sem chances de defesa. Ninguém sabia o que viria, mas no dia 13 de março, antevéspera da posse, Javier Llussá mandou avisar aos funcionários da agência que o salário de todos, normalmente creditado no fim do mês, estava sendo depositado naquele dia nas contas-correntes. Pagou e aconselhou todo mundo a sacar integralmente o dinheiro no dia seguinte, porque "alguma coisa podia acontecer". A posse de Collor foi imediatamente seguida da decretação exatamente daquilo que ele passara a campanha acusando o adversário Lula de estar tramando: um radical confisco da poupança. No dia seguinte à posse, sexta-feira, os bancos amanheceram fechados por feriado decretado na véspera: todos os depósitos bancários e poupanças acima de NCz$ 50 mil (o equivalente a cerca de R$ 6 mil em 2004), de pessoas físicas ou jurídicas, tinham sido confiscados pelo governo e a devolução se daria a longo prazo, a conta-gotas. As economias do pessoal da W/Brasil estavam salvas. Javier até hoje jura que não era detentor de nenhuma *inside information*, como se diz no jargão dos negócios:

– Se eu tivesse informação privilegiada, teria ficado bilionário. Foi puro instinto.

Deve ser verdade. Gabriel se lembra de que ele, pessoalmente, sofreu um pesado baque com o confisco:

– Era só desconfiança do Javier, mas de qualquer maneira preferimos antecipar o pagamento da folha para o mico, se viesse, estourar na mão da empresa e não na dos funcionários. Meses depois, quando consegui resgatar meu dinheiro com deságio, descobri que eu tinha ficado com exatos 65% do que tinha amealhado em 40 anos de vida.

A desorganização da economia provocada pelo governo Collor quebrou centenas de empresas no país e perturbou terrivelmente o funcionamento de muitos milhares. Salvo as exceções de praxe, ninguém passou incólume pelo terremoto. A W/Brasil não chegou a balançar, mas as mudanças fizeram os sócios desistir do projeto de mudar-se para uma sede própria. Eles já tinham em vista até o imóvel que pretendiam comprar, a velha e desativada fábrica de talheres Tramontina, no bairro de Pinheiros, mas ninguém tinha dinheiro na mão para fazer negócios. O problema é que, se os funcionários tinham sido poupados do bote dado por Collor, no final do mês a empresa teria de saldar seus compromissos com fornecedores e veículos sem ter – quase ninguém tinha – onde buscar recursos. Em seu socorro vieram primeiro os irmãos Manuel e Antonio da Silva Sé, donos da Rede de Supermercados Sé, cuja atividade lidava com dinheiro vivo, que ofereceram o que fosse necessário, sem nenhum custo, tudo a 1 por 1 (conseguir dinheiro em bancos naqueles dias custava a pele do tomador). Além dos Sé, outro que estendeu a mão à agência foi Aguinaldo Serra, presidente da rede São Paulo de postos de gasolina, que pelas mesmas razões dos supermercadistas tinha dinheiro sonante na mão.

A economia e a vida voltavam aos eixos quando uma novidade aqueceu a temperatura da publicidade paulista: Nizan Guanaes estava de volta. Associado ao grupo financeiro Icatu, o baiano finalizava a instalação em São Paulo de um escritório da DM9, agência originariamente de Duda Mendonça e cujo controle adquirira. A história não terminava aí: ele estaria de olho em clientes da W/Brasil. A suspeita ganhou corpo quando Afonso Serra comunicou aos três patrões que estava deixando a Diretoria de Atendimento da W/Brasil para ser sócio minoritário de Nizan na DM9.

13

A W/Brasil se dá ao luxo de dispensar bons clientes: vai começar o bate-boca.

A saída de Afonso Serra não foi uma surpresa para os três sócios da agência. Cogitado para participar da empreitada por ocasião da compra da metade suíça, Serra ficou ressentido quando soube que os parceiros de Washington seriam Gabriel e Javier. Ele continuou trabalhando, mas sabia-se que acabaria indo embora, e o convite de Nizan enfim veio a calhar. Para a W/Brasil, a saída não chegou a ser um desastre. Solidamente instalada entre as dez maiores, dificilmente ela se abalaria com a perda de alguém – mesmo um diretor da importância de Serra.

Ainda ia levar algum tempo para que Nizan e sua DM9 trouxessem dores de cabeça à W/Brasil. Quando o ruidoso baiano se instalou em São Paulo, a W/Brasil comemorava aquele que tinha sido seu melhor ano, desde que Washington saíra da DPZ para se associar aos suíços. A entrada para o clube das dez mais merecia atração especial e o nome escolhido para animar a festa de confraternização de fim de ano foi o do cantor Jorge Ben Jor – que na época ainda se chamava apenas Jorge Ben. Durante o jantar servido após a apresentação, Washington lançou a candidatura do cantor Tim Maia para o cargo de "síndico do Brasil" (Maia já havia ameaçado disputar uma vaga no Senado pelo PSB do Rio). Jorge Ben pareceu prestar especial atenção àquela conversa de bêbado. Esse interesse se explicaria meses depois, quando ele lançou seu LP *Live in Rio*: lá estava, entre as novidades, a música *Alô, Alô, W/Brasil (Chama o Síndico)*. Sobre os acordes de um *funk* pesado, a letra de frases soltas era intercalada pelo refrão que havia sido composto durante a festa:

Alô, alô, W/Brasil, alô, alô, W/Brasil
Jacarezinho, avião, Jacarezinho, avião

Cuidado com o disco voador
Tira essa escada daí,
Essa escada é pra ficar aqui fora
Eu vou chamar o síndico
Tim Maia! Tim Maia! Tim Maia!

Em poucas semanas, *Alô, Alô W/Brasil* se converteria naquilo que o próprio autor chamou de "megassucesso" e seria a chave para que Jorge Ben fizesse seu retorno triunfal às paradas de sucesso. Muitos anos depois, a música seria finalista de um hilariante concurso instituído pelo colunista do jornal *O Globo*, Artur Xexéo, com a finalidade de escolher o verso mais incompreensível da música popular brasileira. Ao vencedor seria entregue o troféu "Zum de Besouro". No fim, os leitores atribuíram a *Alô, Alô, W/Brasil* um modesto terceiro lugar. Jorge Ben fora derrotado por pesos-pesados. Em segundo vinham Cazuza e Ezequiel Neves, autores da canção *Codinome Beija-Flor*, na qual fora identificado o enigmático verso "Que só eu que podia/Dentro da tua orelha fria/ Dizer segredos de liqüidificador". O primeiro lugar foi merecidamente atribuído a Gilberto Gil por este imbatível trecho da música *Refazenda*:

Abacateiro teu recolhimento é justamente
O significado da palavra temporão
Enquanto o tempo não trouxer teu abacate
Amanhecerá tomate e anoitecerá mamão
Abacateiro sabes ao que estou me referindo.

Bons resultados justificavam festas como a de Jorge Ben, mas não significavam que as empresas pudessem baixar a guarda diante da crise. E os donos da W/Brasil sabiam que uma das receitas para reduzir custos era investir em alta tecnologia. Criar anúncios à mão livre ou colando letrinhas era uma técnica com os dias contados. No mundo moderno, tudo era feito no computador. A Apple, fabricante dos mi-

Gabriel, Jorge Ben Jor, Washington e Javier na festa em que nasceu o enigmático *funk* "Alô, alô W/Brasil!".

cros Macintosh (concorrente dos PCs) produzira equipamentos e *softwares* que permitiam a um diretor de arte passar o dia trabalhando sem sair da frente da tela do micro. A velha prancheta estava definitivamente sepultada pelo *mouse*. Interessado pelo assunto e antenado no rumo, do ponto de vista tecnológico, que tomavam as agências dos países desenvolvidos, foi de Gabriel a iniciativa de avançar no processo de automatização da criação e da produção da agência. Um ano antes, a W/Brasil fora a pioneira no país a utilizar o sistema de editoração eletrônica (*desktop publishing*) da gigante Gráficos Burti. Em 1989, a agência havia instalado um sofisticado sistema de comunicação por micro-ondas, através de antenas. Gabriel já manifestara a Luiz Burti seu inconformismo com o que lhe parecia uma situação absurda:

– Tínhamos alta tecnologia instalada tanto na agência quanto ele na Burti. E dos dois lados equipes qualificadas e caríssimas ficavam horas esperando motoboys levarem para lá e para cá os disquetes – que os garotos chamavam de "zéqueti".

Gabriel recorreu a uma cunhada, diretora do Centro de Processamento de Dados da Telebrás, para saber quando o Brasil teria um sistema de transmissão por banda larga. Ao ouvir que isso jamais ocorreria por aqui antes do ano 2000, ele repassou o abacaxi para Burti: ele teria que achar alguma solução. Esta apareceu meses depois sob a forma de uma multicolorida antena de 40 metros que Burti espetou sobre um dos edifícios mais altos da avenida Paulista. Era uma torre de recepção e retransmissão que poderia gerar sinais para outra torre, muito menor, que a W/Brasil instalaria em sua sede – sistema logo batizado com o nome de Transburti. Seu idealizador, Luiz Burti, ofereceu exclusividade dos serviços à W/Brasil, em troca de racharem os custos, mas Gabriel respondeu que não queria exclusividade, aquele era um serviço que podia e devia ser colocado à disposição de todo o mercado publicitário e editorial.

Para conseguir isso, foi necessário adaptar *softwares*, só existentes em inglês, para as características da língua portuguesa. Com o sistema instalado, todo o processo de criação e produção de um anúncio se dava dentro da agência. Ao final, por meio de antenas de microondas o fotolito era transmitido do computador da W/Brasil para o da gráfica, que estava apta a imprimi-lo – fosse um panfleto, fossem as 32 folhas de papel gigantes de um *outdoor*. A nova tecnologia permitiu que, com a mesma equipe de trinta pessoas, a agência tivesse um aumento de produtividade de 20%.

Conseguir isso – fazer crescer uma empresa – nas circunstâncias em que se encontrava o Brasil era um verdadeiro milagre. O que começava a ocorrer era o oposto, a quebradeira de quem não sobrevivera às medidas decretadas pelo novo governo. Apesar do impacto causado no seu lançamento, o Plano Collor de estabilização da economia começava a fazer água. Cotado em março a Cr$ 24 (a moeda voltara a se chamar cruzeiro), o dólar de agosto já batia nos Cr$ 90. Até uma empresa que ia bem, como a W/Brasil, tinha que agir com prudência redobrada. Para não ter de cortar cabeças, os três sócios decidiram que iam dispensar os clientes que faturassem menos de US$ 2 milhões por ano. Para continuar assegurando o mesmo padrão de qualidade a todos, concluíram que não era possível destinar a um cliente que investia US$ 100 milhões por ano a mesma atenção – e o mesmo pessoal, pago a peso de ouro – que se dava a um cliente cuja verba não passava de US$ 500 mil. Essa, na verdade, era uma preocupação que vinha de antes do Plano Collor. No final de 1989, a W/Brasil havia dispensado dois clientes: o creme Nívea e a indústria de *jeans* Staroup. Os três sócios sabiam que dispensar um cliente era sempre uma operação dolorosa. A regra do mercado mandava que a versão oficial fosse sempre a mesma: ou não tornar pública a decisão ou, se isso fosse inevitável, fazer uma nota conjunta dizendo que a mudança tinha sido decidida de comum acordo entre agência e cliente. Cada um dos três já vivera várias vezes essa experiência ao longo de suas carreiras e ali mesmo, na W/Brasil, eles haviam enfrentado uma pequena polêmica pública por causa disso meses antes. A conta do creme Nívea era a última remanescente dos tempos da GGK no Brasil. Tudo teria corrido bem, não fosse uma declaração dada ao *Jornal da Tarde* pelo diretor de contas da W/Brasil, Sérgio Nassar. Segundo ele, a decisão refletia "um processo de encolhimento da nossa carteira de clientes":

– Para continuar oferecendo um tratamento diferenciado a nossos clientes, daremos preferência às contas de mais de US$ 2 milhões.

Foi o bastante para Horst-Henning Gerber, presidente da multinacional alemã Bayersdorf, fabricante do creme Nívea, sentir-se na obrigação de ir aos jornais, rebater a informação e dizer que a empresa é que deixara a agência por ter recebido um trabalho "mal feito". O que obrigou Gabriel a apagar o incêndio e explicar que o tal limite de US$ 2 milhões só valia para clientes novos, e que no caso da Nívea a decisão fora tomada de comum acordo entre as partes.

No fim do ano, a agência cortava laços com outro cliente, mas esta era uma conta especial, a da fábrica de *jeans* Staroup, de propriedade do empresário brasileiro de origem húngara André Ranschburg. Se com a Nívea a relação era fria, impessoal, o mesmo não ocorria com a Staroup. O bem-sucedido Ranschburg não só era o dono da indústria, mas o responsável pelo seu marketing. Aos 45 anos, iatista sempre bronzeado, bem-humorado e tido como empresário ousado, ele era conhecido como o "Rei do *Jeans*", com fábricas instaladas também em Portugal e na ainda existente União Soviética. A chegada da conta da Staroup à agência, dois anos antes, fora motivo de bate-boca no mercado. Ela era mais uma que trocava a DPZ pela W/GGK, o que deixou Duailibi enfurecido. Os bastidores dessa polêmica estão no livro de Ranschburg, *Quem não faz poeira, come poeira*:

> *O Olivetto tinha saído da DPZ, onde era o* enfant terrible, *levando com ele algumas contas, entre elas a da Bombril. Combinamos um jantar, onde falei do que não estava gostando na agência que me servia. Fala daqui, fala de lá, decidi trocar de agência. A Staroup sempre procura o melhor e naquele instante, na minha opinião, o melhor estava na W/GGK. Mas ainda comentei com o Olivetto:*

– A única coisa desagradável disso tudo é sair da DPZ para a sua agência, quando vocês andam brigando. Vai ser um pepino! Eles vão ficar loucos da vida comigo por trocar de agência.

Washington Olivetto encarou o fato com aparente naturalidade.

Liguei para o Roberto Duailibi no dia seguinte:

– Olha, Roberto, não estou satisfeito por isso e por aquilo, vou trocar de agência. Vou para a W/GGK.

O Duailibi ficou uma fera no telefone. Estava possesso! A conversa foi pela manhã. No outro dia, de manhãzinha, todos os principais jornais do país traziam um anúncio da DPZ, dizendo que eles estavam abrindo mão da conta da Staroup. Isso mesmo! A agência estava dando bilhete azul para a gente, nos dispensando!

Ranschburg esperava que a convivência com a nova agência fosse ser mais amistosa. Primeiro estrangeiro a realizar uma *joint-venture* com a União Soviética de Mikhail Gorbachev, ele montara uma fábrica de *jeans* em Tirasopol, na Moldávia, uma das quinze repúblicas soviéticas. Batizada com o nome de Staremo, a empresa tinha seu capital dividido em duas partes – desiguais, naturalmente: Ranschburg ficou com 49% e os restantes 51% eram controlados pela Odema, a estatal encarregada da produção de roupas em toda a URSS. Aproveitando um convite que recebera para fazer uma palestra em Moscou, em um evento denominado Reklama 90, parte da *perestroika* promovida por Gorbachev, Washington sugeriu a André, que estava na URSS, rodar um comercial para a Staremo em plena praça Vermelha. Socorrido por uma equipe moscovita de filmagem e utilizando como modelos moças recrutadas na hora, Washington dirigiu pessoalmente as filmagens e retornou ao Brasil com os negativos do comercial debaixo do braço.

E não era só nas relações pessoais que as coisas iam bem. Do ponto de vista dos resultados concretos, as campanhas feitas pela W/Brasil produziam sucessivos aumentos nas vendas dos *jeans* Staroup, e mereceram dezesseis prêmios, a começar pelo eternamente cobiçado Leão de Ouro de Cannes. De todos os trabalhos feitos para a Staroup, o mais premiado (e conhecido) foi o comercial intitulado "Passeata". O filme de 30 segundos mostra uma manifestação estudantil em que centenas de moças e rapazes, todos vestidos de *jeans*, são reprimidos violentamente por tropas policiais armadas de cassetetes e bombas de gás lacrimogêneo. Tendo como trilha sonora acordes dos *Contos dos Bosques de Viena*, de Strauss, enquanto o comercial mostrava imagens de estudantes agarrados e arrastados por policiais pelo cós das calças, uma voz grave narrava o texto. Cada golpe que aparecia na tela era acompanhado por uma frase:

Staroup sofre um processo especial de lavagem.
Staroup é resistente, tem caimento perfeito.
Staroup passa pelo mais rigoroso controle de qualidade e dá total liberdade a seus movimentos.
Staroup, o mais testado, o mais procurado.

A confusão tomava conta da tela, com gente gritando e apanhando, mas resistindo. A mesma voz assina o anúncio:

"*Se não for Staroup, proteste!*"

Acusado de fazer a apologia da violência, o filme foi estrepitosamente vaiado pelo público em Cannes, mas encantou o júri, que por unanimidade atribuiu a ele o Leão de Ouro. O entusiasmo de Ranschburg com o prêmio foi tal que, no dia seguinte ao anúncio da premiação, recebeu amigos para festejar com um almoço no restaurante francês La Tambouille, na região dos Jardins. A originalidade da comemoração chamou a atenção da imprensa: quando chegavam ao restaurante, os convidados encontravam, acorrentado a uma árvore, um leão de verdade.

A lua-de-mel empresa-agência durou dois anos, e cada uma das partes tem uma versão para o fim de um casamento tão curto quanto prolífico. Tanto Gabriel como Washington sustentam que a iniciativa do rompimento foi deles e que não teve outra razão senão o tal "processo de encolhimento da carteira". Segundo ambos, a informação foi dada a Ranschburg em um clima civilizado, sem maiores problemas. Não é essa, no entanto, a versão que o dono da Staroup publicou em seu livro:

> *À medida que o dono da nossa agência colecionava prêmios e diplomas, se tornando a grande estrela da propaganda brasileira, fui me sentindo – não eu, a Staroup – meio posto a escanteio, meio deixado de lado. O Olivetto era meu amigo. Resolvi marcar um almoço.*
>
> *– Vamos sentar, conversar, fazer as coisas como pessoas civilizadas, OK?*
>
> *Lá, expliquei:*
>
> *– Respeito muito você, mas não está dando. O seu contato quer que eu seja cliente fácil. E eu não sou. Então, acho que a gente pode se separar numa boa, continuar amigos (parecia "pedido" de divórcio) etc. e tal.*
>
> *Aí rememorei o trauma que foi a separação Staroup-DPZ, comemos bem, bebemos melhor. Almoço legal, superagradável. Combinamos fazer um comunicado conjunto, de comum acordo, e enviá-lo aos jornais. Saímos do restaurante e redigimos o documento. Dizia ele, em resumo, que a Staroup e a W/Brasil, depois de três anos de convivência harmoniosa e produtiva, decidiam cada um procurar o seu caminho, cada um desejando ao outro o melhor dos mundos. Os jornais publicaram o nosso comunicado conjunto. Ufa! Cheguei a pensar. Dessa vez o "divórcio" saiu em ordem.*

Como o livro de Ranschburg só seria publicado um ano depois, o que prevaleceu na época foi a versão de que aquela tinha sido uma decisão conjunta, tomada pelas duas partes (um único arranhão parecia ter ficado desse amigável divórcio: menos de uma semana depois de publicado o comunicado, Ranschburg entregou a conta à DM9, de

Nizan Guanaes). O sonho de transformar a Staroup na "Levy's dos trópicos", porém, duraria pouco. Em 1992 a empresa pediu concordata.

Os donos da W/Brasil sabiam que, apesar dos desgastes, enxugar a agência era o único caminho para sobreviver sem tropeços à era pós-Plano Collor. E se alguém tinha dúvidas sobre o acerto das medidas, elas se dissiparam quando o *Financial Times*, considerado o vade-mécum mundial das finanças, publicou uma consagradora reportagem apresentando a gestão da W/Brasil como um exemplo a ser seguido por todos os empresários modernos. Intitulada "O melhor momento da W/Brasil", a correspondente Christina Lamb explicava a seus leitores as dificuldades para se planejar uma empresa "em um país em que a inflação oscila entre zero e 1800%":

> *Washington Olivetto é um homem incomum. Ele não só é conhecido como a estrela da publicidade brasileira, com uma personalidade e uma maneira de vestir tão vistosa quanto seu nome, como sua agência foi uma das poucas empresas do país a vislumbrar uma oportunidade de negócios no dia 16 de março, quando o governo do recém-empossado presidente Collor apropriou-se de 80% de toda a poupança pessoal e corporativa do país.*
>
> *Para o resto do setor publicitário, esse congelamento foi o prego final no caixão de uma indústria já em queda. Sem dinheiro para gastar, a primeira coisa que as companhias cortariam seria a publicidade. Mas, diz Olivetto, esse foi o seu "momento supremo". Horas depois do anúncio do plano, ele reuniu em sua casa os diretores de sua agência, a W/Brasil –, a oitava maior do país, com uma receita anual de US$ 63 milhões. Depois de um* brainstorm *de 48 horas, repensou a estratégia de marketing para todos os seus clientes. Após dois meses difíceis, quando os negócios caíram 15% e depois mais 20%, as operações voltaram a um nível 25% mais alto do que antes do aperto da liquidez. Além do mais, em abril, quando seis das dez maiores agências brasileiras demitiram funcionários, a W/Brasil deu ao seu pessoal um aumento de 42%.*

O jornal dizia que, embora se apresentasse como uma agência do Primeiro Mundo no Terceiro, "seus vasos de plantas de vime negro, abajures esculpidos e persianas sofisticadas não fariam feio em Nova York ou em Londres". Ressaltava, no entanto, que o forte da W/Brasil era vender resultados, não lantejoulas:

A Cofap, um dos maiores fabricantes mundiais de amortecedores, um negócio avaliado em US$ 750 milhões e que emprega 25 mil pessoas, estava, de acordo com Gabriel Zellmeister, "de joelhos e demitindo em massa". Ninguém estava consertando carros e as exportações tinham caído em virtude da taxa de câmbio desfavorável. Em abril, a W/Brasil lançou uma campanha de televisão de US$ 7 milhões, estrelada por um cãozinho dachshund que pedia dinheiro para pagar um amortecedor novo para o carro do seu dono. Desde então, a Cofap excedeu as projeções feitas em dezembro e vendeu em junho a produção de julho.

O segredo para o sucesso estava em uma estratégia que o *Financial Times* classificou de "rude, mas eficiente", que abordava os consumidores sem meias palavras:

Audaciosos cartazes e anúncios de jornal em preto e branco intimavam os consumidores a comprar produtos dos seus clientes com slogans como "se você não pode pagar, nós damos um jeito", ou no caso da cadeia de lojas de fotografia Fotoptica, "por favor, pelo amor de Deus, compre alguma coisa, ainda que pequena: nós precisamos de dinheiro". Três dias depois do anúncio do plano Collor, a W/Brasil já tinha na rua anúncios da Rede Zacharias de Pneus afirmando: "Se você tem alguma necessidade mas não tem dinheiro, fale com a gente que nós damos um jeito". De acordo com Gabriel Zellmeister, diretor de arte da agência, só três pessoas haviam entrado nas sessenta lojas da rede no dia posterior ao anúncio do plano; em uma semana, contada a partir da publicação do anúncio, esse número era de setecentas por dia – próximo do recorde de mil fregueses diários da Zacharias.

Segundo o *FT*, um dos segredos do sucesso da W/Brasil resultava da soma do talento da equipe com o baixo custo do tempo na TV brasileira – o que explicaria também o surpreendente desempenho da agência nos festivais internacionais, nos quais os prêmios mais importantes eram atribuídos a comerciais de TV (só naquele ano a W/Brasil produziria 126 comerciais, dezenove deles classificados pelo júri de Cannes). Chamava a atenção da jornalista um fenômeno que não se via em nenhum outro lugar do mundo: o tempo de televisão aqui era proporcionalmente mais barato do que os anúncios em revistas.

Na nação mais televiciada do mundo, uma novela de sucesso pode atrair até 93% da audiência. Isso a torna uma mídia muito atraente, que gera 68% das receitas da W/Brasil.

A reportagem terminava afirmando que nem mesmo a ameaça de volta da inflação assustava. "Com a inflação voltando agora aos dois dígitos por mês", escreveu a correspondente, "Olivetto já espera ter de produzir em breve mais uma estratégia publicitária para a nova realidade econômica." Não deu outra. Até as más notícias eram pretexto para fazer anúncios. Ao ver naufragar seu plano, Collor passou a mexer no primeiro escalão de sua equipe. Ministro ou secretário sob risco de demissão estava, segundo a imprensa, sendo "fritado" pelo governo. E o responsável pelo anúncio das frituras era sempre o jornalista Cláudio Humberto da Rosa e Silva, secretário de Imprensa da Presidência. Na época titular da conta das panelas Panex, Washington ofereceu a Cláudio Humberto uma bolada de dinheiro para posar para um anúncio em que diria apenas uma frase: "*Eu uso panelas Panex para cozinhar, flambar e fritar*".

O assessor recusou a proposta, segundo a revista *Veja*, "por desconfiar que ele poderia ser a primeira vítima da fritura". Não deu certo aqui,

MANAGEMENT: Marketing and Adve

A peculiarly Brazilian strategy

'Finest moment' of adland's rock star

Christina Lamb explains how the owner of one agency found a window of opportunity as inflation soared

Planning advertising strategy in a country where no-one knows what the next day's economic situation will be and where inflation swings between 1,800 per cent and zero in reaction to the latest in a series of government plans is no easy task.

But then Washington Olivetto is an unusual man. Not only is he known as the rock star of Brazilian advertising, with a personality and dress-sense as colourful as his name, but his agency was one of Brazil's only businesses to see a window of opportunity in the seizure on March 16 of 80 per cent of all personal and corporate savings by the new President Fernando Collor.

For the rest of the Brazilian advertising industry this draconian freezing of assets was the final nail in the coffin of an industry already suffering a slump. With no money to spend, the first thing companies would cut would be advertising. But, says Olivetto, it was his "finest moment."

Within hours of the announcement, he had gathered together fellow directors of his agency, W/Brazil, at his house and after a 48-hour brainstorming session, rethought the marketing strategy for all their clients. After two sticky months with business falling by 15 per cent and then by a further 20 per cent, things are now 25 per cent up on the levels before the liquidity squeeze. Moreover, in April when six of the other top ten agencies were laying off staff, W/Brazil gave its own an across-the-board 42 per cent

Collor freeze was effective – if crude. Bold black and white billboard and newspaper advertisements beseeched customers to buy clients' products with slogans such as "If you can't pay, we'll find a way" or, in the case of the photographic chain Fotoptica, "Please, for God's sake, buy something – however small, we need the

VENDO NÃO NEGO,
COBRO QUANDO PUDER.
FOTOPTICA. TUDO EM 2 VEZES SEM JUROS.

Washington Olivetto: ads exhorted people to buy now and not deny themselves after the presidential freeze on savings

had been in the red. Within three days of the Collor announcement, W/Brazil had adverts ready claiming: "If you have anything which needs doing but no money, come in and we'll find a way." According to Gabriel Zellmeister, the agency's artistic director, only three people visited the 60 shops the day after the Collor Plan was announced; within seven days of the advert appearing, there were 700. This compares very favourably with Zacharias' best ever day of 1,000 customers.

Another client, Cofap, one of the world's biggest sho

totally fair in giving our views of their prospects."

W/Brazil ranks about eighth among Brazil's advertising agencies in terms of income – $63m last year compared with $8m in 1986 when it became independent. It was once part of Swiss based GGK which went to Brazil in 1973 to launch Volkswagen. It subsequently lost the account after four months but the agency stayed.

Today, Olivetto can afford to shrug off the Collor Plan as what he calls the "little disaster". He estimates that the

national advertising revenue is 55 per cent on television, compared with 27 per cent in newspapers, 12 per cent magazines and 6 per cent radio.

Perhaps partly because of the large volume of television adverts it produces, W/Brazil last year had 19 commercials for 17 different clients shortlisted at the Cannes Awards in France. In Brazil, the agency won nine of the 12 best TV commercials at TV Globo, in a competition run by the company, which is the country's leading TV station and the world's fourth largest.

W/Brazil makes 125 commercials a year for 26 clients which include the country's biggest shoe factory, second biggest producer of cleaning products, the largest insurance company and one of Brazil's leading banks. Because he values the agency's independence, Olivetto turned down offers from all five Presidential candidates to handle their advertising campaign in last November's elections.

Olivetto is hoping for a tie-in with a foreign agency and claims: "With clients like these, in London or Europe our income would be ten times more. Brazil's great tragedy is that out of a population of 150m we have only 4m to 5m consumers."

The secret of his agency's reputation for originality, according to Olivetto – who has become something of a television personality – comes from "keeping the atmosphere buzzing." He regularly sends flowers to the female staff, the day's work is celebrated with

A consagração nas páginas
do *Financial Times*:
"Um estrategista rude,
mas eficiente".

pode dar acolá. O segundo convite foi dirigido à também jornalista Taís Rosa e Silva, mulher de Cláudio Humberto. Para ela a frase seria diferente: "*Meu marido entende de fritura – de panelas entendo eu*".

Tampouco ela topou fazer o comercial. Como no caso do frustrado anúncio com o banqueiro Amador Aguiar, às vezes era preciso enfrentar o lema da agência e conviver um pouco com o impossível.

Salvo essas incursões muito peculiares pelo mundo da política, a W/Brasil continuava mantendo o princípio de não fazer campanhas eleitorais – ainda que não faltassem novas oportunidades. Naquele ano de 1990, ocorreriam eleições no Brasil, desta vez para governadores, senadores e deputados federais e estaduais. Em São Paulo, quatro candidatos disputavam a sucessão do governador Orestes Quércia: Luiz Antonio Fleury Filho (PMDB), Mário Covas (PSDB), Paulo Maluf (PDS) e Plínio de Arruda Sampaio (PT). De todos, só Fleury dispunha dos serviços de um marqueteiro político, como passaram a ser conhecidos os profissionais que prestavam esse serviço: era Chico Santa Rita, que além da campanha de Quércia, em 1986, também fizera a do engenheiro João Leiva para a Prefeitura da Capital, em 1988, quando saiu vitoriosa a candidata do PT, Luiza Erundina. Covas convidou o jornalista Paulo Markun para cuidar da parte de comunicação da sua campanha, e Plínio convocou o publicitário Paulo de Tarso Santos, que já prestava serviços ao PT, para encarregar-se da sua.

Como aquele ainda era um mercado que não oferecia muitas alternativas, Maluf decidiu assuntar o tal Duda Mendonça de que Washington lhe falara um ano antes. Convidado a conhecer o personagem em seu sítio, a dez quilômetros de Salvador, o candidato espantou-se ao ser recebido em meio a cabras, vacas, onze pastores alemães e – a grande paixão do publicitário – seiscentos galos de briga. Além dessas excentricidades, contudo, Duda era, como Maluf, um grande conhecedor e apreciador de vinhos finos, o que deve ter facilitado a aproximação, uma vez que lá mesmo eles fecharam o negócio. Uma semana depois, o "computador boliviano" apresentava a Flávio Maluf, filho mais velho do candidato, a campanha intitulada "Amo São Paulo, voto Maluf", imediatamente aprovada.

Duda logo percebeu que ia ter uma cruz pesada para carregar. Primeiro porque Maluf iria enfrentar um peso-pesado da política, o ex-cassado Mário Covas, que exibia um recorde em seu currículo: nas eleições de 1986 ele se elegera senador com a maior votação até então dada a um político na história do Brasil, nada menos do que 8 milhões de votos. O PT lançara um candidato de cabelos grisalhos, gestos aristocráticos e idéias consideradas radicais, o economista Plínio de Arruda Sampaio. Apesar de noviço em política, o quarto concorrente, Fleury, vinha de um governo com altos índices de aprovação, no qual ocupara com sucesso o cargo de secretário de Segurança Pública. Um dos trunfos de sua campanha era o fato de, sob suas ordens, a polícia ter solucionado, sem vítimas, o seqüestro do empresário Abílio Diniz, ocorrido no final de 1989. Mas além de estar diante de adversários robustos, e de ser aquilo que o jornalista Augusto Nunes chamaria de "o grande satã civil parido pela ditadura militar", Maluf carregava como biografia um contêiner de acusações de corrupção. Seus índices de rejeição eram estratosféricos. De pouco adiantava ter um eleitorado cativo de 20% a 30%, se mais de 50% das pessoas afirmavam que jamais votariam nele.

Duda não teve dúvidas: escondeu o mais que pôde o candidato e fez a campanha em cima de variações gráficas da figura de um coração. Um *jingle* eletrizante era matraqueado centenas de vezes no rádio e na TV – sem fazer uma só referência ao nome de Maluf ou a alguma obra que ele tivesse construído:

> *Bota esse grito da garganta pra fora/ Chegou a hora, a espera terminou. Chegou a hora de gritar em cada esquina/ Que a espera aqui termina. Bate, bate, coração! Um adesivo no carro/ Uma bandeira na mão/Vamos lá, quero ver/Só vai dar coração!*

Apesar de duramente criticado pelos adversários por fazer uma campanha oca, sem propostas e sem discussão política, o certo é que

Duda conseguiu reduzir a rejeição aos níveis mais baixos de toda a carreira do candidato, e o que parecia impossível aconteceu: Maluf venceu Plínio e Covas e foi para o segundo turno com Fleury. No dia em que foram proclamados os resultados do primeiro turno, o governador Orestes Quércia, comandante da campanha de Fleury, convidou um jornalista amigo para almoçar no restaurante de um *flat* com o núcleo do comitê: o candidato Fleury, o diretor do Instituto Gallup de Pesquisas, Carlos Matheus, o empresário Luiz Eduardo Batalha, responsável pelas finanças, e Ana Maria Tebar, secretária do governador e uma espécie de faz-tudo na campanha. Chico Santa Rita não tinha sido convidado. Estavam todos preocupados com o surpreendente desempenho de Maluf no primeiro turno e queriam mudar os rumos da propaganda eleitoral no segundo. No seu estilo direto, Quércia perguntou sem rodeios ao convidado, com quem manteve o seguinte diálogo:

– Quem é, na sua opinião, o melhor publicitário da praça?

– Washington Olivetto.

– Pergunta quanto ele quer para fazer o segundo turno para o Fleury.

– O Washington não faz campanha política.

– E o segundo, quem é?

– Nizan Guanaes.

– Então pergunta para ele.

Nizan não apenas topou como pediu um valor considerado baixo para os padrões do mercado: US$ 300 mil. Tudo acertado, o baiano anunciou que começaria a trabalhar na segunda-feira seguinte. O que ninguém esperava é que os níveis de rejeição a Nizan fossem tão altos entre a equipe de Santa Rita. Tudo, rigorosamente tudo o que o baiano sugeria era recusado pelo marqueteiro do PMDB. Sem qualquer esforço para ser polido, Chico derrubava de pronto qualquer idéia proposta por Nizan. A atmosfera das reuniões tornou-se pesada, o constrangimento era permanente. Três ou quatro dias depois de começar, o ruidoso Nizan desapareceu da campanha e nunca mais voltou. Só muito depois é que se soube que aquela era uma tática do governador. Sem querer impor o nome de Nizan a Santa Rita (o que poderia gerar uma crise desnecessária no comitê), Quércia convidou o publicitário baiano para encontrá-lo todas as manhãs em seu gabinete, no Palácio dos Bandeirantes, para um *briefing* diário. Era nesses encontros que Nizan "contrabandeava" para o governador suas propostas para o programa de TV de Fleury do dia seguinte. A partir de então, Quércia passou a chegar todos os dias às reuniões de pauta da TVT, a produtora de Santa Rita, repleto de idéias novas e criativas. Como o marqueteiro Santa Rita não sabia a verdadeira autoria delas, quase todas eram colocadas em prática sem protestos.

Até a véspera das eleições, ninguém conseguia prever quem sairia vencedor. No dia do pleito, Maluf colocou nas ruas um exército de 100 mil cabos eleitorais (ele declarara à Justiça Eleitoral ter gasto R$ 170 milhões na campanha), mas nem todo esse esforço foi suficiente. Abertas, as urnas anunciaram que o vencedor era Fleury. Maluf estava derrotado, mas Duda saíra vitorioso: sua estratégia reduzira os índices de rejeição do candidato a níveis nunca atingidos – e por escassos 2,9% teria sido ele, e não Fleury, a assumir o Palácio dos Bandeirantes.

A mudança de governo em todos os estados brasileiros não mudou em nada a crise econômica que comia solta nas ruas. Nada que chegasse a perturbar o desempenho da W/Brasil, mas o verbo enxugar continuava em vigor. No começo de 1991, os três sócios resolveram dar mais uma volta no parafuso do "encolhimento da carteira" e decidiram que a bola da vez seria um dos clientes que mais haviam dado prestígio e prêmios à agência: a Valisère – ela mesmo, a do primeiro sutiã. Fosse porque as verbas tinham encolhido com a crise, fosse por divergências de pensamento, Washington, Gabriel e Javier decidiram dispensar a conta. De novo aqui há versões contraditórias sobre como o processo aconteceu. Segundo os publicitários, o industrial Ivo Rosset, um dos donos da Valisère, aceitara os argumentos da agência e tudo parecia que ia terminar bem. Washington lembra-se do clima amistoso que havia entre eles:

– No meu último encontro com o Ivo, antes da reunião em que abri mão da conta, acertei que ia tentar arranjar patrocínio para o filho dele, Ricardo, que começava carreira como piloto de corrida.

Aos olhos do consumidor comum, essa história apareceu em março de 1991 sob a forma deste insólito anúncio, publicado nos grandes jornais do Rio e de São Paulo:

A VALISÈRE A GENTE NUNCA ESQUECE

A W/Brasil acaba de abrir mão da conta da Valisère. Mas não abre mão do carinho e do respeito por este anunciante.
Juntas, a Valisère e a W/Brasil conquistaram os corpos, os corações e as mentes das consumidoras. Juntas, a Valisère e a W/Brasil conquistaram o sonho de todos os anunciantes, transformando cada cruzado, cruzado novo e cruzeiro investido num sucesso publicitário.
Com o trabalho da W/Brasil, a Valisère conquistou resultados: milhões de unidades vendidas nos últimos quatro anos, e uma sólida imagem de marca construída. Com o trabalho feito para a Valisère, a W/Brasil conquistou prêmios: desde o Leão de Ouro do Festival de Cannes até o Profissionais do Ano da Rede Globo de Televisão.
Com a W/Brasil, a propaganda da Valisère muitas vezes fugiu do formato de anúncios, filmes e outdoors e invadiu graciosamente as páginas de revistas e o horário nobre das televisões na forma de reportagens, entrevistas e citações.
Com a Valisère, a W/Brasil também conquistou resultados: foram 21 novas contas que vieram para a agência nesses últimos quatro anos.
O crescimento da W/Brasil faz com que ela só possa ter um número limitado de clientes para que todos eles possam ser tão bem atendidos quanto a Valisère sempre foi.
Por isso estamos abrindo mão do anunciante com este anúncio. Para deixar bem claro que na W/Brasil o número de clientes é limitado, mas o número de amigos é infinito.

O impacto provocado pela bomba fez tremer as poltronas Bertoia e os sofás Barcelona da cobertura da Vila Olímpia. No dia seguinte, a imprensa registrava o anúncio como "um acontecimento sem precedentes: uma agência chutar o anunciante em praça pública". Ivo Rosset respondeu com uma polida nota à imprensa afirmando que "o eixo estratégico da Valisère e da W/Brasil há algum tempo não convergia mais". Segundo ele, "o respeito e a gratidão a trabalhos passados da W/GGK nos fazia relutar em procurar outra agência". Ivo soprava, mas Oswaldo de Oliveira, seu diretor-executivo, mordia:

– Estávamos descontentes há sete, oito meses. Aquele gás, aquele atendimento exclusivo que tínhamos antes estava deixando a desejar. Chegamos a recusar vários anúncios, a criação já não correspondia ao que era antes.

A martelada final, porém, seria dada pelo próprio Ivo Rosset. A quem entregava sua nota oficial ele informava que já tinha escolhido a nova agência da Valisère: era justamente a DM9, de Nizan Guanaes. Para aquecer ainda mais a temperatura, os jornais desenterraram um defunto que parecia jazer em paz: a W/Brasil repetia agora com a Valisère o mesmo que fizera meses antes a com Staroup. A novidade, diziam, era apenas o anúncio. Ao ver sua empresa sendo tratada como uma "descartada", André Ranschburg encheu-se de brios e entrou na briga – e entrou batendo. Após repetir a versão que publicaria no livro – a do divórcio amigável –, distribuiu uma nota para os jornais e concedeu entrevistas a quem pediu. Era briga de gente grande:

A W/Brasil não abriu mão de nossa conta. Saímos da agência porque não estávamos mais recebendo um atendimento satisfatório. Ao saber que nossa nova agência era a DM-9, porém, todo o espírito olímpico de Olivetto desapareceu, e a guerra fria durou até agora, quando fomos citados entre as agências dispensadas.
Acreditamos que a qualidade do trabalho de Washington Olivetto hoje seria muito melhor se ele desse menos entrevistas, fizesse me-

nos conferências e se preocupasse mais em vender seus clientes e menos a si mesmo.

Convocado a dar sua opinião sobre o imbróglio Valisère *versus* W/Brasil, Nizan Guanaes não se furta – e joga um pouco mais de sal na ferida:

– Quando uma agência dispensa clientes é sinal de que a propaganda dela não está ajudando muito. O que há aí é uma excessiva preocupação narcisista da W. Desta vez o Golden Boy foi bronze...

Antes que a polêmica completasse uma semana, Gabriel revelou à imprensa a razão do anúncio da W/Brasil dispensando a Valisère:

– Quando decidimos abrir mão da conta, soubemos que a DM9 preparava um comunicado à imprensa dizendo que, a exemplo do que ocorrera meses atrás com a Staroup, a W/Brasil teria perdido a Valisère para a agência de Nizan. Nossa intenção era fazer um desligamento sem traumas, mas o efeito parece ter sido o inverso.

Gabriel insistiu em que a decisão fazia parte da política de enxugamento da carteira de clientes menores, entre os quais se incluía a Valisère, que segundo ele investira menos de US$ 1 milhão em propaganda no ano anterior. Ivo Rosset contestou, alegando que a decisão da separação fora da sua empresa, insatisfeita com a qualidade e os preços do trabalho da W/Brasil:

– Fizeram anúncios péssimos, que só veiculamos por falta de tempo para substituí-los e porque a agência insistia em que estavam bons.

Rosset disparava pessoalmente em Washington:

– A presença de Washington tornou-se cada vez mais rara. Quando ele participava dos trabalhos, dificilmente rejeitávamos um anúncio.

Dois dias depois da publicação do anúncio que detonara a polêmica, Washington viajou aos Estados Unidos para contratar os serviços de uma produtora de desenhos animados. E foi de Nova York, falando por telefone aos jornais, que ele entrou de novo na briga. Sobre Ranschburg, disse apenas que "o André está querendo aparecer e se

Acima, Washington cercado pelo clã Rosset: prêmios, desavenças públicas e reconciliação. À direita, o anúncio que deu origem ao tiroteio.

A Valisère, a gente nunca esquece.

A W/Brasil acaba de abrir mão da conta da Valisère.

Mas não abre mão do carinho e do respeito por este anunciante.

Juntos a W/Brasil e a Valisère conquistaram os corpos, os corações e as mentes das consumidoras.

Juntos a Valisère e a W/Brasil conquistaram o sonho de todos os anunciantes, transformando cada cruzado, cruzado novo e cruzeiro investido num sucesso publicitário.

Com o trabalho da W/Brasil a Valisère conquistou resultados: milhões de unidades vendidas nos últimos 4 anos e uma sólida imagem de marca construída.

Com o trabalho feito para a Valisère a W/Brasil conquistou prêmios: desde o Leão de Ouro do Festival de Cannes, até o Profissionais do Ano da Rede Globo de Televisão.

Com a W/Brasil a propaganda da Valisère muitas vezes fugiu do formato de anúncios, filmes e outdoors e invadiu graciosamente as páginas das revistas e o horário nobre das televisões na forma de reportagens, entrevistas e citações.

Com a Valisère a W/Brasil também conquistou resultados: foram 21 novas contas que vieram para a agência nesses 4 anos.

Agora, esta relação que começou à 13 de novembro de 1986 chega ao fim.

O crescimento da W/Brasil faz com que ela só possa ter um número limitado de clientes para que todos eles possam ser tão bem atendidos quanto a Valisère sempre foi.

Por isso, estamos abrindo mão do anunciante com este anúncio.

Para deixar bem claro que na W/Brasil o número de clientes é limitado, mas o número de amigos é infinito.

W/Brasil

vingar porque dispensamos a conta da Staroup", o que, reiterava, fazia parte de uma política da agência:

– Tanto a conta da Valisère como a da Staroup foram dispensadas por um único motivo: suas verbas de publicidade são pequenas demais para interessarem à W/Brasil. Somos uma empresa com fins lucrativos. Posso ter duas reuniões por ano com alguém que faz pouca publicidade, não cinco por semana.

Ele tentava colocar um ponto final naquele tiroteio com um argumento irrefutável:

– Tenho todo o direito de abrir mão de contas em benefício da administração da W/Brasil. Afinal de contas, a empresa é minha.

Hábil e experimentado nas relações com a mídia, Washington sabia que uma polêmica ou uma notícia só costuma sair das páginas dos jornais ao aparecer outra, mais nova. Assim, quando a repórter Célia Chaim, então do *Jornal do Brasil* (o veículo que melhor cobriu a guerra das calcinhas), o localizou por telefone no elegante hotel Saint Regis, em Nova York, para responder a uma frase provocativa de Nizan, ele revelou enfado com a "antiguidade" daquele assunto:

– Olha Célia, quer notícia fresca, inédita? Então anote: estou me preparando para abrir uma agência de propaganda em Barcelona, a W/Espanha. Esse será nosso primeiro passo europeu para um projeto que prevê a criação de uma W/Inglaterra e uma W/Itália. Aí teremos a W/Europa.

W/Bras
W/BRASIL

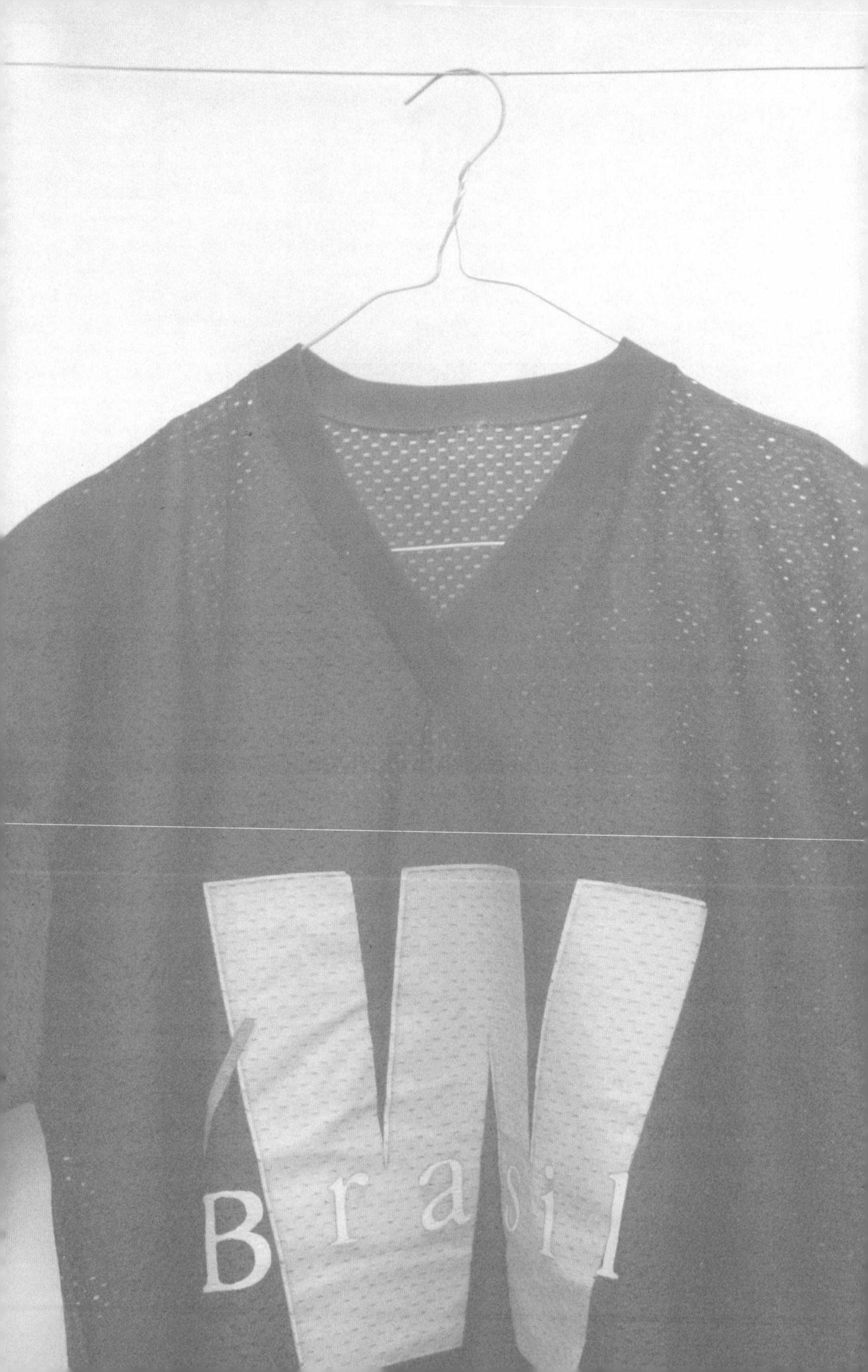
Brasil

14

A agência espalha filhotes
pelo mundo: nascem a W/Espanha,
W/USA e W/Portugal.

A tática deu certo. Uma semana depois, a briga com Rosset e Ranschburg já não merecia mais espaço na imprensa. As relações de Washington e seus sócios com o dono da Staroup nunca mais seriam as mesmas. Com os Rosset foram precisos doze anos para que as feridas cicatrizassem: a reconciliação só aconteceria em 2004, quando a conta da Valisère voltou para a W/Brasil.

Embora fossem desconhecidos da imprensa naquele começo de 1991, os planos de expandir a W/Brasil para o exterior existiam desde meados do ano anterior. A despeito do estrago produzido na economia pelo Plano Collor, a agência terminara o ano voando em céu de brigadeiro, tanto em números como em prestígio. Seu surpreendente faturamento de US$ 100 milhões (o que significava uma receita de U$ 20 milhões) levara o júri do Prêmio Caboré a atribuir a Washington um troféu até então inexistente em sua coleção, o de "Melhor Empresário da Propaganda". As limitações de um mercado como o brasileiro, que investia cerca de US$ 1,2 bilhão em propaganda por ano – cifra considerada pequena para as dimensões da economia nacional –, apontavam o exterior como uma alternativa real de crescimento.

Quando os sócios pensaram pela primeira vez em se aventurar internacionalmente, Washington já se movia com a naturalidade de um nativo no *grand monde* da propaganda dos Estados Unidos e dos principais países da Europa. Devorador de prêmios em todos os festivais de que participava, ele já fora objeto do interesse das principais publicações internacionais do meio, e merecera a atenção de outras importantes, dirigidas ao público em geral. Um publicitário bem informado, em qualquer lugar do mundo, dificilmente passaria muito tempo sem ler algo sobre ele. Podia ser uma reportagem da revista britânica *Campaign* (que incluiu a W/Brasil entre "as doze agências mais quentes do mundo"), um perfil na espanhola *Man* (intitulado "Olivetto, el león de la publicidad"), ou, glória das glórias, uma foto em cores na primeira página da *Advertising Age*, nas areias de Cannes, em companhia da produtora de cinema Patrícia Viotti, com quem se casara em 1988. Quando a sofisticada revista anglo-germânica *Archive*, considerada a bíblia da publicidade chique, fez com Washington a entrevista do mês, ele não se fez de rogado. Convidado pela revista *Exame* a escrever um artigo assinado sobre uma polêmica a respeito das taxas cobradas pelas agências, ele iniciou o texto com as seguintes palavras:

> *A revista* Archive *de novembro traz um publicitário brasileiro na sua entrevista de capa: eu. Minha primeira sensação é de alegria.* Archive, *publicada em inglês e alemão, é o resultado do* excellence in advertising *no mundo. Minha segunda sensação é de apreensão. Do jeito que as coisas andam, não acredito que um garoto de 19 anos que comece em publicidade hoje no Brasil, como eu comecei há 21 anos, venha a ser capa da* Archive *no ano 2013 por mais talento que tenha.*
>
> *A razão é simples: quando eu comecei, no início dos anos 70, o Brasil era um país de terceiro mundo que lutava para ter uma publicidade de primeiro mundo. Logo, um cara como eu, com algum talento, alguma sorte e muita vontade de trabalhar, podia perfeitamente transformar-se num personagem da publicidade mundial sem precisar sair daqui.*

Assim, não deve ter sido surpresa a notícia de que Javier, Gabriel e Washington estavam se preparando para internacionalizar a W/Brasil. Diferentemente do que eles imaginavam (e Washington revelara à repórter do *Jornal do Brasil*), sua primeira experiência como multinacional acabaria ocorrendo não na Europa, mas nos Estados Unidos. A agência já fora assediada várias vezes para se associar a congêneres espanholas. Uma das propostas fora feita por Luís Casadevall, um dos mais importantes criativos da Europa, responsável pela instalação da sucursal da gigante britânica Saatchi&Saatchi na Espanha, mas o negócio não avançou. Como o interesse em pôr os pés na Europa era grande, Javier contratou uma empresa de consultoria que os ajudasse no projeto de unir-se a uma agência consolidada e com uma boa carteira de clientes. Uma casualidade, no entanto, alterou os planos dos sócios. A Grendene, que exportava calçados populares para os Estados Unidos, pediu a Washington que lhe indicasse uma boa agência americana para tentar alavancar lá os seus produtos. O problema é que a verba que a Grendene pretendia investir em propaganda nos Estados Unidos – algo em torno de US$ 3 milhões – era pequena demais para os agressivos padrões americanos e nenhuma das agências norte-americanas indicadas por Washington se interessou pela conta. Enquanto se discutia como resolver o problema, passou por São Paulo o redator Laurence Klinger, que os três donos da W/Brasil conheciam do tempo da DPZ.

Brasileiro, filho de pai americano e mãe paulistana, o competente Laurence trazia sangue de artistas nas veias, como neto da escultora Felícia Leirner e sobrinho do artista plástico Nelson Leirner. Ele pedira demissão da DPZ no começo dos anos 80 para tentar a sorte nos Estados Unidos, e ao retornar ao Brasil, oito anos depois, era vice-presidente de criação da Leo Burnett, em Chicago, onde era responsável, entre outras, pela conta da Procter & Gamble, um anunciante que, sozinho, investia a mesma coisa que todos os anunciantes brasileiros juntos: US$ 1,2 bilhão por ano. Em um encontro com Washington, ele contou que chegara ao cargo mais alto que poderia ambicionar um não-acionista da Leo Burnett. Sem ter para onde crescer, as alternativas para o futuro eram apenas duas: assumir a direção da agência na Inglaterra ou no Brasil. Casado, pai de três filhos e instalado em Chicago fazia quase uma década, Laurence não se interessava por nenhum dos dois lugares. Ao ouvi-lo dizer que preferiria deixar a Leo Burnett e iniciar uma carreira solo, lá mesmo nos Estados Unidos, Washington pulou da cadeira:

– Quer montar uma agência em sociedade conosco nos Estados Unidos?

Um mês depois começava a funcionar em Chicago a W/USA. Habituados à pachorrenta burocracia brasileira, os três brasileiros se espantaram ao saber que Laurence levara apenas 24 horas para registrar a empresa. "Os americanos são a favor dos negócios", disse ele, "e isso torna tudo mais fácil." Como dote de casamento, Laurence levou para a W/USA cinco contas – consideradas pequenas pelo mercado americano, mas altamente lucrativas para os padrões brasileiros: o licor Kamora Coffee, fabricado pela gigante Jim Beam Brands; a Great American Backrub, uma rede nacional de franquias de casas de massagens terapêuticas; a Mikado, fabricante de porta-CDs; uma revendedora de automóveis Suzuki de Chicago; e a área de promoção da rede de *fast-food* Burger King. Além da grife, a W/Brasil entrava com a conta americana da Grendene, um cliente modesto, mas promissor: se desse certo a operação em curso na época para transformar Xuxa – garota-propaganda de vários produtos Grendene – em ídolo da comunidade hispânica nos Estados Unidos, a verba original de U$ 3 milhões se multiplicaria várias vezes. A W/Brasil acabou arranjando um novo cliente brasileiro para a W/USA: a indústria Amazonas, sediada em Franca, no interior de São Paulo, produtora e exportadora de solados de borracha para calçados.

O projeto parecia oferecer poucos riscos: com o faturamento da pequena carteira de clientes, a agência se pagaria e ainda daria lucro. Se conseguisse veicular boas peças na mídia americana de alcance nacional, a W/USA daria seu primeiro passo: provar que era possível fazer propaganda da melhor qualidade mesmo que o cliente gastasse menos de US$ 10 milhões por ano – sendo, assim, descartado pelas agências americanas. "É nesse nicho que a W/USA espera prosperar", dizia Gabriel Zellmeister ao jornal *Gazeta Mercantil*. "Há um grande espaço para boas agências que queiram aceitar pequenas contas." Segundo ele, além de talento, a W/USA estava em condições de oferecer algo raro em momentos de crise – custos baixos:

– Vamos aproveitar a estrutura operacional da W/Brasil para reduzir sensivelmente os custos de produção. Um comercial produzido nos Estados Unidos custa no mínimo US$ 300 mil. No Brasil, o mesmo filme, com o mesmo padrão de qualidade, ficaria na casa dos US$ 100 mil.

Constituída por uma microequipe, a W/USA inteira cabia numa pequena sala: além de Laurence, lá trabalhava apenas sua mulher, Vera, uma vez que os demais serviços eram terceirizados. Não só cabia como efetivamente funcionava na sala 510 de um prédio da avenida New Orleans, em Chicago. Pouco depois de instalada, a agência debutou com a veiculação de seu primeiro anúncio em inglês. Habituados a veicular seu trabalho em horário nobre na TV e nas contracapas das mais importantes revistas do Brasil, os sócios da W/Brasil tiveram que se consolar com uma estréia bem mais modesta na meca mundial da publicidade. Foram cinco anúncios de página inteira, produzidos para as indústrias Amazonas, veiculados apenas na *Footwear News*, uma tradicional revista dedicada ao mundo da indústria e da moda dos calçados. Laurence aproveitou a onda verde que cobriu o mundo depois da conferência ambiental Eco-92 e criou anúncios "apresentando" aos americanos a tal Amazônia de que tanto se falava. O primeiro deles era uma piada com a sofisticada Rodeo Drive, a alameda onde se situa o comércio mais chique de Los Angeles e considerada o local com a mais alta concentração de automóveis Jaguar por metro quadrado do planeta. Era a enorme foto de uma onça – *jaguar*, em inglês – ocupando a página inteira da revista. Na parte inferior vinham um título e um pequeno texto, fechados dentro de um boxe:

> SIM, HÁ UM LUGAR COM MAIS
> JAGUARES QUE BEVERLY HILLS
> *E mais 223 variedades de beija-flores, 600 tipos de rãs e dois terços de todas as plantas conhecidas pelo homem, inclusive a primeira árvore a produzir borracha na Terra.*

Esse lugar é o Amazonas. Passados 46 anos, não podemos imaginar um nome melhor para nossa companhia. Não só fomos os primeiros a produzir solas de borracha no Brasil, mas hoje temos os melhores designs e uma variedade de cores, tamanhos, densidades e texturas maior que qualquer outro produtor.

É por isso que você vai achar solados Amazonas nas lojas que vendem os melhores sapatos do mundo. Inclusive na Rodeo Drive.

Em pleno processo de implantação da W/USA ressurgiu a idéia de abrir na Europa um novo braço da W/Brasil – e mais uma vez o destino era a Espanha. Como a sociedade com Casadevall não dera certo, pensou-se em pura e simplesmente comprar uma agência. A escolhida foi a MMLB, uma empresa que tivera seu período de glória nos anos 70 e que, supunham os donos da W/Brasil, voltaria a brilhar depois de um banho de criatividade. Quando as negociações estavam avançadas, porém, a compra foi atravessada pela poderosíssima americana DDB – Doyle, Dane & Bernbach, que entrou com dinheiro (o que não estava nos planos da W/Brasil) e a promessa de incorporar à MMLB uma sólida carteira de clientes internacionais. Os brasileiros caíram fora do negócio. Não faltavam, no entanto, candidatos à mão de "*uno de los más creativos publicistas del mundo*", como o tratava a imprensa especializada. A oportunidade acabou surgindo por sugestão dos consultores espanhóis contratados pela W/Brasil. Tratava-se da Alta Definición, uma agência média instalada em um velho e elegante prédio da Rambla Catalunya, no coração de Barcelona, com uma carteira de dezenove clientes com investimento publicitário anual de cerca de US$ 30 milhões, entre os quais alguns de grande porte, como a rede bancária Caixa de Catalunya, a empresa aérea Spanair, a indústria eletrônica Panasonic, a rede espanhola de revendedores de veículos Renault e a indústria de móveis francesa Habitat. No dia 6 de outubro de 1992, o elegante restaurante Lola, no centro da capital catalã, foi fechado para um almoço com a imprensa: a partir daquele momento a Alta Definición passaria a se chamar Alta Definición &

Uma onça brasileira
vira jaguar no primeiro anúncio
criado pela W/USA.

Washington Olivetto – um nome provisório, que logo seria substituído por W/Espanha. Os números da divisão de capital da nova empresa não foram divulgados na época, mas dizia-se que os brasileiros eram majoritários. Conforme registrou a revista *Anúncio* (que dera a notícia em manchete de primeira página: "Washington Olivetto chega à Espanha"), "não foram divulgados números concretos, mas tudo indica que não houve desembolso monetário algum [para os brasileiros]". Os termos do contrato permitiam deduzir, a partir do faturamento da Alta Definición no momento da associação, que a marca W/Brasil valia, segundo cálculos conservadores, algo em torno de US$ 15 milhões.

Já fazia alguns meses que a W/Espanha funcionava quando os espanhóis e os brasileiros receberam uma consulta idêntica de dois clientes, um brasileiro (a indústria de cosméticos O Boticário) e um espanhol (a companhia aérea Spanair). Assim como a Grendene lhe solicitara ajuda para contratar uma agência nos Estados Unidos, os dois queriam o mesmo, mas para entrar no mercado português. O pedido da Spanair e d'O Boticário levou Javier e Gabriel a fazerem cálculos e pesar os prós e contras de uma nova aventura. Com dois clientes médios na mão, a possibilidade de abrir um escritório em Portugal não era um sonho remoto. Além da proximidade geográfica com a Espanha – o que diminuiria os custos da operação –, Portugal era o único país europeu capaz de oferecer aos brasileiros uma facilidade essencial no ramo da comunicação: o mesmo idioma (o que permitiria usar o apoio do fortíssimo time de treze criativos da W/Brasil no novo projeto). Com a entrada do país na Comunidade Econômica Européia, em 1986, uma massa de investimentos da ordem de US$ 50 bilhões vindos dos governos da Europa rica transformara a modesta economia portuguesa em um mercado tentador. Após algumas prospecções no mundo publicitário lusitano, os sócios da W/Brasil preferiram, como nos Estados Unidos (e ao contrário do que fora feito na Espanha), montar uma agência nova, em vez de se associarem a alguma já existente. Como parceiro em Portugal, o escolhido foi o radialista lisboe-

Anuncios

535
Semana del 19 al 25 de octubre de 1992

940 Ptas.
Con suplemento mensual, 1.600 pts.

SEMANARIO DE LA PUBLICIDAD

Manuel Idiarte, cesado en Antena 3 TV

Manuel Idiarte ha sido cesado de su cargo como director comercial de Antena 3 TV. En su lugar se ha nombrado nuevo director general comercial a Carlos Lapuente, quien tan sólo hace unas semanas fue promovido a vice director general de Publiespaña, tras dos años como director comercial de la misma. Lapuente tomó posesión de su nuevo cargo el pasado martes, una semana después de que la dirección de la compañía notificase a Idiarte su decisión. Para hacerse cargo de la vacante dejada por Lapuente en Publiespaña ha regresado a nuestro país Claudio Noziglia, director de Publitalia. Este fue el hombre de Fininvest encargado, hace cuatro años, de poner en marcha la empresa de exclusivas en España.

En declaraciones hechas a este periódico, Lapuente afirmó que "se trata de un reto muy importante, pero muy bonito, para el que cuento con todo el equipo comercial de Antena 3 TV". Respecto a éste manifestó que aún no ha tomado ninguna decisión sobre posibles ampliaciones ya que, según dijo, todavía está

De pie, de izquierda a derecha, Gabriel Zellmeister, José Miguel Alonso y Ricard Gresa. Sentados, Javier Llusá y Washington Olivetto.

Washington Olivetto llega a España

Tras el acuerdo de asociación firmado con Alta Definición

El creativo brasileño Washington Olivetto cuenta por fin con una oficina en España, tras dos años de búsqueda de un socio en nuestro país. La operación, que se ha producido gracias al asesoramiento de Consultores de Publicidad, [...]rró hace

to la modificación del nombre de la agencia catalana, que pasa a llamarse Alta Definición & Washington Olivetto.

La nueva compañía tiene sede en Barcelona aunque, antes de finalizar el año, contará también con otra oficina [...] funcionará de

Barcelona, y Gabriel Zellmeister, que ocupará la vicepresidencia de Madrid. Por parte de Alta Definición, José Miguel Alonso es consejero delegado y director general y Ricard Gresa, vicepresidente ejecutivo y director creativo ejecutivo.

Lowe renuncia a la cuenta eruopea de Gatorade

● La decisión del grupo británico se ha debido a posibles conflictos entre las cuentas Gatorade y Coca Cola. La agencia que manejaba la cuenta de la bebida istotónica en nuestro país era Lowe FMS *(Página 2)*.

Jaime Erasun, director general de Central de Producción y Publicidad

● Hasta ahora había trabajado en CDP Europe, como director de servicios al cliente. En su nuevo puesto sustituye a Juan José López Gregorio quien, a su vez, ha comenzado a trabajar en Izquierdo & BB Madrid, como director técnico *(Página 14)*.

Estudios Borrás se convierte en Magia Borrás

● Estudios Borrás, productora barcelonesa propiedad de Santiago Borrás Ibáñez, ha dejado de operar como tal para convertirse en Magia Borrás. A partir de ahora, trabajará, sobre todo, mediante personal freelance *(Página 14)*.

Javier, Gabriel e Washington na capa de um jornal espanhol: a W/Espanha vem aí.

ta Jayme Mourão Ferreira Filho, membro de tradicional família de diplomatas, e na época diretor da criação da DDB Lisboa, o braço português da Doyle, Dane & Bernbach. A W/Brasil aportaria inicialmente as contas d'O Boticário e da Spanair, e Jayme Mourão traria consigo nada menos que doze clientes da DDB, entre os quais alguns de grande porte, como a Portugal Telecom e a indústria de caminhões Iveco, controlada pela italiana Fiat.

Nenhum dos sócios da W/Brasil tinha ilusões de que a marca W/ viesse a se transformar em uma grande multinacional da propaganda. Eles sabiam que isso era um privilégio das grandes agências americanas e de algumas poucas européias, que desembarcavam nos países trazendo na bagagem clientes com operações globais. Segundo Washington, bastava ser uma pequena multinacional criativa – "o que já é demais", sublinhava ele com sua indestrutível imodéstia, "para quem começou há oito anos sonhando apenas em ser apenas a melhor agência do Brasil". Quando a experiência internacional completou um ano, a W/Espanha se convertera, de longe, no melhor dos três negócios. Ela fechara o balanço com um faturamento de mais de U$ 40 milhões, o que significava um aumento de 35% – em um país com inflação quase inexistente. A W/USA e a W/Portugal não só operavam no azul, como começavam a aparecer nos festivais internacionais: no segundo ano de funcionamento, a W/USA recebeu dois prêmios em Cannes, na categoria "mídia impressa", com anúncios feitos para o licor Kamorra. A inexperiência em operações internacionais, no entanto, fez os brasileiros quebrarem a cabeça até colocar as três empresas no eixo, como registrou Washington em artigo publicado na época:

Erramos muito nos seis primeiros meses, particularmente na Espanha e em Portugal. Tranqüilos com o Laurence em Chicago, resolvemos dar apoio pessoal às operações européias. Isso nos custou uma série de viagens malucas nos finais de semana e feriados brasileiros com a intenção de trabalhar por lá, coisa que na verdade teve pouca utilidade prática. Mas aprendemos a lição: com o satélite, o

Uma camiseta festeja
as W/ dos EUA e da Espanha.
Mas ainda faltava Portugal.

fax e o computador, agora você pode estar presente profissionalmente sem estar presente fisicamente.

Mesmo com satélite e computador, pilotar à distância três agências de propaganda em lugares diferentes do mundo exigia uma energia adicional dos brasileiros. Como a W/USA, após dezoito meses de funcionamento, não apresentasse crescimento substantivo, foi ela a primeira vítima. Um dia, Laurence telefonou de Chicago para Washington e desabafou:

– Para esta agência dar certo vocês teriam que morar nos Estados Unidos.

A resposta estava na ponta da língua:

– Não, para essa agência dar certo nós teríamos que ter nascido aí.

Após uma longa conversa entre Laurence e Javier, a agência acabou sendo fechada, mas a parceria com Laurence permaneceu. Convidado pelos donos da W/Brasil, ele aceitou o que recusara antes – mudar de país – e foi para Barcelona dirigir a criação da W/Espanha. Mesmo considerando que a W/USA não dera os resultados esperados, a operação internacional continuava sendo um sucesso devido ao desempenho das duas W/ européias. O trabalho andava bem tanto na Espanha como em Portugal, mas com o passar do tempo os sócios da W/Brasil começaram a perceber que incorriam no pecado que mais criticavam nas megaagências internacionais: a tentação de fazer propaganda num país que não o seu, sem a necessária, essencial inclusão na cultura local – o que valia tanto para eles como para Laurence, que também era um estrangeiro na Espanha. Washington continuava acreditando no que vivia repetindo: "A melhor propaganda ainda é aquela que é feita pela melhor agência de cada país". Mas não foi por aí que surgiram os problemas que acabariam detonando a W/Espanha. O primeiro deles ocorreu e foi contornado em 1993 (cerca de um ano após a transformação da Alta Definición em W/Espanha, quando os brasileiros entraram no lugar dos catalães Luis Casadevall e Salvador Pedreño): o sócio e diretor de criação Ricard Gresa abriu uma filial da agência em Madri, mesmo sem ter clientes lá e sem a anuência dos novos parceiros. A solução foi a saída de Ricard da Alta Definición que, em troca, ficou com a agência de Madri sob novo nome. Ainda em 1993, Gabriel passou quatro meses na Espanha e participou da conquista de cinco novos clientes. A operação parecia salva. Apenas alguns meses depois começaram a chegar notícias da perda dos clientes ganhos e José Miguel ligou para Gabriel dizendo: "*Tienes que quedarte acá. Los clientes se fijaram muchísimo en tí*". Sem intenções de passar a viver na Espanha e decidido o fechamento da W/USA, veio a idéia e o convite de passar para Laurence a tarefa de cuidar do mercado espanhol e europeu. Como Gabriel, Laurence também era fluente em inglês, alemão, francês, italiano e espanhol, característica essencial em um mercado que começava a se unificar na prática – os diretores dos grandes clientes na Espanha eram suíços, belgas, ingleses, franceses, e a maioria dos publicitários espanhóis, quando muito, falava apenas inglês.

A chegada de Laurence, porém, desencadeou uma cisão interna: a equipe espanhola não aceitou ser comandada por aquele gringo, por mais competente que fosse – ou até por isso mesmo. Após mais alguns anos, em 1997, Gabriel foi à Espanha por quinze dias para fazer uma nova análise da agência. Olhou números, ouviu os reclamos do diretor-geral José Miguel Alonso, que se sentia desesperado "*sin apoyo de una gran estructura multinacional*" e, principalmente, observou o clima tenso que dominava a empresa. No último dia dessa visita, ligou para Javier e Washington e comunicou:

– Eles não têm mentalidade de empresários, são excelentes funcionários de uma multinacional. A melhor coisa que temos a fazer com a W/Espanha é sair dela. Vou tirar uma semana de férias na Riviera francesa e quando chegar aí explico tudo a vocês.

No dia seguinte, ao chegar em Cap d'Antibes, sua nova namorada Ana Carolina, naquele primeiro dia da primeira viagem que faziam juntos, teve de levá-lo às pressas para a Clinique St. Jacques, onde os médicos diagnosticaram um começo de úlcera. Meses depois, Javier e

Washington, após terem ouvido e concordado com a avaliação de Gabriel, ligaram para José Miguel, liberando-o para a busca de novos parceiros. E assim, no início de 1998, este se associou à BOM – Bassat Ogilvy & Mather, do poderoso grupo multinacional WPP. A W/Espanha voltaria a se chamar Alta Definición e operaria como agência independente do grupo, até o final de 2003. Quando a BOM se fundiu com a Alta Definición, José Miguel Alonso tornou-se o principal executivo da nova empresa.

O esforço dos três sócios durante o período em que estiveram envolvidos na administração das W/ estrangeiras não afetou o desempenho da W/Brasil. Ao contrário, quando terminou 1994, ano em que as três estavam em pleno funcionamento, ela era a terceira maior agência do país (atrás apenas da americana McCann Erickson e da DPZ), com um faturamento anual de US$ 180 milhões. A surpresa, no entanto, não estava na presença da W/Brasil no terceiro degrau do pódio – algo esperado pelos analistas. A novidade situava-se no oitavo lugar, ocupado pela DM9, então com um faturamento beirando os US$ 100 milhões. A entrada de Nizan Guanaes para valer na briga das grandes começara em 1992, ano em que conseguiu dobrar o faturamento da DM9, de US$ 17 milhões para US$ 35 milhões. Como parte desses recursos vinha de três ex-clientes da W/Brasil – a Valisère, a Staroup e a Antarctica (esta conta fora entregue à agência de Washington e depois repartida com a DM9) –, era natural que a rivalidade entre os dois publicitários fosse atiçada pela imprensa. Quando Nizan lançou, para o guaraná Antarctica, o slogan "Sabor pra valer", deliberadamente calcado em cima do "Emoção pra valer" da concorrente Coca-Cola, Washington ironizou. "O Nizan escolheu nessa campanha o caminho do óbvio", alfinetou, "e o óbvio em propaganda costuma funcionar." A bola da vez agora não era Olivetto, mas o exuberante baiano de 1,80 metro e 110 quilos, a quem o publicitário Enio Mainardi chamava de "cópia xerox de Washington":

– O Nizan é o expoente de uma síndrome que tomou conta da publicidade: se o *spot* não o procura, ele procura o *spot*. Você vê um anúncio e não sabe se é para vender o produto ou o publicitário. É como se o Pitanguy consertasse o nariz de uma madame e assinasse com um bisturi na bochecha dela.

Como um espadachim florentino, Roberto Duailibi era mais sutil, deixando em dúvida se elogiava ou criticava o concorrente:

– O Nizan é a prova viva de que o barroco da Bahia não morreu.

Mas não adiantava provocar, porque Nizan estava em São Paulo para ganhar dinheiro, não para brigar. "O que melhor se pode fazer para pirraçar o Enio Mainardi", respondeu, "é não polemizar com ele." Sobre a frase de Duailibi, ele saía pela tangente: "Aprendi com meu amigo [o empreiteiro] Sebastião Camargo que só os bobos brigam". Quanto a Washington, com quem estava rompido desde a crise da Valisère e da Staroup, Nizan parecia mais interessado em pacificar a relação, referindo-se a ele como "o maior publicitário brasileiro", alguém que significava para a propaganda "o mesmo que João Gilberto para a música brasileira":

– É muito importante a reaproximação com o Washington. Por exemplo: sou jurado do próximo Festival de Cannes. Não faz sentido eu chegar lá em litígio com alguém que é um dos maiores expoentes do meu país.

Se o temor era esse, ele não precisaria se preocupar: pela primeira vez, em mais de vinte anos, Washington – ou seja, a W/Brasil – não ia participar de festivais. Mais do que isso, ele havia declarado guerra contra uma velha malandragem existente em quase todas as premiações nacionais e estrangeiras – inclusive em Cannes: o anúncio fantasma. Este é o nome dado aos comerciais premiados que não têm aprovação dos clientes e, portanto, nunca são exibidos. Como exemplo mais escandaloso dessa prática, Washington citava o caso do amigo espanhol Luís Casadevall (o mesmo com quem a W/Brasil estivera prestes a se associar), que recebera um Grand Prix em Cannes por um comercial de uma cola doméstica que entraria para a história da propaganda. Nele, a madre superiora de um convento descobre que o pênis de uma estátua de anjo barroco estava quebrado. Ela pega um tubo de cola, passa na parte quebrada e a recoloca no lugar. Por um ato falho, porém, ela cola errado, deixando o pipi com a ponta para cima, como se estivesse em ereção. Uma voz em *off* entrava para assinar o anúncio: "Tenha sempre em casa a cola tal". O filme seria celebrizado como um dos raros sucessos de crítica e público em Cannes – não fosse a particularidade de que não só o comercial era fantasma. O cliente também não existia. Sim, Casadevall tivera uma boa idéia e, sem um cliente para apresentá-la, inventou um nome de cola e produziu o filme assim mesmo.

A bronca não era apenas contra Cannes, mas também com o Clube de Criação de São Paulo, que Washington acusava, da mesma forma, de aceitar a inscrição de material inédito – segundo ele, um terço do material premiado pelo CCSP no ano anterior era fantasma. Para pôr as coisas a limpo, ele anunciou que só uma mudança o faria recuar da decisão de não mais disputar prêmios:

– A W/Brasil topa concorrer com uma condição: se premiarem algum anúncio fantasma, queremos de volta o dinheiro das nossas inscrições.

E não era pouco dinheiro: naquele ano a agência deveria gastar cerca de US$ 60 mil apenas nas inscrições de peças para o Festival de Cannes. O presidente do Clube de Criação, Luiz Toledo, respondeu que concordava com as queixas de Washington, mas que isso só poderia ser modificado no regulamento do ano seguinte. "Aceitar as condições da W/Brasil", disse ele, "seria como mudar a regra depois de iniciado o jogo." A polêmica trouxe Nizan de novo para a rinha. O dono da DM9 se surpreendeu com as denúncias de Washington, segundo ele um dos redatores do regulamento do Clube de Criação e premiado por anúncios fantasmas:

– Eu trabalhei com ele e sei que essa conversão é nova. Ele fez o regulamento e agora está reclamando. Para mim pode ter o regulamento que tiver, que está bom.

Washington desafiou Nizan a provar que ele já fora premiado com anúncios inéditos, mas reconheceu ter mandado dois fantasmas para Cannes:

– A primeira vez foi por falta de informação: inscrevi um anúncio feito para o absorvente feminino o.b., que tinha sido aprovado e não foi veiculado. Felizmente não ganhou nada. O segundo foi um comercial que fiz para um vizinho de praia, dono do adoçante Assugrin. Mandei para o festival pensando que ia ser veiculado, mas ele desistiu. Esse filme também não recebeu nenhum prêmio – e nem merecia mesmo. Foram dois erros resultantes da minha imaturidade na época.

Marcelo Serpa, vice-presidente de criação da Almap, que meses depois representaria o Brasil no júri de mídia impressa do Festival de Cannes, também tirou sua lasca na briga:

– As campanhas fictícias sempre existiram. Mas a verdade é que o mercado inteiro sempre fez anúncio fantasma e agora alguns querem posar de vestais.

Washington jogou mais lenha na fogueira. Escreveu artigos denunciando o que chamava de "falcatrua" e publicou-os na *Folha de S.Paulo* e na revista londrina *Media International.* Os recursos que a W/Brasil tinha reservado para pagar as taxas de inscrição em Cannes e no Clube de Criação foram utilizados na edição de um anuário *sui generis*: uma revista gigante de 70 por 40 centímetros, com 36 páginas e pesando 1,7 quilo, idealizada por Gabriel. Na capa, uma cascavel morta, ao lado de um taco de beisebol, dispensava qualquer legenda: em bom português a W/Brasil dizia que matava a cobra e mostrava o pau. Nas páginas internas estavam as 535 peças, entre fotogramas de comerciais, *outdoors*, anúncios, *spots* e *jingles*, que a agência pretendia inscrever nos festivais daquele ano. Com uma tiragem de 5 mil exemplares, o "Mata a cobra" foi distribuído aos sócios do Clube de Criação, à imprensa, aos clientes e amigos da agência e vendido em algumas bancas de jornais de São Paulo e do Rio. Washington parecia mesmo decidido a transformar aquilo em uma bandeira. Enviou o gibizão a todos os publicitários importantes da Europa e dos Estados Unidos, pedindo apoio para a campanha contra os comerciais fantasmas. Junto ia uma cópia da carta que ele mandara ao americano Frank Lowe, dono da Lowe, Howard-Spink e que seria o presidente do júri de Cannes daquele ano. No texto, Washington denunciava que "cerca de 80% das peças inscritas por Espanha, Itália e Portugal não são premiáveis por serem inéditas", e sugeria que se criassem comissões para fiscalizar se os anúncios inscritos tinham de fato sido exibidos. No fim da carta, advertia para um risco adicional:

Essa postura vaidosa das agências pode levar clientes a retraírem seus investimentos. Com certeza eles desenvolverão um raciocínio que pergunta: se vocês gostam tanto de trabalhar de graça para si mesmos, por que não trabalham de graça para mim?

Tanto Washington como seus sócios pareciam ter aprendido a lidar com polêmicas públicas, tantas foram as ocorridas desde a fundação da agência. Uma das primeiras, para desgosto de Washington, iria deixar magoado seu maior ídolo musical, o baiano João Gilberto. A W/Brasil tinha poucos meses de vida quando colocou no ar um comercial d'O Boticário embalado pela voz de veludo do cantor, entoando os versos da canção *Coisa Mais Linda*, de Carlinhos Lyra e Vinicius de Moraes, uma canção que fala da beleza e do perfume femininos:

Coisa mais bonita é você/ Assim, justinho você, eu juro/ Eu não sei por que você/ Você é mais bonita que a flor/ Quem dera, a primavera da flor/ Tivesse todo esse aroma de beleza/ Que é o amor, perfumando a natureza/ Numa forma de mulher.

O anúncio tinha um charme adicional, que era o fato de que João Gilberto não autorizava o uso de sua voz para comerciais desde 1961, quando gravara um *jingle* para o sabonete Lever, hoje Lux. Três anos depois, ele em pessoa gravaria um comercial para a cerveja Brahma, dirigido por Walter Salles Jr., mas aquele para o d'O Boticário seria o primeiro em trinta anos. A W/Brasil pagou os US$ 60 mil exigidos pela

Um gibizão para lutar
contra os anúncios fantasmas:
a W/Brasil mata
a cobra e mostra o pau.

gravadora Emi/Odeon, detentora dos direitos, pela utilização da música por seis meses. O que a agência ignorava é que João Gilberto estava em litígio judicial com a gravadora. Washington ficou desolado ao ler nos jornais que o cantor tinha ficado "muito magoado" com o episódio. Meses depois a agência se veria de novo metida em encrencas, dessa vez por causa de um título criado para as indústrias Amazonas. Grande fabricante também de cola de sapateiro, a empresa excluíra da composição do produto o tolueno, solvente que, se aspirado, provoca alucinações nas pessoas. Por causa do tolueno esse tipo de cola se tornara a droga preferida de meninos de rua da maioria das grandes cidades brasileiras. O título do *display* que seria espalhado por revendedores de todo o Brasil foi criado por Marcelo Pires e não usava meias palavras: "*Chegou Amazonas, a primeira cola de sapateiro que não dá barato*".

Deu dor de cabeça. Bastaram os *displays* chegarem ao comércio para o médico e deputado federal Arlindo Chinaglia (PT-SP) entrar com um pedido de abertura de inquérito junto ao Ministério Público e à Delegacia de Polícia de Defesa do Consumidor para apurar a "difusão de propaganda enganosa". Chinaglia sustentava que, embora tivesse retirado o tolueno da cola, a Amazonas continuava utilizando o hexano, produto menos tóxico, mas capaz de induzir ao vício como o outro. Procurado pelos jornais, Washington respondeu que uma agência não tinha meios de analisar a composição química de cada produto anunciado:

– Não possuímos um laboratório na agência e, portanto, não há nada o que possamos fazer além de acreditar no que o cliente nos informa.

O deputado rebateu:

– Não precisa ter um laboratório dentro da agência, mas o publicitário poderia exigir um laudo do fabricante antes de concordar em fazer a propaganda.

Os cartazes foram recolhidos. Outro bate-boca público aconteceu quando a W/Brasil decidiu que passaria a "assinar" também seus comerciais de TV. A "assinatura" de uma peça – ou seja, a agência colocar seu nome, em letras minúsculas, num cantinho do anúncio – era costume comum na propaganda de todo o mundo, mas apenas em mídia impressa, ou seja, jornais e revistas. Na começo dos anos 90, algumas agências européias passaram a "assinar" também os comerciais de TV: por um rápido instante, o nome da agência aparecia, também em letras quase invisíveis, no canto inferior da tela. O velho desafeto Roberto Duailibi pulou com os dois pés no peito da idéia:

– Isso é imoral. É usar o espaço pago pelo cliente para se autopromover.

Duailibi concordava com a assinatura em mídia impressa, mas acreditava que na TV ela poderia confundir o telespectador, desviando sua atenção da mensagem do anunciante. "Se eu fizesse os comerciais que o Roberto faz", alfinetou Washington, "eu também não assinaria." E reafirmou que "se a assinatura prejudicasse o anunciante, ninguém assinaria nada na Europa e meus clientes não iam autorizar". Duailibi, na verdade, não parecia estar só em sua discordância, a julgar pela opinião de outros donos de agências sobre o assunto – coisas como "o espaço é do cliente, não da agência" (Petrônio Correia Filho, diretor-geral da MPM), ou "o consumidor não precisa saber qual é a agência, mas os atributos do produto anunciado" (Eduardo Fischer, da então Fischer & Justus). Ouvidos pelos jornais, os anunciantes se dividiram. André Brett, dono da grife Vila Romana, descartou a idéia. "Na propaganda da minha empresa", declarou, "quem tem que aparecer é o produto, não a agência." Já o industrial Renan Proença, dono da fábrica de artigos de couro Fasolo, pensava diferente:

– Todas as agências deviam seguir o exemplo do Olivetto. A assinatura facilita a vida do anunciante, que fica logo sabendo quem fez uma boa ou má campanha.

A idéia murchou ao bater em um paredão intransponível: a TV Globo, onde eram veiculados 70% dos comerciais produzidos pela W/Brasil, anunciou que não colocaria no ar anúncios assinados. A menos, é claro, que a agência aceitasse pagar por isso. Segundo o diretor comercial da Globo, Antonio Athayde, a assinatura equivaleria a um comercial que dissesse: "Pegue seu Fusca e venha comer um delicioso sanduíche no McDonald's":

– É claro que temos que cobrar como se fossem dois anunciantes.

Athayde disse que a Globo estaria disposta a rever sua posição, desde que a associação das agências adotasse a assinatura como norma, mas como a ABAP – Associação Brasileira das Agências de Propaganda jamais colocou o tema em discussão, o assunto morreu.

Outros abacaxis tiveram que ser descascados, como o processo que o piloto Ayrton Senna moveu contra a W/Brasil pelo que considerou "uso indevido de seu nome" em um anúncio no qual era reproduzida uma frase dita por ele ("a primeira Ferrari a gente nunca esquece"), curiosamente inspirada no famoso comercial do primeiro sutiã. Doutra feita o Sindicato dos Professores do Estado de São Paulo pediu a retirada do ar de um comercial das sandálias Melissinha em que uma garotinha escondia a cola, em uma prova escolar, no salto do calçado.

A mais ruidosa de todas as polêmicas, porém, ocorreu no auge da chamada "guerra dos sabões em pó". A marca que dominava o mercado fazia muitos anos era o Omo, fabricado pela Gessy-Lever. Durante um ano seguido a Bom Bril, que fabricava o sabão em pó Quanto, acossou o concorrente com dezenas de comerciais para a TV, todos apresentados pelo Garoto Bombril. O personagem apelava para os "quinze anos de amizade" com as donas de casa e insistia em que nunca dissera uma mentira a elas. A campanha revelou tamanha força que no começo de 1993 anunciou-se que o Quanto já conquistara 20% do mercado antes pertencente ao Omo. A Lintas, encarregada da propaganda do Omo preparou um comercial-resposta que prometia arrasar quarteirões.

Em um auditório da produtora Espiral foram reunidas setenta donas de casa recrutadas aleatoriamente pela agência em supermercados, bancos e filas de ônibus. No palco ficaram um engenheiro e um químico do IPT, o Instituto de Pesquisas Tecnológicas da USP, e um auditor da Price Waterhouse. O mestre-de-cerimônias era o jornalista Paulo Markun, âncora do programa *Roda Viva*, da TV Cultura. Seguindo o roteiro, ele mergulhou quatro pedaços de algodão branco em um recipiente cheio de "solução de sujeira" – uma gosma composta de caldo de grama de jardim, raízes, terra, caldo de verdura, sangue de boi, tinta nanquim e óleo de soja. Após uma hora de imersão, quando os pedaços de tecido estavam uniformemente impregnados de sujeira, eles foram colocados em um varal. Como a secagem ideal, segundo os técnicos, levaria quinze horas para se completar, todos foram dispensados e convidados a retornar no dia seguinte. O local foi lacrado pelo auditor e reaberto 24 horas depois, na presença de todas as testemunhas. Os pedaços de tecido seco foram então introduzidos em quatro máquinas de lavar roupas que desde o dia anterior já se encontravam no palco. Cada uma delas continha água e uma marca de sabão em pó diferente: Quanto, Veo, Minerva e Omo. Foram necessárias mais duas horas de espera para que as máquinas pudessem lavar o material de teste. Só então os técnicos do IPT deram seu parecer:

> *Todos os presentes a esta demonstração confirmaram que o tecido com sujeira lavado na solução do detergente OMO DUPLA AÇÃO COM NIPOLASE estava branco, enquanto que os demais retalhos de tecido lavados nos três outros detergentes em pó apresentavam cor cinza, indicando diferentes graus de sujidade.*

Na hora de editar o comercial, a Lintas concluiu que seria impossível reduzir as quase oito horas de imagens gravadas para que coubessem em um comercial padrão, de 30 segundos de duração. Ainda que se utilizasse um minuto, o tempo seria insuficiente para exibir o filme sem mutilar o roteiro. Confiantes na consistência do comercial, agência e anunciante tomaram uma decisão sem precedentes no mercado: iam comprar todo o *brake* – o intervalo comercial entre os blocos da programação das TVs – e colocar no ar um filme de três minutos de duração, tempo em geral só utilizado integralmente quando autoridades públicas solicitam a formação de redes para comunicados que julgam importantes à população. O impacto provocado pelo "Omo faz, Omo mostra" parecia ter jogado o Quanto nas cordas.

A primeira providência tomada pela W/Brasil foi contratar a empresa InterScience para realizar uma pesquisa qualitativa com a bomba da Omo. Um grupo de donas de casa foi convidado para assistir e comentar o comercial. No relatório enviado à agência, a InterScience revelava as expressões e palavras-chave mais repetidas pelas espectadoras:

Artificial
Enganosa
Irreal
Texto decorado
Atrizes fazendo papel de donas de casa
Testemunhas receberam cachê para falar

A tarefa de dar o troco coube ao redator Ricardo Freire e a Gabriel, que resolveram bater pesado. Intitulado "Quanto mostra como faz", o filme-resposta de dois minutos de duração reproduzia o mesmo cenário do "Omo faz". Atrizes e figurantes faziam os papéis de "donas de casa", "técnicos" e "fiscal auditor". No lugar de Markun entrava Carlos Moreno, o Garoto Bombril, que andava pelo palco explicando didaticamente como se podia falsear um teste como o do Omo – sem sequer tocar no nome do concorrente. A idéia nem era tão original: três anos antes, na campanha de Luiz Antonio Fleury Filho para o governo paulista, o marqueteiro Chico Santa Rita fizera algo semelhante para mostrar ao eleitor quem eram os "transeuntes" e "populares" que apareciam no horário eleitoral fazendo juras de amor a Paulo Maluf. Seja como for, para quem tinha visto o comercial com o teste do Omo o comercial do Quanto era hilariante:

Garoto Bombril:

Oi, eu estou aqui num estúdio de filmagem para mostrar pra senhora como se faz um comercial de teste de sabão em pó.
Esses aqui são os câmeras. Eles vão ficar filmando, filmando, filmando, até o teste dar certo.
Ah! Essas moças aqui... Oi... Elas vão fazer o papel de consumidoras. A senhora está gostando de fazer o papel de consumidora?

Mulher 1:

A gente aparece na TV e ganha um dinheirinho, né?

Garoto Bombril:

E a senhora, está nervosa com o teste?

Mulher 2:

Não. Estou nervosa porque tô atrasada. Demora, né?

Garoto Bombril:

Ah! Ali estão maquiando uma atriz, pra ela ficar com mais cara de dona de casa. A senhora já decorou o seu texto?

Atriz:

Ah! É fácil, eu só preciso falar "Oh!".

Consumidoras em coro:

Oh!

Garoto Bombril:

Aquela senhora ali está acabando de costurar a roupa dos técnicos. Falta muito?

Costureira:

Não, só falta o dele.

Garoto Bombril:

Ah! E esses vão fazer o papel de técnicos. Aqui estão os aquários de lavar roupa e ali o pessoal preparando a sujeira. Não, não, não mostra não, é horrível, essa hora pode ter gente comendo. Desculpa. Bom, agora que a senhora já viu como é que é que faz comercial de sabão em pó, faça o teste a senhora mesma, assim: a senhora compra os sabões em pó e faz o teste na sua casa. Aí sim, a senhora vai ver o branco na medida certa. Sem nem precisar contratar esse pessoal todo, que sai caríssimo. Aliás, agora a senhora sabe por que é que tem sabão em pó que custa tão caro.

Locutor:

Quanto é bom. É da Bombril. Faça o teste na sua casa e descubra o branco na medida certa.

O filme ficou em exibição por menos de uma semana, mas foi o tempo suficiente para provocar um estrago de razoáveis dimensões. No dia seguinte à estréia o presidente da Lintas, Ivan Pinto, entrou com uma dura representação no Conar – Conselho Nacional de Auto-Regulamentação Publicitária, na qual relacionava as quatro infrações ao Código Brasileiro de Auto-Regulamentação Publicitária que teriam sido cometidas pelo comercial. Segundo Pinto, o filme da W/Brasil era "desonesto" (art. 1 do código), "desleal para com um concorrente" (art. 3), "irresponsável perante o consumidor" (art. 4) e "denegridor da atividade publicitária, contribuindo para desmerecer a confiança do público na publicidade" (art. 5). Depois de anexar laudos do IPT e da Price atestando a veracidade do teste, a representação terminava afirmando que a exibição do filme podia "causar danos à reputação do cliente, da agência e da produtora", razão pela qual solicitava ao Conar sua imediata retirada do ar. Quando este convocou as partes para uma tentativa de conciliação, dois ou três dias depois, a W/Brasil decidiu prudentemente retirar o comercial do ar. A Lintas não se deu por satisfeita e exigiu que o processo prosseguisse:

As instituições responsáveis pela propaganda brasileira, congregadas no Conar, não podem aceitar que, sob a desculpa fácil do humor e da ironia, um comercial distorça a verdade para macular a reputação de concorrentes e de uma produtora. Nem que, com gracinhas levianas, contribua para minar a base de credibilidade em que se apóia a propaganda, da qual o Conar é o maior fiador.

A Lintas traz esta representação ao Conar esperando que a entidade zeladora dos padrões de ética do nosso negócio utilize a oportunidade para firmar posição sobre os princípios que devem prevalecer na concorrência publicitária entre marcas e empresas.

Para defendê-la a W/Brasil se socorreu de seu escritório de advocacia de sempre, o conceituado Pinheiro Neto (o mesmo que atendera Javier Llussá, vinte anos antes, quando a Gelato foi vendida para a mesma Gessy Lever). Um mês e setenta páginas depois, o processo chegava ao fim. Por unanimidade o Conselho de Ética do Conar decidiu recomendar a sustação definitiva do comercial "Quanto mostra como faz" e acatava as infrações apontadas pela Lintas ao artigo 5 do Código:

Nenhum anúncio deve denegrir a atividade publicitária ou desmerecer a confiança do público nos serviços que a publicidade presta à economia como um todo e ao público em particular.

Apesar de ter sido exibido tão poucas vezes, o comercial fez rombos no casco da concorrência. No final de abril, quando a pesquisa Meio&Mensagem/DataFolha avaliou o percentual de *recall* (índice de lembrança do que o telespectador viu na TV), o filme do Quanto era lembrado por 5% dos entrevistados, contra 3,3% dos que se lembravam da megaprodução do Omo.

Mesmo com todo o estardalhaço causado pelo "caso Omo", ele não foi a experiência profissional mais negativa da W/Brasil. A pior, a mais dramática vivida pela agência até então tinha sido, sem dúvida, o trágico fim do primeiro "casal Unibanco". Inspirado nas *sitcom* – as comédias de situação da TV americana –, o primeiro casal Unibanco nasceu em 1992. O marido, "Paulo Roberto", era vivido pelo ator Felipe Pinheiro, e a mulher, "Maria Célia", pela atriz Kátia Bronstein. Os filmetes de 15 segundos de duração eram carregados de humor e *nonsense*. Em quase todos, "Paulo Roberto", desconfiado da propaganda que o Unibanco fazia na TV, passava a vida tentando desmascarar produtos ou serviços oferecidos pelos comerciais. Num dos filmes ele acerta o despertador para tocar às três da madrugada, pega o carro, vai ao caixa eletrônico e descobre que ele está... aberto. No outro ele é flagrado por "Maria Célia" ajoelhado sobre um enorme mapa do Brasil conferindo, uma por uma, com alfinetes coloridos, se existem mesmo as quatrocentas cidades em que o banco dizia ter agências.

O sucesso da dupla foi tal que em oito meses "Paulo Roberto" e "Maria Célia" fizeram nada menos que dezoito filmes. No final de outubro de 1993, Washington finalizou mais quatro comerciais com o casal Unibanco e embarcou para a Bahia, para passar o feriadão de Finados no hotel Enseada das Lajes, em Salvador (hoje residência da cantora Gal Costa). Foi lá que ele soube, por um repórter do jornal baiano *A Tarde*, que o ator Felipe Pinheiro, de 32 anos, acabara de morrer de infarto.

W/Bras
W/BRASIL

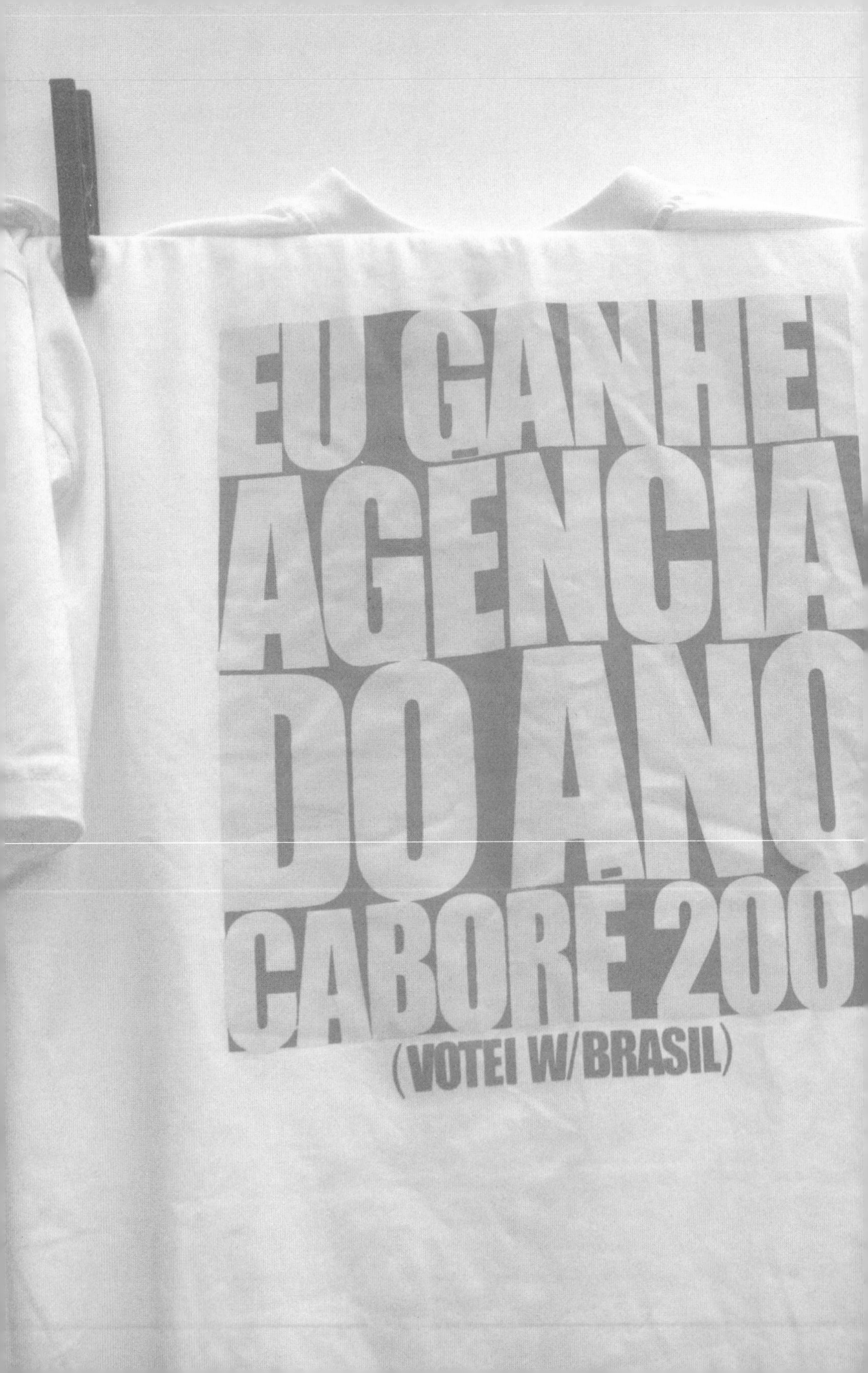

EU GANHEI
AGÊNCIA
DO ANO
CABORÉ 200
(VOTEI W/BRASIL)

15

Homens com roupas da
Polícia Federal arrancam Washington do
carro: é um seqüestro.

Para desolação de todos na W/Brasil, a morte de Felipe não significava somente a tragédia da perda do ator jovial e talentoso que em meio ano de trabalho se tornara um amigo da equipe. A agência enfrentaria agora um pesadelo que todos os criadores da propaganda temem um dia viver, como confessa Washington:

– Todo publicitário do mundo que apresenta uma campanha que tem um personagem é submetido a duas perguntas pelo cliente. E se fizer sucesso e o ator pedir uma fortuna para renovar o contrato? E se fizer sucesso e o ator morrer?

Para a primeira questão a resposta era simples: negociação. Era raro um ator pedir exorbitâncias para renovar um contrato sob a ameaça de "matar" o personagem. À segunda pergunta respondia-se sempre com um argumento postergatório: o risco de aquilo acontecer não era muito diferente de cair um raio ali, naquela mesa de discussão, e matar a todos. A fatalidade era imprevisível e, portanto, inevitável. A verdade é que a agência tinha dois problemas concretos para resolver: o que fazer com os quatro filmes que estavam prontos? Exibi-los, mesmo com o ator morto? E o "casal Unibanco", que destino deveria ter?

No meio artístico, a notícia da morte de Felipe Pinheiro, naturalmente, causou ainda mais impacto do que na agência. Para muitos de seus colegas de trabalho, ele fora mais uma das muitas vítimas de uma urucubaca conhecida como a "maldição do Judeu". A inicial maiúscula se justificava, já que não se tratava de um judeu anônimo, mas de Antônio José da Silva, advogado, poeta e o mais célebre autor teatral de Portugal do século XVIII, conhecido como "o Judeu". Nascido no Brasil, de origem judaica e convertido ao cristianismo sob pressão da Inquisição, ele terminaria a vida condenado como infiel à fogueira pelo Tribunal do Santo Ofício, em Lisboa. Sobre ele recairia a má fama de levar à morte todos os que tentassem romancear sua história. No prólogo de seu livro *Vínculos do fogo*, publicado em 1992, o jornalista Alberto Dines dedica seis parágrafos ao que chama de "coincidências":

A Maldição do Judeu

Uma existência a desafiar talentos, energias e também os fados. Morto sem sepultura, espalhado no retórico Tejo, Antônio José da Silva parece ser, ele próprio, o verdugo da banalização: implacável sina castiga quase todos os que enveredaram pela invenção.

Coincidências, não custa enumerá-las: Camilo Castelo Branco, que romanceou sua vida, suicidou-se. Alter Katzizne, outro que incursionou ficcionalmente na trágica seara num idioma que hoje agoniza, o idisch, caiu assassinado pelos fascistas ucranianos, no início da Segunda Guerra Mundial.

Moshe Broderson, também em idisch, mas em versos, tratou da desdita de Antônio José. Escapou da hecatombe nazista mas não do seu sucedâneo – em seguida à guerra foi vitimado pelos expurgos de Stalin na União Soviética.

Bernardo Santareno, teatrólogo português, morreu prematuramente aos 56 anos, em 1980, autor de O Judeu, *vitimado por demorada e estranha doença.*

O filme que Alberto Cavalcanti não fez: Doutor Judeu, *versão livre dos infortúnios de Antônio José que ficou agarrada aos escaninhos do voluntarismo no último mandato da ditadura militar brasileira. Era, como anunciou, seu canto do cisne. Não permitiram: amargurado, voltou para Paris. Morreu em seguida.*

Outro filme, O Judeu, *dirigido pelo brasileiro Iomtov Azulay, também ficcional, foi engolfado pela mesma onda de malefícios. Iniciada a filmagem (no aniversário da morte de Antônio José, em 1987), foi interrompida pela falta de recursos e jaz inacabada. A atriz*

Dina Sfat, que fazia a mãe do Judeu, morreu sem completar um desempenho para o qual se preparara durante toda a vida. [...]

Em dezembro daquele ano, o produtor da versão brasileira de *O Judeu*, Cláudio Kahns, conseguiu recursos em Portugal para terminar a película. Em 1993 as filmagens foram retomadas, e o roteiro, de autoria de Millôr Fernandes e Geraldo Carneiro, modificado para que pudessem ser aproveitadas as cenas feitas por Dina Sfat. O filme era uma superprodução que contava com nomes como José Lewgoy, Fernanda Torres e Edwin Luisi, e cuja edição final ficaria a cargo do diretor Ruy Guerra. Para o papel principal – o de Antônio José da Silva – Azulay havia convidado Felipe Pinheiro, o "Paulo Roberto" do Unibanco. O livro de Dines foi lançado em maio de 1992. Dezoito meses depois, no auge das filmagens, o Judeu fazia sua sétima vítima. Com a morte de Felipe Pinheiro o roteiro teve que ser novamente refeito. O filme só ficaria pronto em 1995, e nem mesmo o mais atento espectador perceberia que na seqüência final, em que o personagem era devorado pelas chamas, o ator tinha sido substituído por um dublê.

A verdade é que a W/Brasil continuava com as duas batatas quentes nas mãos: que destino dar aos quatro filmes prontos e como tratar o desaparecimento de "Paulo Roberto". Como a morte de Felipe Pinheiro tinha sido fartamente noticiada pela imprensa, Washington e seus sócios se sentiram na obrigação de dar alguma explicação aos telespectadores. Entre colocar ou não os filmes inéditos no ar, alguém da criação teve a idéia: por que não colocar todos no ar, de uma vez só? Seria uma forma de homenagear o ator. Aprovada pela família e pelo cliente, a idéia foi produzida às pressas. Felipe morrera numa segunda-feira. No domingo seguinte um filme de dois minutos de duração ocupou quase todo o *brake* do programa de maior audiência da TV brasileira, o *Fantástico*, da Globo. Sobre um fundo azul, solene, o ator Wellington Nogueira (que fazia o papel de "gerente" do Unibanco nos comerciais que "Paulo Roberto" e "Maria Célia" viam em sua casa), de gravata e sem paletó, fala com o telespectador com ar emocionado:

Felipe Pinheiro (em segundo plano),
o marido do primeiro "Casal Unibanco",
morre no meio da campanha.

Felipe Pinheiro era autor e ator. Tinha 32 anos e desde março estrelava a campanha publicitária do Unibanco. Ele e a atriz Kátia Bronstein popularizaram o casal "Paulo Roberto e Maria Célia".

O talento do Felipe foi com certeza um dos fatores decisivos para que essa campanha tenha se tornado, em tão pouco tempo, um grande sucesso.

No dia 1º de novembro Felipe Pinheiro faleceu de insuficiência cardíaca.

O Unibanco, em respeito à memória do ator, comunica que está retirando essa campanha do ar.

E junto com a família do Felipe decidiu prestar aqui uma homenagem ao ator.

Quatro comerciais já estavam prontos. E são esses comerciais que nós vamos assistir agora.

Pela primeira e última vez.

O "Paulo Roberto" vai deixar saudade. Mas saudade mesmo, de verdade, vai deixar o Felipe Pinheiro, uma perda para o teatro e a TV brasileira.

Faltava solucionar o segundo problema: o que fazer do casal Unibanco? Arranjar um novo marido para "Maria Célia", tão logo terminasse o luto pela morte de "Paulo Roberto"? Criar outro casal? Simplesmente desistir da idéia e tirar os personagens do ar? Gabriel e Washington concluíram que qualquer outro ator que escolhessem ia ser comparado com – e derrotado pelo – Felipe Pinheiro. E, para piorar, também não poderiam ficar com a excelente Kátia e colocar um ator no lugar de Felipe pois aí ela se converteria em "viúva". Essa sinuca de bico ocorria na mesma época em que surgiam os programas interativos de TV no Brasil, que começaram com o "Você Decide", da Globo. Gabriel e Washington estavam de carro, a caminho de uma reunião, quando tiveram a idéia de fazer o primeiro comercial interativo do mundo: em vez de escolher um novo casal, deixariam que o público o fizesse. Foram ao banco e propuseram a idéia, já no formato em que foi realizada – e que foi topada no ato. A "eleição" só viria a acontecer no primeiro semestre de 1994, quatro meses depois da morte de Felipe, quando o mesmo Wellington Nogueira (que depois se celebrizaria por criar o grupo "Doutores da Alegria") apareceu na TV, desta vez formal, de paletó e gravata, tendo ao fundo as fotos dos dois casais de atores candidatos ao posto: Pedro Cardoso e Bianca Byington ("José Pedro" e "Ana Lúcia") e Cláudio Gonzaga e Thereza Freire ("Carlos Alberto" e "Maria Paula"). Mais alguns dias e Wellington Nogueira explicaria como a escolha ia acontecer: cada casal de atores iria encenar um comercial de 15 segundos de duração do "casal Unibanco" com cenário, roteiro e texto idênticos. Antes de exibi-los, o apresentador fez uma recomendação:

Preste bastante atenção em cada um deles. Depois aguarde a visita de um pesquisador do Instituto Gallup. Aí você vai escolher qual o casal que mais combina com o Unibanco.

Terminados os comerciais ele quebrava a solenidade da "eleição" com uma piadinha:

Os dois casais são ótimos, não? Mas ótimos mesmo são os limites do novo cartão e do novo cheque do cliente exclusivo Unibanco.

Após uma semana de insistente veiculação, a pesquisa foi realizada. O resultado final foi anunciado em um comercial exibido de novo durante o *Fantástico.* Desta vez Wellington tinha diante das câmeras a companhia de Carlos Matheus, presidente do Gallup, que abriu um envelope e anunciou:

– Os escolhidos foram "José Pedro" e "Ana Lúcia".

O segundo casal Unibanco durou apenas um ano. Como as pesquisas diziam que era preciso oferecer mais entretenimento, em vez de só vender produtos, em abril de 1995 "José Pedro" e "Ana Lúcia" foram substituídos por "Renata" e "Luis André" (vividos pelos atores

João Camargo e Drica Moraes). Estes formariam o mais duradouro de todos os casamentos Unibanco: a dupla permaneceu no ar por quase seis anos, até março de 2001, quando chegou a vez dos atores Luís Fernando Guimarães e Deborah Bloch. Exatos doze meses depois, pela primeira vez a esposa do casal Unibanco trocava de marido: no lugar de Guimarães entrou Miguel Falabella. Em onze anos, os cinco casais Unibanco encenaram 83 comerciais de duração variável entre quinze segundos e três minutos. Os sucessivos casais não eram só carismáticos e engraçados, mas eficientes. Um dos objetivos do Unibanco com a campanha era avançar agressivamente na ampliação de sua carteira de clientes de varejo. Em meados de 1996, quando João Camargo e Drica Moraes completaram bodas de algodão (um ano de casamento), o Unibanco agregara à sua carteira de 7 milhões de clientes mais 1,8 milhão, superando os 8 milhões de clientes do Itaú e ficando atrás apenas do Bradesco, o líder do *ranking* nacional dos bancos privados, que contava 10 milhões de clientes.

Resultados tão expressivos, não só do Unibanco, mas da maioria dos clientes da W/Brasil (todos ruidosamente trombeteados por Washington) conferiam à agência um título curioso: embora não fosse a primeira da lista das maiores, ela era a mais querida dos clientes. Uma pesquisa feita pelo jornal *Meio&Mensagem* na época revelou que 62% dos anunciantes a consideravam "a melhor agência do Brasil", e 38% a apontavam como a primeira opção caso trocassem de agência. Quando estava para completar dez anos de vida, em julho de 1996, com cem funcionários, a carteira de clientes da W/Brasil faturava mais de US$ 240 milhões por ano – superando a marca de mais de US$ 2 milhões por funcionário, índice considerado altíssimo pelo meio publicitário. Quando o mês de julho se aproximava, os amigos da agência se perguntavam: como seria a festa do décimo aniversário? Se no terceiro aniversário o convidado fora Jorge Ben Jor, quem seria desta vez? Os Rolling Stones? A escola de samba de Mangueira, completa? Luciano Pavarotti?

Qual não foi a surpresa quando Washington anunciou que a fes-

É melhor ir treinando para ser rico.
O Mega Plin está dando até R$ 10 milhões* todo mês.
Investindo no Mega Plin, amanhã esta mesa de pingue-pongue pode virar uma enorme quadra de tênis. Porque no Mega Plin você deposita um pouquinho todo mês, de R$ 35,00 a R$ 200,00, e concorre toda semana pela Mega Sena a 3 prêmios de até R$ 1,5 milhão*. São 528 megachances de ganhar todos os meses. Procure o seu gerente ou ligue 0800 99 55 66. Para abrir a sua conta, acesse www.unibanco.com.
MEGA PLIN
UNIBANCO
www.unibanco.com
Bancando seus sonhos.

Luis Fernando Guimarães
e Deborah Bloch interpretam
o 80° comercial da série "casal".

tança não seria no dia do aniversário, mas no fim do ano, por uma superstição:

– Vamos festejar os dez anos da agência no dia 10 de outubro, que é o mês dez. E vamos convidar 10 mil pessoas para dançar e cantar conosco.

Para a data certa, 8 de julho, uma segunda-feira, os três sócios sugeriram uma comemoração original aos cem funcionários: cada um deles, onde quer que estivesse, podia escolher o melhor restaurante, levar um convidado e fartar-se à tripa forra, que a conta seria paga pela agência. Com uma única condição: às oito da noite, pelo horário brasileiro, todos deveriam levantar um brinde à W/Brasil e a eles próprios, patrões e empregados. Washington tinha mesa reservada na noite de 8 de julho no legendário P. J. Clarke's, em Nova York, para onde embarcara dias antes. Centenária casa de hambúrgueres situada na esquina da Terceira Avenida com a rua 55, no coração de Manhattan, o P. J. Clarke's – ou, para quem queria insinuar intimidade, simplesmente "pidjêi" – era considerado um dos lugares mais badalados da cidade. Quando chegou, acompanhado da mulher, Patrícia, da jornalista Valéria Monteiro e de uma amiga desta, Washington não percebeu que em uma das mesas estava instalado o jornalista brasileiro Wagner Carelli, na época do *Jornal da Tarde*, que dias depois publicaria no *JT* este consagrador suelto:

> *O P. J. tem 106 anos, mas parece que nunca existiu antes de ser descoberto por Washington Olivetto. Madrugada dessas, sentado a uma das mesas do bar do restaurante, eu vi: Olivetto entrou triunfalmente, sempre rápido de movimentos, na boca o semi-sorriso quase condescendente de quem é instantaneamente reconhecido, o sobretudo magnífico aberto sobre os tons e sobretons de grafite das roupas da Comme des Garçons. Seguiam-no três mulheres lindas – a dele entre elas.*
>
> *Atrás do balcão do bar, que antecede o salão do restaurante, atendentes que parecem estar sempre enxugando um copo – como em ta-*

verna de western, de que o P. J. leva jeito –, pararam seu eterno afazer para agitar ao homem que entrava saudações solícitas, quase disparatadas em funcionários tão acostumados a um público em geral formidável. Olivetto apertou a mão estendida do dono do restaurante, um homem que parece jamais sair do caixa, instalado atrás da máquina registradora como um item do velho mobiliário, deu-lhe um abraço caloroso no caminho e seguiu com a companhia das maravilhas para o restaurante.

Na mesa ao lado da minha, refestelado na cadeira como se estivesse em casa, em uma chaise longue que desse para a bay window ensolarada, um senhor nova-iorquino de seus setenta e tantos perguntou ao homem do caixa, em alta voz de sotaque italiano do Bronx, quem era a celebridade. "That's Mr. Olivetto, Jake", respondeu o homem do caixa, "Brazilian big shot." Seguiram-se uns cinco minutos de explanação descritiva razoavelmente precisa sobre Olivetto, personagem do dinheiro e do poder grandes na América Latina.

Como se encontrasse o pretexto adequado, o homem na cadeira desatou a falar de lutas que teve agendadas em Buenos Aires, e que nunca chegou a lutar, e das mulheres latino-americanas que, pena, não chegou a conhecer. O veterano só falava de boxe e mulheres. Somei o nome dele – Jake, havia dito o homem do caixa – ao ofício de boxeador e ao mulherengo. Não podia ser, pensei. Era. Quando o homem da cadeira partiu fui perguntar de quem se tratava ao homem do caixa. "Jake La Motta", disse ele com todas as letras. "The Jake La Motta?", perguntei. "O próprio", disse o homem. O raging bull, personagem central de Touro Indomável, *cuja interpretação exigiu de Robert de Niro engordar 25 quilos e lhe valeu o Oscar de melhor ator? Esse mesmo.*

Era de impressionar: toda uma celebração para o Olivetto e um mito imortalizado pelo cinema não só passava quase perfeitamente despercebido, como ainda era longamente instruído sobre a celebérrima figura. No P. J. é assim: se Olivetto e Cindy Crawford vierem a sentar-se em mesas lado a lado, o pessoal vai dizer que não conhece a perua mas que o big shot da outra mesa é Mr. Olivetto.

Não era apenas para os fregueses ilustres de um bar de Manhattan que ele se convertera em um personagem. Quando dedicou toda uma edição a Washington, a edição brasileira da revista *Vogue* pediu a opinião dos mais respeitados publicitários da Europa e dos Estados Unidos a respeito dele. A unanimidade para a qual convergiam as respostas era uma consagração:

Ele é excelente, o mais fantasioso, o mais genial, conhecido mundialmente, extremamente carinhoso. E eu? Eu sou seu amigo. (Paul Gredinger, GGK, Zurique)

Quando você pensa que toda a espécie está extinta, um sobrevivente é encontrado. E a Europa descobriu, para sua alegria, Washington Olivetto. Será ele realmente tão bom? Sim, é. E ele será a primeira pessoa a lhe dizer isso. Agradeçamos aos céus por Washington Olivetto – um brasileiro original. E bem em tempo. Já estávamos começando a esquecer Carmem Miranda." (Don White, da WCRS/DMA, Londres)

Washington Olivetto é um dos mais inacreditáveis talentos da propaganda que já encontrei. Sua energia é legendária. Ele ricocheteia idéias como se descarregasse um revólver. Ele está sempre em cima do que está acontecendo, não apenas no Brasil, mas em todo o mundo. Sua ambição é monumental. Ele pode ser qualquer coisa que queira. Para mim, é um amigo leal, um anfitrião generoso, um símbolo do que uma pessoa pode fazer se tem energia e vontade. (Jay Chiat, da Chiat/Day/Modo, Nova York)

Tímido... sério... modesto... Nenhuma destas palavras tem algo a ver com Washington Olivetto. Cool... Desinteressado... Indiferente... Ne-

nhuma dessas palavras tem a ver com Washington também. Ele é (em uma de suas palavras favoritas) "maravilhoso". Seus anúncios ganham tanto leões quanto vaias: Washington pode ser muito controverso. Mas o que quer que faça, é notícia. E é lembrado. Sou louca pelo cara; mas não contem a ele. (Judy Lotas, LMPM, Nova York)

Algumas pessoas preferem álcool. Ou drogas. Washington é viciado em propaganda. Quando não está falando, lendo ou assistindo aos anúncios premiados, ele está criando os que serão premiados futuramente. Quando dei a Washington um exemplar do meu livro sobre a história da propaganda da Volkswagen, escrevi: "Ao John Webster do Brasil". Aqueles que conhecem a propaganda inglesa sabem quem é John Webster. E sabem que este é o maior cumprimento que eu poderia fazer ao talento do Washington. (Alfredo Marcantonio, BBDO, Londres)

Washington Olivetto é provavelmente o único publicitário do mundo que se tornou famoso antes de ser conhecido. Ganhar um leão em Cannes aos 19 anos havia sido uma anedota curiosa, se depois não tivesse se transformado no criador mais premiado da história. É notável o talento de Washington para manter um difícil equilíbrio entre o rigor do que se disse e o humor/ternura com que se disse. Ele sabe como poucos que em publicidade trata-se menos de convencer do que de seduzir. E Washington é um grande sedutor. (Miguel Montfort, MMLB, Barcelona)

É difícil julgar alguém objetivamente – especialmente aqueles de quem você gosta – quando existe um véu transparente de palavras entre os dois. O inglês de Washington é um pouco como o de Peter Lorre. Meu português é limitado a "obrigado" e "caipirinha". Washington comunica suas paixões de uma maneira tipicamente brasileira. Ele é puerilmente encantador na evidente alegria com que encara seu próprio sucesso – o que torna aceitável e até atraente o fa-

to de suas reações serem tão pouco "inglesas". Ao receber um elogio, nós evitaríamos a surpresa e resmungaríamos algo sobre o comercial não ser tão ruim. Washington caminharia no ar. Sempre que nos encontramos e finalmente consigo respirar depois de um daqueles abraços fortes de urso, tenho certeza de que ele dirá: "Barry, tenho um filme fantástico e quero que você veja..." E eu penso: "E não é que o maldito deve ter mesmo?" (Barry Day, Lintas, Londres)

Washington Olivetto é do Brasil, de onde vêm os loucos. Se ele não tivesse talento para sustentar sua personalidade, teríamos que interná-lo. Eu admiro muito Washington Olivetto, e isso vem de alguém que acha que a maioria das pessoas "mais criativas" do nosso negócio não o são. (George Lois, Lois/GGK, Nova York)

Eu posso dizer em duas palavras por que a propaganda brasileira é tão respeitada e admirada hoje em Nova York, Londres, Paris, Tóquio, Sydney, Los Angeles, Chicago: Washington Olivetto. (Donald Gunn, Leo Burnett, Chicago)

Prestes a completar dez anos de existência e coberta de glórias, a W/Brasil parecia não ter mais para onde crescer. Meses antes, quando fora publicada a lista das maiores agências brasileiras de 1995, um repórter ouviu a opinião de Washington sobre o fato de a DM9, de Nizan Guanaes, ter chegado ao quarto lugar do *ranking*, três degraus acima da W/Brasil. "Nós somos os melhores e não queremos ser os maiores", disse ele. "Não podemos, na ânsia de ganhar dinheiro, comprometer nosso perfil." O que poderia ser visto como uma demonstração soberba de mau perdedor, era, na verdade, o cumprimento da promessa que ele fizera aos jornalistas no dia em que pediu demissão da DPZ:

– Não queremos ser a maior agência do Brasil, apenas a melhor.

Não querer ser a maior significava não apenas abrir mão de contas – como acontecera com a Valisère, a Staroup e o Mappin – mas re-

Olivetto, el "león" de la publicidad

Washington Olivetto: 40 años, 38 leones ganados en el Festival de Cannes. Es un obrero de la creación, el mejor publicitario del mundo no admite musas

TEXTO DE ANTONI MARIA PIQUÉ
FOTOS DE ERNESTO WALFISCH

En su último cumpleaños, Washington Olivetto pidió a sus empleados que le regalaran un Cadillac blanco "con Julia Roberts dentro". Se rieron. Él no lo comprende, porque está acostumbrado a convertir en posible lo imposible, como ganar un León de Oro a los 19 años en el Festival de Cine Publicitario de Cannes y completar después la vitrina con otros 37 más. A sus 40 años, Olivetto, brasileño y paulista, es el creativo publicitario más premiado del mundo. Pícaro o ventajista, es el gran celebrante de las bodas entre comprador y producto.

Un tipo hábil, capaz de sacar partido a una legislación de choque que, el 16 de marzo de 1990, bloqueó en los bancos el 80 % de los ahorros de los brasileños. Sin dinero para comprar, qué van a vender las empresas –se preguntó–. Qué anunciará W / Brasil, su agencia. Tampoco antes de ese 16 de marzo era fácil gestionar la es-

■ "LA PUBLICIDAD NO ES UNA PROFESIÓN DE ARTISTAS, SINO DE ARTESANOS".

Na Espanha, na Inglaterra (ao lado, com Jorge Ben Jor) e na Austrália (abaixo, com Patrícia): o mundo da propaganda batia palmas onde quer que Washington fosse.

Advertising Age International, February 21, 199-

Washington Olivetto (l.) has plenty to sing about: Pal Jorge Ben Jor's (r.) song about W/ Brasil is No. 1.

Brazilian shop tops the charts

Forget the Clios: W/Brasil is in tune with music awards

By Laurel Wentz

Only in Brazil would a song about an ad agency become the country's number one hit, sung on the beaches and streets and played incessantly on the radio.

It all started when São Paulo adman Washington Olivetto invited his old friend, popular Brazilian singer and composer Jorge Ben Jor, to perform at his W/Brasil agency's 1990 Christmas party.

Mr. Ben began improvising a chorus of "Alô alô W/Brasil" during his 90 minute encore, after a two-hour performance that started at midnight. By the time the 1991 W/Brasil party came along, Mr. Ben had written and recorded a six-minute song. It contrasted W/Brasil, portrayed as an efficient, modern company symbolizing the developed world Brazil longs to join, with the muddle of real-life Brazil. Mr. Olivetto even got to sing along this time; he had performed with Mr. Ben before but was only allowed to play the tambourine.

Mr. Olivetto describes the song as a mixture of "samba-funk-pop-Afro-rap."

"It's so beautiful I almost cry every time I hear it," he says.

"W/Brasil", played initially in dance halls in poor neighborhoods, built slowly. By the end of 1993, after trendy teenagers discovered it, the tune was at the top of the radio play charts and had sold 800,000 copies, no thanks to Mr. Olivetto, who had made pirate copies of the original recording to send to all his friends.

(Continued on Page I-21)

WASHINGTON OLIVETTO

EL MEJOR PUBLICISTA DE BRASIL

TEXTO **ANGEL MONTOTO**
FOTO **PASCUAL GOMEZ CASALS**

ES UNO DE LOS CREATIVOS PUBLICITARIOS MAS PREMIADOS Y RESPETADOS DEL MUNDO. LOS 36 LEONES DE ORO QUE HA CONSEGUIDO EN EL FESTIVAL DE CANNES (SIETE EN 1989) CONFIRMAN POR SI SOLOS LA SORPRENDENTE IMAGINACION DE ESTE BRASILEÑO QUE, CUANDO HABLA, LANZA SU CUERPO EN POS DE LAS PALABRAS Y LAS AVENTA CON GESTOS DEFINITIVOS. Y LO CURIOSO ES QUE COMENZO EN ESTE NEGOCIO POR CASUALIDAD, «PORQUE SE ME PINCHO LA RUEDA DEL COCHE FRENTE A UNA AGENCIA DE PUBLICIDAD Y, APROVECHANDO, ENTRE EN ELLA A PEDIR TRABAJO». ASI EMPEZO, CON DIECISIETE AÑOS, SU FULGURANTE CARRERA, QUE WASHINGTON HA CONTADO EN EXCLUSIVA PARA MAN.

El primer contacto se realizó por teléfono; Washington Olivetto, para quien Barcelona era sólo una escala de menos de 48 horas antes de regresar a Brasil, sentía curiosidad por saber cómo lo había localizado. Se lo conté, nos reímos y quedamos en encontrarnos en el Ritz a esa hora que para los más es la del aperitivo, pero que en nuestro caso resultaba idónea para el zumo de naranja y el café bien cargado.

Charlamos a magnetófono cerrado entre algún que otro bostezo contenido (en absoluto de aburrimiento) y muchas risas. Le prevengo de que voy a poner en marcha la grabación, pero Olivetto no cambia de tono:

—Te decía que, de niño, me ocurrió una desgracia que fue una suerte para mí: tuve una larga enfermedad a los cuatro años y, para entretenerme, aprendí a leer y a escribir, una afición que, con el paso del tiempo, se ha convertido en un pilar firme de mi profesión.

—¿Y la universidad?

—Estudié comunicación en las dos universidades de Sao Paulo; empecé muy pronto, a los diecisiete años, y la verdad es que los estudios me interesaban menos que las chicas.

Washington se ríe y cuenta que su verdadera formación teórica se la ha forjado él mismo con la lectura, su gran pasión. Charlamos largamente de libros, títulos y autores: de Montero de Boto, famoso escritor brasileño de literatura infantil, en cuyas páginas Olivetto aprendió las primeras letras y refugió su tristeza de niño enfermo; de los autores estadounidenses de los sesenta, y de la explosión de literatura hispanoamericana en los setenta.

—En realidad, soy lector de todo: de libros, de periódicos, de revistas... tanto de sesudos semanarios como de prensa del corazón.

—¿Qué te parece si antes de hablar de publicidad lo hacemos de una pasión brasileña: el fútbol?

—Realmente es una pasión, y para mí lo es tanto que, hace unos años, fui vicepresidente de uno de los clubs más famosos del país: el Corintians de Sao Paulo. Era, lo recordarás, el equipo en el que jugaba Sócrates, y fuimos bicampeones. Durante dos años estuve trabajando y organizando, desde perspectivas modernas, el club, pero las siguientes elecciones las perdimos y...

—Define el fútbol brasileño.

—Tenemos grandes jugadores y pésimos dirigentes.

—¿Cómo llegaste al mundo de la publicidad?

—Mira, yo no estudié en dos universidades, pero sí estaba matriculado en ambas, y un día, cuando me trasladaba de una a otra, se me pinchó una rueda del coche frente a una agencia de publicidad. Hacía tiempo que le daba vueltas a buscar un tipo de trabajo entre la comunicación y las ventas, y eso es la publicidad. Así que, cuando se me pinchó el coche frente a AGP Publicidad, me dirigí hacia allí, y, como no sabía cuál era la organización de una agencia, pregunté directamente por el dueño; a éste, que casualmente pasaba por la recepción, le hizo gracia aquella pretensión de un crío de diecisiete años y hablamos; le dije que yo era muy bueno y que quería una oportunidad y que la quería en aquella agencia porque acababa de pinchar mi coche allí...

—¿Y no te dio una patada en el trasero?

—No, no, al contrario, le entusiasmó

● *Nació en Sao Paulo el 29 de septiembre de 1951. Está casado y es padre de un chico de 16 años. Después de un aprendizaje sorprendentemente rápido, empiezan sus triunfos en Sao Paulo y, en progresión geométrica, se extienden al resto de su país y a la vieja Europa, donde ha conseguido 36 Leones de Oro del Festival de Cannes, siete de los cuales en la última edición. Washington Olivetto es actualmente el presidente y director creativo de su propia agencia: W/Brasil.*

MAN 148

"El mejor publicista de Brasil", como o chamou a revista *Hola!*, de Madri, sai pelo mundo como um camelô *globetrotter* do seu negócio, até chegar à capa da bíblia dos publicitários, o *Advertising Age* (abaixo, de guarda-chuva, com Patrícia, em Cannes).

33

saw it as a business opportunity. He is reported to have called this his "finest moment" and, within hours of the announcement, gathered together the directors of W/Brasil for a frantic 48-hour brainstorming session in order to rethink the marketing strategy for all the agency's clients.

Despite such an unstable climate, W/Brasil's creative output stands comparison with the very best in the world. The most striking thing is that there seems to be no single style. It is more like a pick-and-mix reflection of influences and moods.

Olivetto says: "Different products need different styles and moods. We try to do good advertising without rooting the agency in any particular style."

What is obvious from W/Brasil's no-holds-barred TV commercial for Coppertone beachwear is the agency's penchant for sex and humour. The ad features uncensored male and female nudes dancing and showing off their "white bits". Is this the unacceptable face of Brazilian advertising?

Olivetto says: "In my 20 years of working in advertising, I had never before done a commercial with naked people. It was our intention to make the product young and fashionable again and this seemed like a good way to do that." Brazilians were not shocked at the sight. While the commercial aired, there was also a popular prime-time soap-opera set in the Amazon, and starring an all-nude cast. Olivetto notes: "It was considered normal, not depraved."

In Brazil, commercials compete with TV programmes for popular appeal. W/Brasil's three-minute spot for Bombril cleaning products actually appeared in the TV listings pages because it was so popular. The Bombril man, who has appeared in 138 commercials over 15 years, has become a national institution.

W/Brasil's latest gain, the $24 million Golden Cross account, secures its place at the hub of Brazilian advertising life, and the agency continues to expand. Last year, W/USA opened in Chicago, and an office in Barcelona has just been launched. Olivetto said: "We want to retain relations with Europe and the US, where circumstances are more favourable. With good circumstances we can produce exceptional advertising."

Olivetto has always taken a stance against government corruption and censorship and it is W/Brasil's policy not to accept government business. Its award-winning campaign for the *Fohla de S. Paulo* newspaper directly refers to Brazil's endemic political corruption. "Our government thinks everything that isn't applause is an offence.' *Fohla* — everyone buys it, because no one can buy its opinions." Collor's fall was good for the country, Olivetto says. "Young people came together and became the opinion makers of society. We have a new, mature Brazil."

People power is directly reflected in W/Brasil's award-winning campaign for Staroup jeans. The ad, "protest", shows a crowd of Brazilian teenagers doing battle with riot police. They are sprayed by water cannons and dragged through the streets to emphasise the jeans' durability. It is this tongue-in-cheek, avant-garde style that has got W/Brasil noticed.

However, W/Brasil was noticeable last year at Cannes only by its absence — Olivetto refused to enter, in protest at the poor rewards the numerous Brazilian entries had reaped in the recent past. This year, Olivetto has decided to enter, although he says he is "disappointed" with the festival. "It is never the best commercials of the countries that win. So much is lost in the translations."

He ends: "Brazilian advertising reaches international standards of creativity. In fact, Brazilian ads are so much better than the country."

ANATOMY OF A WINNING AGENCY

Head office	São Paulo
Staff	87
Major clients	*Fohla de S. Paulo* (1986)
	Grendene (1986)
	Staroup (1987)
	Coppertone (1990)
	Brastemp (1991)
	Golden Cross (1991)

Insurance ad... W/Brasil is known for bizarre work...

...ever ad... 'The best advertising never wins international awards. So much is lost in translation' — Olivetto

Spain scores at Cannes

'Nuns' brings home Grand Prix for year-old shop; Wieden & Kennedy takes 2 of only 3 U.S. Golds

By Laurel Wentz

CANNES—Spain carried off the top prize virtually unopposed at the International Advertising Film Festival here last week with a commercial that wouldn't make it past U.S. network censors.

And a humiliating U.S. performance mustered only three out of 27 Gold Lions awarded.

One-year-old Barcelona agency Casadevall Pedreno SPR won Spain's second Grand Prix in four years with "Nuns," the sweetly innocent tale of nuns giving an unforgettable demonstration of the use of Talens rubber cement.

The Cannes jury finished hours early because for the first time in years, there was no argument over rival Grand Prix candidates.

" 'Nuns' was the clear winner," said festi-

(Continued on Page 52)

At the awards ceremony for the Press & Poster Festival: Sean Fitzpatrick with Bill Tragos (l.); Akio Fukuoka of Dentsu, Kazuko Totiumi of Fuji Television and Hiroshi Sasaki of Dentsu (above). A group of 50 young Dutch creatives (r.) hired a bus to drive to Cannes and stay at a campground.

Rain didn't keep Patricia Viotti and Washington Olivetto of W/Brasil from the beach.

jeitar novos clientes. Quando estava no auge do prestígio, a construtora Encol quis entregar sua conta de propaganda à W/Brasil, mas a oferta foi rejeitada por Javier Llussá, ao saber que a empresa pretendia pagar à agência não em dinheiro, mas em apartamentos. Javier disse a eles que a agência "não estava interessada em pagar seus funcionários com metros quadrados de assoalho". Prudente decisão: um ano depois a Justiça decretava a falência da Encol, que deixara um rombo de R$ 1,9 bilhão em dívidas. Não aspirar ao primeiro lugar levara a W/Brasil a se dar ao luxo de recusar um dos maiores anunciantes do país, a rede de *fast-food* McDonald's – que investe em propaganda anualmente cerca de R$ 60 milhões, cifra capaz de sustentar sozinha uma agência média – por florentinas divergências conceituais, como lembra Gabriel:

– Fomos o Javier e eu conversar com o presidente do McDonald's, o Greg Ryan, um americano de quase 2 metros de altura. A reunião foi em pé mesmo. Ele tinha um caderno em espiral com os *policies* [políticas de propaganda] da empresa. Ele mostrava, nós discordávamos, ele arrancava a folha, jogava de lado e assim fomos indo. Até que não concordamos com a estrutura de mídia que suas propostas exigiriam, e disso ele não abria mão. Nem nós. Todos rimos muito, nos despedimos e continuamos amigos. Tanto que um ano depois o Javier convenceu o Greg a trocar a Coca-Cola, que era o refrigerante oficial da rede McDonald's, pelo guaraná Antarctica, que era nosso cliente.

A dimensão que a agência adquirira aqui e no exterior passou a fazer dela objeto da cobiça das multinacionais – "os americanos", como os donos da W/Brasil os chamavam, mesmo que fossem europeus. Gigantes como a Omnicom (controladora, entre outras, da BBDO Worldwide e da DDB), a Interpublic (dona de mais de trinta agências espalhadas pelo mundo, entre as quais se destacam a McCann Erickson Worldwide e a Foote Cone & Belding) e a WPP (Ogilvy & Mather e Young & Rubicam, entre outras), por exemplo, já haviam tentado em vão adquirir o controle acionário da W/Brasil. O dilema – nem crescer muito, nem vender a agência – resolveu-se com a criação da Holding Prax. Curiosamente, a fundação da Prax foi uma grande solução para um enorme problema. No final de 1997, no meio de uma tarde de sexta-feira, Javier surpreendeu os dois sócios com uma notícia em forma de carta-comunicado: estava se desligando da W/Brasil e oferecia sua participação acionária aos dois principais executivos da empresa: Ronaldo Gasparini, vice-presidente de operações, e Waldir Marassi, diretor financeiro, com a preferência de compra reservada, nas mesmas condições, para os sócios – procedimento previsto no contrato de fundação da W/Brasil, caso algum dos sócios um dia quisesse se desligar da agência.

Javier explicou aos sócios que considerava encerrado seu período de atuação como vice-presidente operacional e diretor-geral de atendimento. Ele pretendia buscar outros desafios, mais compatíveis com seu momento de vida, e acreditava que para a W/Brasil sua saída seria uma oportunidade de renovação. Ainda impactados pelo susto, Washington e Gabriel se reuniram no começo daquela noite para discutir esse novo cenário e as possibilidades de reverter a decisão de Javier que, sabiam, era fruto de uma longa reflexão. Washington tentou achar uma solução imediata:

– Vamos oferecer um ano sabático ao Javier, um ano viajando ou fazendo o que ele quiser.

Sempre mais realista, Gabriel disse a Washington que, em primeiro lugar, Javier jamais passaria um ano sem fazer nada e se fizesse isso "enlouqueceria ou ficaria doente". Ele sabia que a decisão de Javier era irrevogável e que o sócio não pretendia voltar ao cotidiano da empresa. Na opinião de Gabriel, o que eles precisavam fazer para manter o sócio era achar uma proposta nova, que atendesse sinceramente aos seus anseios. Resolveram pensar durante o final de semana e no domingo tinham uma proposta a fazer para Javier.

Gabriel propôs e Washington concordou na hora: eles montariam uma *holding* e Javier deixaria de tocar o dia-a-dia da W/Brasil para se dedicar à direção da nova empresa. Esse era sim, sem dúvida, "um novo desafio" para Javier. Era uma idéia que os três discutiam fazia tempo: se não queriam vender a agência para os "americanos", que fizessem como eles. Manter diversas empresas sob o guarda-chuva de uma *holding* permitiria que elas fossem fortes sem serem obrigatoriamente grandes. A idéia dos dois era fazer o mesmo: "Se a gente não quer ser comprado, temos que começar a comprar".

No início da semana seguinte pediram a Ronaldo e Waldir que não se sentissem incomodados, mas queriam tentar, de todo modo, manter Javier na sociedade. Cumprida essa etapa, ligaram para Javier e marcaram uma conversa na qual lhe apresentaram a proposta. Assim, em fevereiro de 1998, foi fundada a Prax Holding, presidida por Javier. A marca da *holding* era um leão matando um touro, alusão irônica de Gabriel ao *hobby* de Javier, a criação de gado Canchim. A *holding* começou com três empresas: a Made in Brasil, especializada em *design* e embalagens, que já existia desde os tempos da W/GGK, a PopCom, e a agência de propaganda Registrada. Segundo Washington, a Made in Brasil tinha sido montada e idealizada por Javier e Gabriel:

– O pai original da Made foi o Gábi, que tinha a idéia de montar o mais sofisticado escritório de *design* do país.

Chegaram a levar para trabalhar lá o papa brasileiro do assunto, Alexandre Wollner. Gabriel achava que os rótulos, marcas e embalagens que produziam fora da agência para seus clientes estavam quase sempre abaixo do padrão de exigências da W/Brasil. E, para Javier, a Made trazia um benefício objetivo, além de melhorar a qualidade dos serviços: mais faturamento para a agência. Já a PopCom surgira com a entrada da Internet no Brasil, como empresa especializada em relações interativas e eletrônicas, dirigida por especialistas em TI.

A Registrada existia desde abril de 1996. Aliás, idéia do próprio Javier, que fazia tempo estava de olho na carreira do redator Ricardo Freire. Apesar de ter pouco mais de trinta anos, Freire já era um consagrado redator com mais de uma década de experiência e que exibia entre seus troféus a campanha "Não é uma Brastemp", criada cinco anos antes, quando trabalhava na Talent. Javier temia que se repetisse com

Freire o que acontecera com Washington na DPZ e, depois, com Nizan na W/GGK: sem ter mais para onde crescer, acabaria deixando a W/Brasil para montar sua própria empresa. Por que não convidá-lo para sócio em uma nova agência? Ao contrário do que se esperava, porém, Ricardo Freire teve que ser convencido a topar o negócio, pois entre seus planos não estava ser dono de agência. Quando afinal aceitou entrar, foi criada a Registrada, para a qual a W/Brasil conseguiu imediatamente as contas do Banco 1 – uma nova operação do Unibanco –, da rede de lojas de vestuário Casas Marisa, da área de varejo do jornal *Folha de S.Paulo* e das Casas Brasileiras, o que permitiu que a agência já nascesse próspera e com investimento zero por parte dos donos. A divisão acionária era a mesma a ser adotada nas futuras associações: 60% do controle ficaria com Freire e 40% com a W/Brasil. Para os sócios da W/Brasil, o segredo do sucesso das associações residia exatamente nisso: assegurar a maioria do capital aos donos dos novos negócios – postura até hoje defendida por Javier Llussá em todos os casos, inclusive na Dubar, quando o químico-chefe da empresa, Rui Galvani, passou a ser sócio sem que, na ocasião, dispusesse de capital inicial para tanto. Segundo Washington, o segredo é não querer ser dono de tudo:

– Em princípio a regra é nunca ter a maioria. Dar individualidade total para os gestores é fundamental. Até porque a gente sabe que quem está gerindo o negócio são eles. E se a coisa for bem, eles estarão ganhando mais do que nós. Nossa meta é comprar no máximo 40% e no mínimo 30%, para também não ficar muito pequeno para nós.

Uma pequena e criativa agência de Belo Horizonte chegou a propor uma associação parecida, mas o negócio empacou porque os mineiros queriam incluir a letra-grife W/ antes do nome da nova empresa, sugestão recusada pelos três sócios da W/Brasil. Meses depois Washington pediu a Javier para dar uma espiada em uma agência cujo bom trabalho vinha chamando sua atenção. Era a Lew, Lara, uma empresa de porte entre o pequeno e o médio, fundada seis anos antes pelo criativo Jacques Lewkowicz e pelo administrador Luís Lara. Lewkowicz era o autor de algumas consagradas peças, como o controvertido "Brasileiro gosta de levar vantagem em tudo" (celebrizado como a "Lei de Gérsom), o "Efeito Orloff" ("Eu sou você amanhã") e o bordão "Não é a Lee que é diferente, as outras é que são iguais", criado para as famosas calças *jeans.*

Dias depois, Javier resumiu sua avaliação para Washington e Gabriel: era um bom negócio, a agência já tinha bastante força e precisava de um pequeno empurrão para estourar na praça. Os donos da Lew, Lara topavam se associar na proporção 60/40 sugerida, mas, como se tratava de uma empresa rentável, a Prax teria que fazer algum desembolso de capital. A decisão, concluiu Javier, tinha de ser tomada com urgência, porque a Lew, Lara estava a pique de ser vendida:

– A McCann Erickson fez uma oferta tentadora de compra e eles precisam responder aos americanos.

Uma semana depois a Lew, Lara tornou-se a segunda agência do grupo W/Brasil – já batizado com o nome de Holding Prax. As expectativas de Javier se confirmaram: a Lew, Lara era mesmo uma agência criativa, que só precisava de apoio na área de pesquisa e na estrutura administrativa – serviços que custavam caro e poderiam ser fornecidos sem custo pela W/Brasil. Na primeira reunião entre os cinco sócios, Jacques Lewkowicz quis saber o que Washington achava do produto final de sua agência. Ele respondeu que achava a publicidade feita pela Lew, Lara de boa qualidade, reconhecida e respeitada pelo meio publicitário, mas que falava pouco "ao povão":

– Na minha opinião a agência só precisa mexer em duas coisas: chegar mais perto do povo e melhorar a qualidade da produção eletrônica. Vocês têm que trabalhar com o primeiro time de produtoras. E se antes vocês não tinham acesso a elas, agora terão.

A próxima associação se daria por acaso. Washington recebera para um café da manhã em sua casa um velho amigo, o publicitário mineiro Ricardo Guimarães, que fizera uma brilhante carreira como redator em São Paulo e criara sua própria agência, a Guimarães Profissionais. No meio da conversa ele contou que estava sendo assediado para vender a agência para um grupo multinacional e queria ouvir a opinião de Washington a respeito. Naquele hora acendeu de novo a luzinha e Washington sugeriu que Ricardo esperasse um pouco mais, quem sabe surgiria uma proposta melhor. No dia seguinte relatou o ocorrido a Gabriel e sugeriu que o sócio tivesse uma conversa com Ricardo:

– Eu sou suspeito, porque sou muito amigo dele. Vai ver que é por isso que estou achando que pode dar um negócio legal. Vai você conversar.

Gabriel e Javier (que fez suas prospecções e leu balanços) conversaram e voltaram com uma sugestão: fechar negócio. Segundo Washington, as coisas acontecem quase sempre assim na W/Brasil:

– O conceito, a idéia, podia surgir de qualquer um de nós três. Mas na hora de materializar o negócio, o Javier é quem vai lá, faz uma análise detida e em geral traz a coisa mastigada para nós decidirmos.

A solidez do grupo permitiu que as empresas atravessassem sem grandes sustos a tempestade de 1999, quando o real foi brutalmente desvalorizado, e crescessem mais de 10% em cada um dos dois anos seguintes. Para o carro-chefe da Holding Prax, a W/Brasil, 2001 tinha sido um grande ano – e tudo indicava que ia terminar com chave de ouro. No dia 4 de dezembro, no auge de uma festança num dos salões de convenções da zona Sul de São Paulo, com homens de *smoking* e mulheres de vestidos longos, anunciou-se que a W/Brasil recebera o Prêmio Caboré como a "Agência do Ano", vencendo as poderosas multinacionais J. Walter Thompson e F/Nazca Saatchi & Saatchi. Mais do que um presente pelo 15º aniversário da W/, aquela era uma vitória pessoal de Washington. Desde a abertura das inscrições ele se empenhara como nunca na campanha, transformando sua mesa de trabalho num comitê eleitoral. Quem o visse naquelas semanas imaginaria estar diante de alguém que ele jurou jamais ser – um chefe de campanha presidencial. Era surpreendente a energia despendida por um vencedor de tantos leões, ursos, lâmpadas e discos de ouro para conseguir um troféu que ele já devia estar farto de ganhar. Afinal,

Washington tinha sido o primeiro profissional de criação a receber o Caboré, em 1980, ano em que o prêmio foi atribuído pela primeira vez. Depois o recebeu de novo quando estava na DPZ. Antes de completar um ano de vida a W/Brasil recebera o Caboré de "Agência do Ano" – repetindo o feito no segundo e no terceiro anos de vida. Tão logo se converteu em dono do próprio negócio, Washington levou o Caboré de "Empresário do Ano". E foi como criadores da W/GGK que Gabriel Zellmeister, Nizan Guanaes e Camila Franco foram agraciados com seus Caborés. Em 2000 uma agência da *holding* W/Brasil, a Lew, Lara, ganhara o já pouco original Caboré de "Agência do Ano". O próprio Washington confessava aos amigos que desta vez via poucas chances, tanto para si quanto para Patrícia, sua mulher, que concorria ao prêmio de "Profissional de Produção":

– Pela lógica eu acho muito difícil a W/ ganhar, porque já ganhou muitas vezes, e as pessoas têm uma tendência a dizer: "Ah, esse cara já ganhou para cacete". E a Patrícia, é a primeira vez que ela concorre... Mas o divertido mesmo seria ver marido e mulher lá no palco, recebendo os canecos. Vai ser a primeira vez, vai ser divertido...

Sua atividade febril, no entanto, não era a de alguém que se julgasse previamente derrotado. Mandou fazer camisetas, colocou mini-*outdoors* na entrada da agência, distribuiu CDs com os melhores anúncios da W/Brasil e disparou cartas para todos os 5 mil eleitores, profissionais do mercado publicitário, assinando-as uma por uma. A última delas, quase na boca da urna, vinha com um modelo de cédula com as três opções, mas apenas uma, claro, assinalada:

( ) W/Brasil
( ) Uma multinacional
( ) Outra multinacional

A seguir Washington arrolava as razões pelas quais o eleitor deveria votar na sua agência e não nas concorrentes:

Vote W/Brasil no Prêmio Caboré.
W/
O povo já votou. Só falta você.
www.cabore.com.br (de 8 a 30 de novembro)

Até o cachorro
da Cofap entra na campanha
pelo Prêmio Caboré.

Vote na agência que este ano ganhou as contas da Red Bull, AES, Kasinski, Contém 1g, Yakult, Shopping Sta. Cruz, BrasilConnects, Forum, L'Essentiel (lingeries), cerveja Molson e Bavária Premium. Ganhou o Grand-Prix do Clio, o maior prêmio da publicidade brasileira em todos os tempos. É a única agência de propaganda que está entre as 150 empresas mais admiradas do Brasil (pesquisa Interscience Carta Capital). Contratou grandes nomes como Ruy Lindenberg, Javier Talavera, Alexandre Peralta, Rondon Fernandes e Alexandre Grynberg. Publicou o anúncio "Tem gente achando que você é analfabeto, e você nem desconfia", que teve recorde absoluto de e-mail e que virou livro. Que tem o site http://wbrasil.com.br que vai ganhar o iBest pelo terceiro ano. Ampliou a Holding Prax comprando 30% da Escala, a maior agência do Rio Grande do Sul. E como se tudo isso não bastasse é a única 100% nacional entre as 3 finalistas.

No PS, ele explicava que queria não apenas um, mas dois votos. O outro era para Patrícia:

Bom. Já que eu tive a cara-de-pau de fazer este pedido, aí vai mais um: no mesmo Caboré, não deixe de votar também na Patrícia Viotti para Profissional de Produção. A Patrícia dirige a Produção da Conspiração, a produtora que faz comerciais, videoclipes e longas da pesada. Incluindo "Eu, Tu, Eles", que foi finalista do Oscar. E, como se tudo isso não bastasse, a Patrícia é minha mulher. Obrigado pela atenção e, por favor, peça para os seus amigos também votarem na W/ e na Patrícia.
Abração, Washington Olivetto

Ganharam ambos, a W/Brasil e Patrícia. "Fizemos barba, cabelo e bigode", festejava Washington, abraçado à mulher, na noite *black tie* de anúncio e entrega do prêmio. Mas a verdadeira comemoração, quando o Caboré seria compartilhado com toda a equipe, aconteceria dali a duas semanas, para quando tinha sido marcada a célebre festa de fim de ano da agência. Embora o ano anterior tivesse sido generoso para o meio publicitário (em 2000, enquanto o PIB brasileiro cresceu apenas 0,82%, as agências de publicidade do país aumentaram seu faturamento em 7,1%), a crise se avizinhava e achou-se melhor não fazer uma festa de arromba, como nos anos anteriores. A comemoração, sem *popstars* nem *megashows*, iria acontecer no restaurante Urbano, na rua Cardeal Arcoverde, durante a qual seriam servidos acepipes de botequins de todas as regiões do Brasil, ao som da banda Falamansa.

No domingo seguinte, dia 8, Washington telefonou para o autor deste livro cancelando um encontro marcado para segunda-feira para mais uma rodada de depoimentos que, fazia meses, ele vinha gravando sobre a história da W/Brasil. Compromissos surgidos de última hora (uma viagem a Porto Alegre na segunda-feira e uma cerimônia no jornal *Gazeta Mercantil*, em São Paulo na terça) o obrigaram a transferir o encontro para quarta-feira, dia 12. Depois ligou de novo, empurrando a gravação para a semana seguinte: ele teria que viajar naquele dia, só retornando a São Paulo por volta do dia 17, véspera da festa da W/. Os dois primeiros dias da semana transcorreram sem contratempos: Washington viajou a Porto Alegre na segunda, dormiu lá e voltou na terça de manhã para São Paulo, onde trabalhou normalmente até o final do dia. Nos intervalos entre um e outro telefonema, rolava a cadeira de rodinhas até a mesa de Gabriel, vizinha à sua, para bater bola com o sócio.

Os dois festejaram a notícia de que a conta dos fogões Continental tinha sido entregue à agência e acertaram que antes de quarta-feira deveriam, juntos, ter uma reunião com o industrial Tufi Duek, dono da marca Forum, para pensarem na linha da campanha do verão para aquela grife de moda feminina. Como o país estava sob horário de verão, já passava das oito da noite e ainda havia luz natural no cocuruto da avenida Paulista, onde fica o prédio da agência. Às oito e meia, Washington vestiu o paletó, pegou sua pastinha preta, pronto para sair. Na porta do elevador ainda confirmou com Neno Sbrissa, responsável pela área de rádio e TV da agência, a apresentação de três filmes que ambos fariam na manhã seguinte para a Grendene. Desceu de elevador até o térreo, sentou-se no banco de trás de seu velho Ômega cinza-azulado e pediu a Antonio, o motorista, que tocasse para a sede da *Gazeta Mercantil*, na zona Sul da cidade. Minutos depois, a poucas centenas de metros da agência, o carro foi interceptado por uma *blitz* montada por um grupo de homens armados e vestidos com coletes da Polícia Federal. As portas do Ômega foram abertas com violência e os dois foram arrancados para fora. Antonio recebeu uma forte coronhada no rosto que o colocou fora de combate. Washington tentou reagir, disparando pontapés contra os atacantes, mas foi retirado a socos e coronhadas de dentro do veículo, encapuzado e jogado na parte traseira de uma perua Peugeot branca que surgiu de algum lugar. Era um seqüestro.

W/Bras
W/BRASIL

W/

16

Desde o começo do ano o bando
varejava a vida de Washington, agora chamado
de "Átila", "Franklin", "Novedad"...

Começava ali uma operação que vinha sendo organizada desde fevereiro com métodos e precisão militares. Fazia dez meses que um grupo, que a polícia calcula em cerca de quinze pessoas, monitorava todos os passos de Washington. Eram homens e mulheres chilenos, argentinos e colombianos (com a comprovada conivência de brasileiros, asseguram os policiais) que haviam se distribuído em seis endereços diferentes no estado de São Paulo – casas e *flats* alugados na capital, no litoral e na estância climática de Serra Negra, a 152 quilômetros de São Paulo. Ao todo, as autoridades calcularam que o grupo investiu perto de US$ 200 mil na operação, dinheiro gasto – e rigorosamente contabilizado – na manutenção da quadrilha, no pagamento do aluguel dos esconderijos e na compra de carros importados, armas, disfarces, máquinas fotográficas e *notebooks* Compac e Canon, novinhos em folha.

A partir de março o bando se fracionou em grupos menores, que ficaram encarregados da "campana" – vigiar todos os movimentos de Washington e da agência W/Brasil. Durante meses, todos os dias, chovesse ou fizesse sol, em um plantão que costumava ir das seis da manhã às dez da noite, os seqüestradores se revezavam nas imediações da agência e no encalço do publicitário, onde quer que ele fosse. Cada turno dos espiões rendia um minucioso relatório que no fim do dia era registrado em uma planilha Excel de um dos computadores encontrados pela polícia. Lá estava anotado quem entrava e saía da agência, a placa do carro e a descrição física das visitas. Washington teve seus passos seguidos hora por hora, dia por dia, e registrados em detalhes os restaurantes onde costumava almoçar e jantar, os lugares que freqüentava à noite, onde ia e quando voltava, como se vestia, que veículo utilizava, com quem saía, tudo. Um dos primeiros documentos salvos nos computadores foi uma ficha sumária da vítima – escrita em espanhol, como todos os demais documentos:

Nome operacional: Átila, Franklin, Novedad
Nome real: Washington Olivetto
Data de nascimento: 29/09/51 – 50 anos
Estatura: 1,73 ou 75, aprox.
Peso: 75-78 quilos.
Profissão: Publicitário
Casado com: Patrícia Viotti
Filho: Homero Olivetto, cineasta jovem (idade?), tem um curta-metragem exibido no Sundance Festival.
Endereço residencial:
Endereço comercial: Rua Novo Horizonte
Veículos: Porsche – placa ...8000. Modelo: Carrera 2, provavelmente. Não conversível, dois assentos, pequeno, tipo ano 92 aprox. Cor: preto.
Audi – placa CKJ 5455. Modelo A4. Sedan, quatro portas, vidros normais. Cor: azul escuro.
Volvo – Modelo pirua [sic], *grande 4 portas. Cor: cinza azulado.*
Chevrolet – Placa 8995 – Modelo Omega – Quatro portas, sedan, azul escuro.
Janta tarde. Nunca bebe no almoço. Fuma muito. À noite bebe uísque, champanhe ou vinho. Prato preferido: arroz, feijão e pastel. Compra livros pela Internet. A agenda dele fica na mão das "duas princesas" – Patrícia e Silvia – aparentemente suas secretárias.

Semanas depois o perfil seria enriquecido com novas informações sobre hábitos pessoais e lugares freqüentados por Washington. Nas fichas, seus restaurantes prediletos eram seguidos de um texto de cinco linhas com preços, horários, cardápios. Entre os lugares relacionados estavam os restaurantes Antiquariu's, Rodeio e Fasano e a Gelateria Parmalat, todos na região dos Jardins. Nos endereços de fora de São

Paulo aparecia o da sanduicheria Cervantes, na rua Prado Júnior, em Copacabana, no Rio, onde Washington costumava passar nos fins de noite quando estava na cidade. O aparecimento do nome da Gelateria Parmalat revela que, apesar de todo o aparato usado pelos seqüestradores, eles se valiam também de recursos banais e primários: essa informação foi retirada de um prosaico *site* da Internet que pedira a Washington dicas de lugares simpáticos de São Paulo. Da mesma forma, Washington jamais usou nenhum dos veículos nos quais teria sido visto – como, por exemplo, o Audi e o Volvo citados acima, ou um misterioso "Mustang branco" que aparece em outros registros. Sobre suas preferências futebolísticas estava escrito lá:

Quando vai assistir jogos do Corintians no estádio do Pacaembu, senta-se na segunda fila das numeradas, perto do gramado.

Quase todas as anotações vinham acompanhadas de uma constatação: "Átila" – ou "Novedad", "Franklin" e "Objectivo" – não andava com seguranças, guarda-costas, com ninguém que o protegesse. Em um dos relatórios o plantonista chega a zombar dos elegantes rapazes de terno preto que passam o dia na porta da agência, anotando que "*los guardias se encuentran bien relajados*".

Os homens que seqüestraram Washington haviam aparecido aos olhos do público pela primeira vez quase duas décadas antes. Já era noite fechada, no dia 14 de dezembro de 1983, quando os 4 milhões de chilenos, desde Arica, ao norte, até Punta Arenas, no extremo sul, foram inesperadamente mergulhados na escuridão. Além do apagão, parte dos telefones também parou de funcionar. Embora brigadas de operários varressem o Chile tentando achar a causa do blecaute, a resposta apareceu horas depois, quando, por telefone, a voz de um homem jovem avisou as redações dos principais jornais de Santiago que as trevas haviam sido provocadas por um atentado terrorista. A ação fora planejada para anunciar o nascimento da FPMR – Frente Patriótica Manuel Rodríguez, organização de extrema esquerda que prome-

HORA	OBJETIVO
17:58	al pasar por el local se ve un Volvo azul y 8 personas saliendo del local con pinta de trabajadores formales , 2 mujeres , 6 hombres , en edad aprox. a los 35 anos
19:22	Omega gris oscuro en velocidad normal manejando un tipo parecido al (OB)
17:24	Omega negro placas ---1995 manejaba un tipo parecido al (OB)
17:34	auto deportivo (chevrolet Tigra) verde oscuro placa ---2988 manejaba un tipo parecido al (OB) este pasa rápido .

HORA	POLICIA
18:07	auto de (PC) con una unidad , da la impresión de ir para la casa no va uniformado y es un tipo gordo, grande , va en velocidad normal
18:08	camioneta de (PT) F100 con 2 unidades en velocidad normal
18:15	camioneta de (PC) con baliza encendida , velocidad rápida, en actitud cuática y con vidrios polarizados
18:25-40	una moto de (PT) en velocidad rápida placa DSV7038
18:25	Por la cera del (boteço) esta una (combi) de la (PT)
18:55	auto de (P) con la baliza encendida en velocidad rápida bien pilosos con 2 unidades y chalecos también con gorros placa ---2018
19:00	auto de (P) en velocidad normal , con una sola unidad
19:06	3 motos con el vidrio de los cascos arriba , haciendo ronda , despacio con armas cortas (38 milímetros)

HORA	MOVIMIENTOS EXTRANOS
19:06	Un tipo alto , cabello corto, blanco y con entradas , medio bigote, vestido formal pero sin terno con un poco de barriga se sube en el mismo bus de (J) el Cro desciende y el tipo queda arriba y después de bajar del bus lo ve nuevamente en la entrada del metro (C) bajándose de una moto roja grande , venia de copiloto se despide y se va caminando no se ve entrar al metro
19:15	Se ve un viejo sentado en el muro no tiene pinta de querer tomar micro, con un bastón y se queda durante 15min después sale el cro y el sigue ahi

Uma das planilhas de computador apreendidas pela polícia com os seqüestradores: controle feito hora a hora, minuto a minuto. Ao lado, o anúncio utilizado para alugar o primeiro "aparelho".

DE R$ 601 A R$ 1.000

BELA VISTA

3d, coz. funcional, fogão e coifa, arms., pisc., sl. festas, c/gar. R$ 800, s/gar. R$ 700. F: 3171-1413 tia, segundo a voz, "juntar-se à luta do povo para derrubar Pinochet e seu bando de assassinos".

As origens da FPMR remontam ao período do governo de Salvador Allende, derrubado em 1973 por um golpe militar chefiado pelo general Augusto Pinochet. Prevendo o furacão que se abateria sobre o país, nos meses finais do governo socialista, o PCCh – Partido Comunista Chileno, pró-soviético e membro da coligação que apoiava Allende – passou a enviar grupos de jovens militantes para receberem treinamento militar em Cuba e em países-satélites da União Soviética na Europa Oriental. Entre esses jovens estava o chefe do seqüestro de Washington, Mauricio Hernández Norambuena. Divergindo da orientação de Allende, que propunha uma "via pacífica ao socialismo", esses setores do PCCh sustentavam que só a opção militar, por meio da luta armada, seria capaz de implantar e defender o socialismo sonhado pelo presidente.

Depois do apagão, a FPMR só voltaria a reaparecer em 1986, quando Mauricio Hernández Norambuena planejou assassinar o ditador Augusto Pinochet. O atentado, seguindo a proverbial megalomania do grupo, foi batizado de "Operação Século XX". Num domingo, 7 de setembro, o ditador retornava a Santiago depois de um fim de semana em seu sítio na localidade de El Melocotón, a 50 quilômetros da capital. Com Pinochet viajavam, em uma Mercedes-Benz negra e blindada, seu neto Rodrigo, de dez anos, o motorista e um guarda-costas. O veículo do general era cercado por outros seis carros também negros e blindados, três à frente e três atrás, que levavam sua escolta pessoal. Em cada lado do carro principal seguiam dois motociclistas armados. No meio de uma curva, uma caminhonete que puxava um *trailer* da largura da estrada empacou. Simultaneamente a estrada foi interrompida também atrás da comitiva. Do alto de um pequeno morro, a poucos metros dos carros, entraram em ação três "unidades" da Frente Patriótica: quinze homens e dez mulheres, armados com foguetes soviéticos RPG7, fuzis e granadas de mão. Cinco seguranças de Pinochet, todos militares, morreram no local, e outros dez ficaram feridos. Não obstante o veículo em que viajava ter recebido 38 tiros e ter sido atingido por um foguete, Pinochet e os demais ocupantes do carro escaparam ilesos. A Frente Patriótica assumiria o fracassado atentado através de um comunicado à imprensa (que ela chamava de "boletim de guerra"). Além de não conseguir matar Pinochet, os "rodriguistas" sofreriam outro sério revés em 1986, quando a guarda costeira chilena apreendeu na praia de Carrizal Bajo, situada a 750 quilômetros ao norte de Santiago, um cargueiro que saíra da Nicarágua transportando 80 toneladas de armas destinadas ao grupo. No ano seguinte, a FPMR seria a responsável pelo seqüestro do coronel do Exército chileno Carlos Carreño, libertado em São Paulo pelo próprio Norambuena sem que nada tivesse sido exigido por sua liberdade. Meses depois, a organização perderia dois de seus mais importantes dirigentes, Cecília Magn e Raúl Pellegrin, mortos depois de uma frustrada tentativa de tomar um quartel no povoado de Los Queñes, a 190 quilômetros ao sul de Santiago.

O começo dos anos 90 encontrou os "frentistas" espremidos entre duas importantes mudanças políticas: a União Soviética deixara de existir e o ditador Pinochet fora substituído pelo civil Patrício Aylwin, eleito democraticamente pelos chilenos. A oposição armada perdera o sentido. Do ponto de vista internacional, o horizonte estreitara-se ainda mais para a FPMR: com a derrocada da União Soviética, restava Cuba. Mas a ilha de Fidel Castro parecia mais interessada em reatar relações comerciais com o Chile de Aylwin. Isolados, sem ajuda externa, sem audiência entre os chilenos, os "frentistas" insistiam em agir em pleno renascimento democrático como se Pinochet ainda estivesse no poder. Em abril de 1991 Mauricio Hernández Norambuena escolheu sua próxima vítima: o senador Jaime Guzmán, da União Democrática Independente. Professor de Direito, ele fora um dos autores da nova Constituição chilena, que convocou eleições livres desde que Pinochet não fosse punido.

No dia 1º de abril de 1991, Guzmán foi tocaiado quando saía da Universidade Católica e morto com dezenas de tiros disparados por um comando da FPMR. A comoção nacional provocada pelo assassinato ecoou em Havana. O governo chileno já havia enviado sinais claros a Fidel Castro: Cuba tinha que escolher entre ter relações com o Chile ou com a Frente Patriótica. Semanas depois da morte de Guzmán, o presidente cubano concedeu uma entrevista à TV chilena deixando claro que seu país optava por ter relações com o Chile, e não com o bando de Norambuena. "Os avanços democráticos vividos pelo Chile", disse Fidel, "têm que ser recebidos com respeito por todos nós."

Os chilenos ainda não se haviam refeito do atentado ao senador quando outra notícia desnorteou o país: no dia 2 de setembro um bando de "frentistas" seqüestrou o jornalista Cristián Edwards, filho de Agustín Edwards, dono do *El Mercúrio*, o mais tradicional jornal chileno. Planejado e executado pessoalmente por Norambuena, o seqüestro foi realizado, segundo suas próprias palavras, "para alavancar as finanças da Frente". A expectativa dos cabeças da organização era obter "no mínimo um milhão de dólares", dinheiro suficiente para manter a FPMR durante um ano, "sem expor seus militantes a riscos em assaltos menores", conforme declararam vários deles à Justiça. Edwards passou 145 dias encarcerado, período em que o grupo jamais assumiu a autoria do crime – exatamente como ocorreria no caso de Washington Olivetto. O jornalista chileno só seria solto no dia 1º de fevereiro de 1992, depois que sua família pagou um resgate cujo valor oscila, segundo as fontes, entre 1 e 8 milhões de dólares. Como já não havia mais no Chile qualquer movimento guerrilheiro a exigir tais recursos, nunca se soube o destino desse dinheiro. Poucas semanas depois da libertação, a polícia prendeu cinco membros do grupo que seqüestrara Edwards. Norambuena só seria apanhado um ano depois. Condenado duas vezes à prisão perpétua, ele fugiu quando havia cumprido apenas três anos de cadeia, num isolamento da CAS – Cárcel de Alta Seguridad, uma fortaleza situada nos subúrbios de Santiago.

Calvo, medindo 1,78 metro, troncudo e de falar pouco, Norambuena entrou no Brasil em fevereiro de 2001, vindo não se sabe de que país, e instalou-se em um hotel em Santos, no litoral paulista. Nas semanas seguintes novos membros do bando, sozinhos ou em casais, chegaram a São Paulo. Eram Alfredo Augusto Canales Moreno, Marco Rodolfo Rodriguez Ortega, William Gaona Becerra, Marta Lígia Urrega Mejía, Karina Dana Germano Lopez, Miguel Armando Villabela, Pablo Alberto Muiñoz Hoffmann e Raúl Júlio Escobar Poblete (o "comandante Emílio"). Além destes, a polícia descobriu os nomes de outros participantes nos quais não conseguiria pôr as mãos: o chileno Luiz Alberto Moreno Garcia, vulgo "ET", um colombiano e uma argentina não identificados. Todos portavam documentos falsos, fazendo-se passar ora por turistas, ora por jornalistas chilenos ou argentinos. Além deles, a polícia suspeita que o grupo recebeu o apoio de pelo menos um brasileiro – que seria o responsável por escrever as comunicações do bando para a família de Washington – e que mais um chileno tenha participado do seqüestro: Galvarino Sérgio Apablaza, o "comandante Salvador", principal líder da FPMR, preso em Buenos Aires em novembro de 2004.

Aos poucos o grupo foi se instalando na capital paulista. Entre fevereiro e dezembro de 2001, eles se mudaram para dois apartamentos alugados (na rua Luís Góes, na Vila Mariana, e na rua Santa Madalena, na Bela Vista) e para o *flat* Saint Paul, na rua Batatais, no Jardim Paulistano. Em março foram alugados um apartamento na praia do Gonzaga, em Santos, e uma casa de veraneio em Ilhabela, no litoral norte paulista. No dia 15 de agosto, alugaram uma casa na rua Kansas, no Brooklin, zona Sul da cidade, adaptando-a para receber o refém. Só em janeiro de 2002, com Washington ainda no cativeiro, é que seria alugada a chácara na estância de Serra Negra, onde o bando foi preso. Em quase todos os casos, os aluguéis eram pagos à vista, adiantadamente e em dinheiro – dólares ou reais. Em março, Norambuena, Marta, Villabela e Moreno se inscreveram na academia de ginástica Delaunay, na rua Leandro Dupré, também no Brooklin. Dessa época até pouco antes da libertação de Washington, os quatro freqüentaram o lugar quase todos os dias. Segundo professores e funcionários da academia, eles eram discretos, educados e só falavam com os brasileiros o indispensável. Todos praticavam natação e dois dos homens faziam musculação.

As comunicações entre os membros do grupo eram feitas por telefones celulares ou *e-mails* que eram disparados pela *Jefatura* – a "chefia": Mauricio Norambuena. Logo que os seqüestradores se dispersaram pelos imóveis alugados, os oito *notebooks* Compac e Canon utilizados na operação receberam a primeira de uma série de circulares com normas a serem seguidas, sobretudo relativas à segurança. Era intitulada "Emergência e Comunicações":

Uso do celular:
Todas as conversações deverão utilizar um código, que será uniforme para todos. Cada grupo ou companheiro que for convocado para encontros deverá memorizar os seguintes nomes:
a) ***Escritório:*** *encontros de dia.*
d) ***Hotel:*** *para encontros de emergência entre 20:30 e 08:30*
e) ***Universidade:*** *para reencontros após uma evacuação estrepitosa.*
f) ***Oficina:*** *ponto de rompimento, utilizar apenas se estiver sendo seguido.*
O uso do celular deve ser apenas para nos comunicarmos em casos absolutamente necessários, tais como confirmação de encontros em pontos anteriormente acertados, em caso de emergência e na transmissão de relatórios periódicos.
Cuidados que devemos ter no uso do celular: utilizar um dialeto neutro, falar só o necessário (sem cair no excessivo uso de monossílabos), não utilizar nenhum tipo de modismo que revele nossa nacionalidade ou nível social, não falar dos objetivos nem da operação em geral, não chamar de hotéis, casas ou repartições públicas onde aparecemos dando nacionalidade e nossos nomes.
Os celulares ficarão com os responsáveis pelas casas e devem permanecer ligados 24 horas por dia. Os números telefônicos dos celulares devem ser codificados e os códigos decorados por cada um dos companheiros.

*Códigos para comunicar emergências. Em caso de estar sendo seguido: "**Estou com vírus**"; em caso de detenção: "**Estou no hospital**" ou "**Estão me levando para o hospital**"; em caso de ser parado por um controle policial: "**Meu computador queimou**"; em caso de colisão ou acidente de rua: "**Tive um acidente**".*

Mais alguns dias e os *notebooks* receberiam novas normas e códigos: "escritório" deixou de significar "encontros de dia" para ser o bar Fran's Café da esquina da rua Cardeal Arcoverde com a avenida Henrique Schaumann, no bairro de Pinheiros; "universidade" era a esquina das avenidas Brasil e Nove de Julho, na região dos Jardins; "oficina", que antes significava "estar sendo seguido" passou a ser a passarela de pedestres da rua Aratãs sobre a avenida 23 de Maio, nas proximidades do aeroporto de Congonhas; "serviço técnico" era a saída da estação de metrô São Joaquim, na direção centro, no bairro da Liberdade; "hotel" era um ponto na avenida Rouxinol, em Moema, onde não havia hotel algum.

Entre março e setembro o grupo produziu um minucioso, detalhado levantamento de endereços considerados estratégicos da cidade. A primeira providência determinada pelo comando foi selecionar hotéis em áreas de muito movimento e que pudessem receber os seqüestradores caso tivessem de abandonar os "aparelhos" onde estavam hospedados. A exigência para a seleção era clara: o hotel não podia ter câmeras nem exigir passaporte para registro de estrangeiros, bastando algum outro documento de identificação. Um breve relatório chegou ao micro de Norambuena dias depois:

> *Só selecionamos hotéis com telefones que permitam chamadas locais diretas, sem passar pela telefonista, e sem câmeras visíveis. Dos doze primeiros indicados na zona central, a maioria tinha câmeras visíveis. Preferimos os de 2 e 4 estrelas que aceitem cartões de crédito. Os hotéis de curta permanência em sua maioria têm câmeras e aspecto pouco seguro – quase todos se localizam perto de cinemas pornô e de casas de topless, lugares em geral bastante controlados.*

Alguns dos computadores apreendidos pela polícia com os seqüestradores: neles estava registrado tudo sobre Washington e, como segunda alternativa, Nizan Guanaes.

No fim sobraram apenas quatro considerados em condições de receber membros do grupo, todos situados no centro velho da cidade: San Michel (largo do Arouche, 200, diária entre R$ 100 e R$ 120), Lands Park (largo do Arouche, 66, diária R$ 93), Grande Hotel Broadway (av. São João, 536, diária R$ 35), Windsor (rua dos Timbiras, 444, diária R$ 67) e Riviera (alameda Barão de Limeira, 117, diária R$ 60). Em seguida, foi realizado um levantamento de serviços de entregas em domicílio que poderiam ser utilizados para enviar mensagens durante as negociações para a libertação do refém: floriculturas, farmácias, pizzarias, casas de *fast-food*, padarias, empresas de encomendas expressas e de motoboys. Na processo de seleção eram excluídas empresas controladas por câmeras e situadas em lugares onde a fuga fosse complicada ou próximas de delegacias de polícia e quartéis da PM. Na memória dos oito computadores estavam registrados todos os quartéis e bases de operação da Polícia Militar existentes na região metropolitana de São Paulo, com endereços, telefones e, em alguns casos, horários e nomes dos oficiais de plantão. O mesmo foi feito com a Polícia Civil: eles tinham também uma lista com todas as delegacias da Grande São Paulo, com endereço, telefone e nomes de plantonistas.

Enquanto o mapa logístico era montado com novas informações, dois grupos de três membros cada – quase sempre uma mulher e dois homens – se dividiram: um trio passou a dar plantões sem horários fixos nas imediações da W/Brasil e o outro foi encarregado de seguir todos os passos de Washington. Os que vigiavam a agência recebiam um formulário minúsculo (uma pequena tabela da planilha Excel), no qual deveriam apenas preencher os espaços em branco com "sim" e "não" e uma ou outra informação adicional. Nesse documento Washington é tratado por "Objetivo".

Polícia em veículos
Passou? Hora: Veículo: (moto, carro, caminhonete, outro). Velocidade (rápido, normal, devagar). Sirene (ligada/desligada). Número do veículo, instituição (militar, civil, trânsito, outro). Distintivo (Gar-

ra, Depatri, Homicídios, outro). Quantidade de homens e mulheres. Quantidade de armas (submetralhadoras, fuzis, armas curtas, escopeta). Ruas por onde circulam: (Avenidas Dr. Arnaldo, Rebouças, Angélica e Pacaembu).

Polícia a pé
Quantidade de homens e mulheres. Andam de: .... para .... Quantidade de armas (submetralhadoras, fuzis, armas curtas, escopeta). Quantas vezes passam? Ficam parados? Atitude (relaxados, atentos, desconfiados, desatentos).

Objetivo
Passou? Hora: ..... Veículo (Omega, Porsche, Audi, outro). Em direção a: (Rebouças, Dr. Arnaldo, Pacaembu). Cor (azul escuro, preto, verde, cinza, outro). Velocidade (rápido, normal, devagar). Quantidade de ocupantes: .... Atitude (relaxada, agressiva, desconfiada).

No fim de cada rodada (que podia durar de meia a duas horas de vigilância) o plantonista retornava para casa e inseria todos os dados do formulário na planilha, a qual era remetida por *e-mail* para Norambuena. Em setembro a vigilância se tornou mais rigorosa: começava às seis da manhã e só se encerrava às oito da noite. A partir do dia 24 daquele mês, uma segunda-feira, Washington passou a ser vigiado o dia inteiro, da hora em que chegava à agência até voltar para casa. Em nenhum momento desse período Washington sequer suspeitou que estivesse sendo seguido. Não foi localizado também qualquer registro de vigilância nas imediações de seu apartamento, o que revela que desde o início os seqüestradores pareciam decididos a apanhá-lo perto do trabalho. É nesse período que ele passa a ser tratado, além de "Objetivo" e dependendo do seqüestrador que preenchia o formulário, como "Átila", "Franklin" ou "Novedad".

No final de setembro, a operação consumira cerca de R$ 130 mil e US$ 80 mil. Nos computadores, tudo era minuciosamente contabilizado nas duas moedas utilizadas pelo bando. O grosso do dinheiro (R$ 34 mil e US$ 54 mil) tinha sido usado até então em gastos diretamente ligados ao crime, como aluguéis de imóveis, compras de carros, telefones celulares, equipamentos eletrônicos. Depois vinham transportes e alimentação. Cada item adquirido, cada corrida de táxi, cada cartão telefônico, tudo era assentado nas fichas dos micros. A polícia descobriu registros de compra de "bermudas para Maité" (codinome de Anália Belon), de "camisinhas Hola" e até do "aluguel de um parapente" em um dos muitos fins de semana de descanso que membros do grupo passaram na casa alugada em Ilhabela. Bebia-se muito vinho (especialmente os chilenos Santa Elena, Casillero del Diablo e Santa Ana) e uísque escocês. Em pelo menos três dos endereços utilizados pelos seqüestradores a polícia encontrou restos de maconha. Depois de revelados, filmes fotográficos abandonados pelo grupo mostraram que alguns deles, homens e mulheres, costumavam se fotografar nus dentro das casas, nem sempre tomando o cuidado de ocultar o rosto. Em um domingo, dia 24 de junho, parte do grupo fez um passeio ao Zoológico de São Paulo e à noite registrou no computador o valor gasto com o táxi, os ingressos, dois lanches, dois cocos e dois cartões telefônicos.

A polícia acredita que nessa altura da operação, e considerando a dinheirama despendida no andamento do seqüestro, certamente terá ocorrido a eles uma questão: e se Washington sofresse um acidente, caísse doente ou deixasse o país de uma hora para a outra? Foi aí que começou a ser desenvolvido um plano alternativo – ou, como eles o chamavam em código, "H2". Se algum imprevisto acontecesse com Washington, outro alvo foi escolhido: era "Nestor" ou "Orion", nomes com que passaram a chamar o publicitário Nizan Guanaes, na época presidente do portal de Internet iG. Em meados de setembro, os seqüestradores já dispunham de um dossiê com informações pessoais sobre Nizan: endereços, nomes da mulher e dos filhos, lugares por onde circulava. Uma pasta tinha sido aberta para arquivar o material existente sobre campanhas políticas que ele fizera em 2000, onde constavam, equivocadamente, as dos governadores Tasso Jereissati (PSDB do

Ceará), Marcelo Alencar (PSDB do Rio de Janeiro), Antônio Brito (PMDB do Rio Grande do Sul) e Jaime Lerner (PFL do Paraná). Ao lado dos nomes, uma anotação em que persistiam no erro:

> *A DM9* [agência com a qual Nizan nada mais tinha a ver] *tem muito prestígio na área de marketing político – conseguiu eleger os quatro.*

É desse período uma das orientações que circulou pelos computadores, expedida por Norambuena, a respeito da campana nas imediações do prédio do iG, situado nas imediações da avenida Faria Lima, nos Jardins:

> *Como resultado da investigação na região onde se situam os escritórios da empresa de Nestor, começa uma etapa muito sensível de H2, o que exigirá destacarmos pessoal necessário na zona para bem visualizar o alvo.*
> *Objetivo: conseguir a visualização de Nestor e de sua possível segurança pessoal.*
> *Desenvolvimento: de acordo com os dados aportados pelas duas equipes operativas, a zona tem grande movimento financeiro, especialmente pela quantidade de bancos, além de ser uma região com alta quantidade de pessoal de segurança privada e manobristas de estacionamentos. Também é uma zona de bastante comércio de todo tipo (inclusive ambulantes), shoppings, restaurantes etc.*
> *As considerações para o começo das explorações serão as seguintes*
> *1. Exploraremos a primeira semana durante todo o dia, quer dizer, das 6 da manhã até as 20 horas.*
> *2. Os grupos de exploração serão, na medida do possível, da mesma casa, para evitar movimento excessivo.*
> *4. Deve-se evitar falar muito nessa zona (especialmente em restaurantes e cafés que tenham que ser explorados) por causa de nosso sotaque. Evitar gírias e palavras vulgares.*

5. Jamais assediar mulheres ou discutir com funcionários de qualquer tipo.
6. Depois de cada exploração, fazer uma varredura da zona antes de retornar à casa.
Sorte.

No final de novembro, os oito computadores armazenavam mais de 6 mil páginas digitadas com todas as informações necessárias para colocar em prática a operação principal: seqüestrar "Átila". Nos primeiros dias de dezembro, Norambuena despachou o que se supõe tenha sido o último informe para os demais membros do bando. Depois de sonolentos parágrafos doutrinários e ideológicos, ele entra no assunto:

Muitas das medidas desta cartilha vocês já conhecem, mas a partir de hoje elas passam a ser obrigatórias para todos. Seu descumprimento significará a retirada das responsabilidades e tarefas de quem haja cometido a falta.
Nós assistimos ao recente caso da "Princesa" e da análise desse fato se depreende que nos defrontaremos com um adversário que realizará grandes esforços por nos capturar ["Princesa" seria Patrícia Abravanel, filha do apresentador Silvio Santos, que fora seqüestrada por delinqüentes comuns e libertada pela polícia no mês de setembro].
Esse episódio é um alerta para nós e exigirá medidas ainda mais rigorosas para evitar a atividade inimiga contra nós.
Orientações orgânicas
Toda informação comprometedora que esteja armazenada nos computadores deverá estar protegida por senha e encriptada.
Haverá um responsável por casa, o qual cuidará permanentemente pela segurança dela e terá a responsabilidade de saber a qualquer hora onde se encontram os outros. Além disso, deverá contar com um plano que lhe permita concentrar o pessoal a seu cargo.
Diariamente deverá realizar-se uma atividade interna em cada casa para avaliação geral da segurança da operação e da casa.

O informe para a Chefia deverá ser enviado diariamente às 21 horas.
As casas devem permanecer limpas, tudo o que for comprometedor deve estar devidamente disfarçado (papéis, documentos, dinheiro, etc).
Todo material comprometedor deve ser transportado escondido. Não se receberá nenhum material que não esteja devidamente disfarçado (informes, notícias, etc).
É obrigatório o uso de contra-senhas antes e depois de qualquer atividade de campo.
Estão proibidas as comunicações externas. As necessárias serão centralizadas pela Chefia.
Todas as rotas de chegada e de fuga devem estar permanentemente disponíveis.

Uma das últimas providências dos seqüestradores antes do crime foi tomada em dezembro, quando um dos homens do grupo esteve na Cardoso Automóveis, uma loja de veículos usados da rua Dr. Anhaia Melo, na zona Sul. Depois de examinar vários veículos, escolheu um pequeno furgão Peugeot Partner branco, com a carroceria completamente fechada. Disse que era de Porto Rico e perguntou ao dono se podia pagar em dinheiro, ao que este respondeu, bem-humorado:

– Meu amigo, aqui, com dinheiro você leva o que quiser.

Por US$ 15 mil ele levou o veículo e prometeu voltar depois para regularizar a papelada. Nos dias que antecedem o seqüestro os registros nos computadores começam a escassear (ou, segundo os policiais, terão sido apagados por algum sistema de segurança não quebrado pelos peritos). Os dois únicos assentamentos da contabilidade no dia 11 de dezembro referem-se ao gasto de R$ 75 com "táxi e lanchonete" e R$ 100 com "gasolina para o carro preto", e à distribuição de mesma quantia em dinheiro (US$ 500 e R$ 300) para cada um dos seis seguintes seqüestradores: "Miguel", "Pancho", "Pablo", "Maité", "Toño" e "Cláudia" – todos nomes falsos, naturalmente.

Quase tudo funcionou como planejado. Poucos minutos depois de arrancado do Ômega, Washington percebeu que o Peugeot que o transportava parou bruscamente (era um estacionamento lateral do cemitério do Araçá, a poucas centenas de metros de distância da W/Brasil). Vendado e algemado, ele foi colocado no porta-malas de outro carro. Ao abandonar ali o veículo de transporte, os seqüestradores cometeram seu primeiro erro, como se verá logo adiante. O novo carro rodou por cerca de 40 minutos até entrar vagarosamente em algum lugar, aparentemente uma garagem. Com todas as luzes apagadas Washington foi guiado por mãos masculinas que o fizeram subir uma escada até o segundo pavimento do lugar. Abriram uma portinhola de menos de meio metro de largura, soltaram as algemas e o enfiaram lá dentro. Ninguém lhe dirigiu a palavra nem lhe deu ordens, nada. Ao retirar o capuz ele percebeu que estava dentro de um cômodo um pouco maior que o interior de um guarda-roupas, com um metro de largura por 2,30 de comprimento e 2,40 metros de altura. Assim que a porta foi fechada, uma pequena caixa acústica aparafusada no teto inundou o lugar com o som altíssimo, tocando músicas de um CD. As paredes e o teto eram revestidos de plástico grosso, imitando tijolinhos. O chão era coberto também por plástico, colante, imitando ladrilhos brancos e pretos. Na parede do fundo, oposta à portinhola, tinha sido instalada uma lâmpada, protegida por uma arandela de metal semelhante a uma pequena gaiola, trancada à chave com um cadeado (para evitar que o seqüestrado quebrasse a lâmpada ou, em uma situação de desespero, pudesse tentar se eletrocutar). No teto havia uma entrada de ar e na parede ao lado da porta, próximo do chão, um pequeno buraco de dez centímetros de diâmetro por onde o ar era sugado para fora, mantendo a circulação no interior do cativeiro. Ao lado da porta de entrada Washington viu um pequeno olho mágico, semelhante à lente de uma minicâmera: era o visor através do qual ele passaria a ser vigiado 24 horas por dia. Só depois de libertado é que Washington soube que um segundo olho mágico, instalado na parede oposta à porta de entrada, fora colocado ali apenas para aterrori-

A casa da rua Kansas,
a perua Peugeot usada
para transportar
o refém e o interior do cativeiro.
No alto do cubículo, à esquerda,
os primeiros pedaços
do plástico arrancado
por Washington
com as hastes dos óculos.

zá-lo ainda mais, pois não estava conectado a nenhuma câmera ou monitor. Na parede direita havia uma folha de papel sulfite com pouco mais de cem palavras, impressas em computador e escritas em português:

REGULAMENTO
Deverá manter-se em completo silêncio, permanentemente.
Qualquer necessidade que tiver pode acionar a campainha (necessidade urgente).
Sempre que os guardas necessitem entrar em seu cubículo lhe será avisado apagando e acendendo a luz repetidas vezes, diante do qual você terá de situar-se em pé no extremo oposto ao da porta e de cara para a parede.
É-lhe proibido falar com os guardas.
Não pode tocar nas câmeras, o extrator de ar, o alto-falante, etc. E nem se recostar contra a parede.
Deverá fazer exercícios diários para manter sua saúde física e mental.
Você deverá seguir a risca esse regulamento para que dessa forma sua integridade física não venha a ser afetada.

Era ali que ele iria passar os 53 dias seguintes – os piores da sua vida.

W/Bras

W/BRASIL
verão
1994

17

Durante quase dois meses, "Átila" permanece num cubículo, com as luzes acesas e música no volume máximo.

O primeiro a receber a notícia foi Gabriel Zellmeister, que se assustou ao ver o motorista Antonio com um olho semicerrado por uma coronhada e o rosto coberto de hematomas, dizendo que a Polícia Federal acabara de prender Washington. Naquele instante começaram a chegar à agência viaturas da Polícia Militar, alertadas por um telefonema do manobrista de um estacionamento que testemunhara o seqüestro. Em meio ao tumulto provocado pelo desencontro de informações, chegou a primeira notícia: o Peugeot branco tinha sido localizado perto do cemitério e dentro dele havia um boné preto com um nome bordado em letras amarelas: "Polícia Federal".

Gabriel telefonou para o ex-sogro, Ayrton Martini, delegado aposentado, que acionou imediatamente a DEAS – Divisão Especial Anti-Seqüestro, situada num casarão senhorial do bairro de Higienópolis, a dez minutos da W/Brasil e a cinco do prédio de apartamentos em que residia o então presidente da República, Fernando Henrique Cardoso. Apesar de ocorrida minutos depois do crime, a chamada de Martini foi a quarta recebida pelo diretor da DEAS, delegado Wagner Giudice, dando conta do seqüestro. Antes dele já haviam ligado o investigador Abreu, da própria Divisão, o delegado-geral de Polícia, Marco Antonio Desgualdo, e o secretário de Segurança Pública do Estado, Marcos Vinicius Petrelluzzi. Enquanto Giudice dava ordens e juntava uma equipe para sair em campo chegou a informação de que a Peugeot tinha sido localizada no cemitério, com o falso boné da PF esquecido no chão. Sob o capô do veículo fora instalada uma sirene e no banco do passageiro a polícia encontrou um "kojak" – nome dado à lâmpada vermelha que acende e apaga, grudável em qualquer ponto da lataria do veículo. Uma consulta telefônica aos arquivos do Detran revelou o nome e o endereço da loja onde o veículo fora adquirido, na avenida Anhaia Melo, na zona Sul da cidade, para onde seguiu um grupo de policiais da DEAS. Lá eles souberam que o furgão fora comprado à vista e em dólares por um homem de boa aparência que se dizia porto-riquenho.

Antes de sair para a W/Brasil, Giudice chamou à sua sala o investigador José Antonio dos Santos, de 41 anos, ex-capitão do Exército e um de seus mais experientes auxiliares. Santos ainda coxeava um pouco do pé direito, esmigalhado dois meses antes por um tiro de fuzil AK-47 disparado no momento em que libertava o campeão de kart Paulo Rovella, seqüestrado no ABC paulista. Ao ouvir o relato do superior, Santos perguntou:

– Como é o nome da esposa do Olivetto?

Giudice consultou um papel e respondeu:

– Patrícia Viotti.

– Pois então amanhã ou depois dona Patrícia vai receber uma caixa de bombons ou um buquê de flores com a primeira mensagem dos seqüestradores. Esses caras são estrangeiros.

Não se tratava de exibição de sherloquismo, mas uma constatação vinda de sua experiência de treze anos na investigação de seqüestros (dentre os quais os do empresário Abílio Diniz e do publicitário Luiz Salles, ambos ocorridos em 1989, e o do também publicitário Geraldo Alonso Filho, em 1992) que ele resumia em uma frase singela:

– Criminoso brasileiro não investe dinheiro em seqüestro.

Enquanto esperava a chegada de Giudice à agência, Gabriel tinha um delicado problema a resolver: comunicar o seqüestro a Patrícia, que àquela hora deveria estar desembarcando em Congonhas, vinda do Rio, onde passara o dia em reuniões na Conspiração Filmes, empresa de que era sócia. Pelo celular, ele localizou a produtora Camila Kfouri, assistente de Patrícia e filha do jornalista Juca Kfouri, velho amigo tanto de Washington como de Gabriel, e a despachou para a casa dos Olivetto, onde deveria aguardar a chegada de Patrícia para darlhe a notícia. Ao mesmo tempo ele ligou para sua mulher, a empresária Ana Carolina Ramos, contou-lhe o ocorrido, desmarcou os compromissos que tinham para aquela noite e pediu a ela que também fosse à casa de Washington para fazer companhia à mulher do amigo. Além da amizade com o casal Olivetto, Ana Carolina vivera experiência semelhante anos antes, quando um tio fora seqüestrado em São Paulo, e poderia ajudar Patrícia a enfrentar aquela situação. Ao ser informada do que acontecera ao marido, Patrícia imediatamente localizou por telefone André Midani, que ela sabia ser o melhor amigo de Washington. Na época presidente mundial da Warner Music e residente nos Estados Unidos, Midani estava de passagem pelo Rio, com viagem marcada no dia seguinte para os EUA. Ao saber do seqüestro, tomou o primeiro avião disponível para São Paulo, instalou-se em um quarto do apartamento dos Olivetto e de lá só saiu 53 dias depois, com a libertação do amigo.

Nas primeiras 48 horas que se seguiram ao seqüestro, Gabriel conseguiu localizar por telefone o então vice-presidente das Organizações Globo, Roberto Irineu Marinho, Maurício Sirotzky, do grupo gaúcho RBS/*Zero Hora*, Roberto Civita, da Editora Abril, Octávio Frias de Oliveira, da *Folha de S.Paulo*, e Ruy Mesquita, do jornal *O Estado de S. Paulo*. A todos contou o ocorrido e pediu, em nome da família e da segurança pessoal de Washington, que seus veículos se abstivessem de noticiar o seqüestro – ou, pelo menos, que não publicassem notícias especulativas, que pudessem pôr em risco a vida do sócio. Nenhum deles fez qualquer objeção ao pedido. Sem que Gabriel ou seus interlocutores soubessem, todas essas chamadas foram gravadas. Após obter uma autorização urgente da Justiça, a polícia havia grampeado tanto os telefones da W/Brasil como todas as linhas das casas de Washington, Javier e de Gabriel.

Quando chegou à casa de um irmão de Patrícia com seus homens, para a primeira reunião com a família, Wagner Giudice se submeteu pela enésima vez à angustiante sabatina dos familiares de um seqüestrado.

– O que a família quer saber? Tudo: quanto tempo pode durar um seqüestro, se os seqüestradores costumam machucar a vítima, o que o cara come, como ele está, se vai ao banheiro, se toma banho, qual o

Parte da fartíssima documentação falsa utilizada por Norambuena (acima, à esquerda) e os demais membros de seu bando.

risco de ele morrer, quanto vão pedir de resgate, como devem se comportar se receberem um telefonema, se existe o risco de mais alguém da família ou da empresa ser seqüestrado, se outro familiar receber um telefonema como ele deve se comportar. Para tudo você tem que ter a resposta na ponta da língua, tem que transmitir segurança.

Nos onze meses que antecederam o seqüestro de Washington não houve um único dia em que Giudice não acordasse com a notícia de uma nova vítima em cativeiro. Entre os dias 1º de janeiro e 11 dezembro de 2001, a DEAS tinha atendido a mais de 300 casos de seqüestros. Aos 36 anos, 1,90 metro de altura e mais de cem quilos de peso, Giudice era o mais jovem diretor daquela divisão em toda a história da polícia paulista. Nascido na capital e descendente de imigrantes vindos de Salerno, na Itália, seu pai era um engenheiro químico que fez carreira brilhante na Esso até que, já aposentado, foi morto a tiros durante um assalto em Rio Grande da Serra, na região do ABC paulista. Quando Wagner chegou em casa, aos 18 anos, com os formulários para se inscrever no vestibular de História, sua mãe, a severa dona Neiglecyr, tomou-lhe a papelada:

– Me dá aqui que eu vou preencher. Nesta casa só se fazem três tipos de faculdade: Direito, Medicina e Engenharia. Você vai fazer Direito.

Submeteu-se ao vestibular, passou na PUC e no Mackenzie. Quando terminou o curso, foi animado por um amigo a fazer um concurso para delegado de polícia. Foi aprovado de novo e aos 23 anos colocou um revólver na cintura e assumiu o posto de delegado de 5ª classe (a inicial da carreira), lotado no 25º Distrito Policial, em Parelheiros, na perigosa zona Sul de São Paulo – a 37 quilômetros de distância da sua casa, na Vila Mariana. Depois de passar por distritos de várias regiões da capital, no começo dos anos 90 Giudice era delegado de 3ª classe, o equivalente a capitão, na hierarquia militar, lotado na Divisão de Homicídios. É nessa fase que seu nome começa a se destacar. Primeiro foi a solução, em menos de 24 horas, do estupro e assassinato de duas irmãs, de 5 e 9 anos, em uma praia da região da Juréia, no litoral Sul paulista. Depois veio o assassinato do prefeito de São Roque, cidade próxima a São Paulo, em 1994, também desvendado por ele. O mais rumoroso deles seria o chamado "caso do bar Bodega", acontecido em 1996. Graças a investigações conduzidas por Giudice, comprovou-se a inocência de três jovens que confessaram sob tortura policial latrocínios que não haviam cometido. Foi ele também quem conseguiu reunir provas suficientes para a condenação do promotor Igor Ferreira da Silva pelo assassinato de sua própria mulher, grávida de seis meses (condenado a dezesseis anos de prisão, Igor continua foragido da Justiça).

Logo depois de solucionado o "caso do bar Bodega", o delegado Giudice foi indicado por seus superiores para usufruir uma bolsa de especialização internacional que desde 1990 passou a ser concedida pelo empresário Abílio Diniz a policiais paulistas. Durante seis semanas, Giudice freqüentou na Itália a Academia de Polícia do Estado, a 50 quilômetros de Roma. Lá, sob a orientação de policiais com larga experiência na repressão aos seqüestros cometidos pelas Brigadas Vermelhas e pela Máfia, ele aprendeu tudo sobre "técnica de interpretação de cena de crime violento", e ainda conseguiu assistir a algumas aulas de um curso sobre "perfil psicológico de *serial killers*". Ao retornar ao Brasil, Giudice receberia outro pepino para descascar: enfrentar a chamada "Máfia dos fiscais" da Prefeitura de São Paulo, cujo desfecho levaria vereadores à cadeia e por pouco não afastava definitivamente do cargo o prefeito Celso Pitta. Em 2000, já delegado de 2ª classe, ele foi convidado a trabalhar na DEAS. Um mês depois de assumir o posto, foi promovido a delegado de 1ª classe e assumiu a chefia da DEAS.

Trabalhar com seqüestros – ou, mais precisamente, com parentes de seqüestrados – converteu-se em uma amarga experiência para o jovem policial. Ele entendeu que vivia no centro de uma singular equação: embora ocorressem em São Paulo 12 mil homicídios por ano, contra 300 seqüestros no mesmo período, o impacto causado por este crime acabava sendo muito maior sobre a sociedade. A cifra de quase um seqüestro por dia levava a imprensa e a opinião pública a pressionar cada vez mais o governo, pedindo providências. O endereço final dessa tensão era o casarão de Higienópolis, onde funcionava a DEAS. A ordem que vinha de cima era uma só: baixar as estatísticas de seqüestros. Foi preciso mais de um ano para Giudice compreender que havia também uma diferença essencial entre trabalhar com seqüestros e com os demais crimes.

– Imagine que você chega na minha delegacia sexta-feira à noite e diz que te assaltaram na esquina e levaram seu relógio. Eu faço um boletim de ocorrência rigoroso e digo: muito obrigado, vamos investigar. Vou para casa, passo o meu fim de semana com a família e na segunda-feira certamente recupero seu relógio.

A questão residia aí: com os parentes de um seqüestrado a polícia não pode adiar a investigação para a semana seguinte, nem para o dia seguinte ou para duas horas mais tarde. A burocrática frieza que em geral preside as relações de um policial com um usuário dos serviços da polícia desaparece no caso de um seqüestro, como logo entendeu Giudice:

– No seqüestro não dá para dizer daqui a pouco. Pode ser sexta-feira à noite, carnaval, casamento de filho, doença de sogra. Você tem que pelo menos ir lá falar com a família, contar como é um seqüestro, como funciona um seqüestro. E, na hora de sair, tem que deixar alguém da sua equipe lá, do lado da família para quando ela perguntar "e agora, o que eu faço?", ele falar: o senhor pode fazer isso, ou não pode fazer aquilo.

O problema é que, com os seqüestros transformados em uma rotina diária, a vida dos policiais da DEAS entrou em um torvelinho. A equipe sob o comando de Giudice – 14 delegados, 80 investigadores e 20 escrivães –, embora teoricamente de bom porte, era pequena para enfrentar as dimensões que o crime tinha adquirido, o que o obrigava a ginásticas para diminuir a tensão provocada pelo trabalho.

– Você acorda, tem um seqüestro novo. Vai lá, fala com a família e deixa um policial com eles. Dez dias depois, acabou aquele, você o põe em outro. Acaba esse e você põe no outro, acaba, você põe em outro, acaba, você põe em outro. No décimo seqüestro ele está batendo pino, porque ninguém agüenta pressão de família de seqüestrado. Aí eu preciso dar um refresco para o policial. Pula um seqüestro, vamos fazer outro, fica uma semaninha aí mexendo com papel, vendo televisão, fazendo relatório, para não conviver mais com família de seqüestrado, senão vai entrar em parafuso.

A primeira vítima do parafuso na equipe foi ele próprio, o titular. Vários médicos já o haviam advertido dos riscos de trabalhar naquelas circunstâncias – o que certamente o levaria, na melhor das hipóteses, a um estresse. A todos Giudice respondia, com bom humor, que "estresse é coisa de fresco, não dá em homem". Mas deu. Quando foi chamado para investigar o seqüestro de Washington, em dezembro de 2001, Giudice ainda se recuperava do que chama, risonho, de "um puta piripaque": no começo de outubro, em pleno expediente, aquele homenzarrão cheio de energia simplesmente apagou, desabou no chão de sua sala na DEAS, desacordado. Medicado e levado ao hospital, descobriu que estava com taquicardia, estafa, estresse e síndrome de pânico. Dez dias sem bip, celular, jornais, telefone e televisão e o delegado estava na ativa, novo em folha.

Enquanto o recuperado delegado Giudice passava a enfrentar mais um caso que, embora de grande repercussão, fazia parte de sua dura rotina, ainda na noite de terça-feira, dia 11, a notícia do seqüestro provocou estupor entre o pessoal da W/Brasil. A vítima não era apenas o patrão boa-praça, que nunca fizera mal a ninguém, mas o animador da agência, o sujeito colorido e espalhafatoso que falava alto e costumava transmitir as boas notícias aos funcionários não por meio de austeros memorandos, mas chacoalhando os braços e gritando duas vezes, uma para cada lado do salão:

– Atenção, galera! Acabamos de ganhar a conta...

A total ausência de informações aumentou ainda mais a ansiedade geral: todos queriam notícias e ninguém sabia de nada. Nem os sócios, nem a família, nem a polícia. Era impossível trabalhar normalmente, como se nada tivesse acontecido, mas foi o que todos tentaram fazer. Dos vários compromissos marcados em sua agenda, Gabriel manteve apenas dois: o primeiro foi uma reunião às dez da manhã, na própria agência, para a apresentação da campanha de verão à direção da grife Forum. A campanha acabou sendo inteiramente aprovada, mas o dono da empresa, Tufi Duek, comunicou a todos que nada seria veiculado antes da libertação de Washington. O segundo, às quatro e meia, era uma reunião com a direção da ABDIM – Associação Brasileira de Distrofia Muscular. O resto do tempo seria dedicado à família de Washington. Gabriel percebeu que não seria possível dar igual atenção às duas coisas – a agência e o seqüestro – e decidiu delegar parte de seu trabalho. Chamou o redator Ruy Lindenberg, vice-presidente de criação, e passou para ele a maior parte de seus compromissos marcados para os dias seguintes. Além disso, Ruy teria que continuar suas atribuições na criação da agência e responder os *e-mails* e os telefonemas de pessoas que procuravam manifestar sua solidariedade a Washington e que tinham de ser atendidas: pessoas muito conhecidas, profissionais mais próximos ou anônimos que insistiam muito.

Os sócios e a equipe da W/Brasil ainda não se haviam refeito do impacto da notícia, e o seqüestro de Washington ainda não completara um dia quando a previsão do investigador Santos se realizou: no início da tarde de quarta-feira chegou ao apartamento dos Olivetto um buquê de rosas com um envelope. Dentro deste havia um relógio sem a pulseira: era o Tag Heuer que Washington ganhara de Patrícia, para substituir outro, idêntico, também presente dela e que fora roubado num engarrafamento de trânsito. Junto com o relógio havia um bilhete impresso em computador, escrito em português, no qual os seqüestradores confirmavam ter o publicitário em seu poder e faziam a primeira exigência: "Para o bom andamento das negociações, deixem a polícia e a imprensa fora". Não se falou em dinheiro. Sem saber o que fazer – e até porque ainda não havia o que fazer –, Patrícia, Gabriel e Javier decidiram comunicar o fato à polícia. Em uma reunião com os três, o delegado Giudice foi informado de que a família decidira atender as exigências iniciais dos seqüestradores – ou seja, não queriam a polícia investigando o caso e não dariam qualquer informação aos jornalistas. Minutos depois Giudice transmitiria a notícia para a multidão de repórteres acampados na porta do apartamento de Washington:

– A pedido da família do publicitário Washington Olivetto, a Divisão Anti-Seqüestro está fora do caso.

Até os paralelepípedos da alameda Franca sabiam que aquilo era uma frase pronunciada com dois objetivos: tranqüilizar a família e mandar um sinal falso para os seqüestradores. Até por razões formais – o seqüestro, segundo a legislação brasileira, é um crime de ação pública, ou seja, não é um crime cuja investigação dependa da vontade da vítima ou de seus familiares –, a polícia nunca chegou a sair do caso. Ao contrário: ao entrar na sede da DEAS, minutos depois de deixar a casa de Washington, Giudice soube que o secretário de Segurança Pública, Marcos Vinicius Petrelluzzi, dera ordens para que 300 homens e 120 viaturas vindas da Garra, da DIG, do Deic e da Polícia Militar se juntassem à equipe da DEAS na caçada aos seqüestradores. Uma fonte da Superintendência da Polícia Federal, em Brasília, informou que a PF também participava das investigações, devido ao uso de coletes da corporação na falsa *blitz* que antecedeu o seqüestro. As principais saídas da cidade estavam vigiadas. Em uma batida na zona Leste em busca do cativeiro, os policiais acabaram localizando e libertando um motorista de táxi seqüestrado uma semana antes.

Na noite seguinte, o cineasta João Moreira Salles, que estava de partida para Cuba, conseguiu localizar Patrícia por telefone para indicar um nome que poderia oferecer ajuda a ela:

– Há um grande advogado aqui do Rio, amigo nosso, que tem alguma experiência nesse negócio de seqüestro. Talvez fosse bom você ouvi-lo. O nome dele é José Carlos Fragoso, e o telefone é o seguinte...

Filho do respeitado jurista Heleno Fragoso, de quem herdara uma das mais importantes bancas de advocacia do Rio, o criminalista José Carlos Fragoso (que faleceria em 2003, aos 49 anos) foi procurado por

Patrícia e horas depois desembarcava em São Paulo. Quando ele chegou ao apartamento estavam lá, além de Patrícia, Juca Kfouri e André Midani. O visitante se apresentou e foi direto ao assunto:

– Nós temos pouco tempo, não é? Como vocês querem fazer? Vocês querem que eu faça uma explanação geral sobre o assunto ou preferem fazer perguntas?

Foi Patrícia quem respondeu:

– Preferimos que o senhor fale. Se for o caso, faremos perguntas. Mas quero deixar bem clara uma coisa: não me faça perguntas, porque eu não darei a ninguém nenhuma informação que possa colocar em risco a segurança do meu marido.

Como Giudice, Fragoso também parecia familiarizado com situações como aquela. Ele explicou que estava lá como amigo, a pedido de João Moreira Salles, e não como advogado. Depois de advertir a todos sobre a importância do sigilo a respeito do encontro ("isto não é pra ser comentado com ninguém, nem com as pessoas da maior confiança"), disse o que pensava:

– Vocês vão passar por um negócio dificílimo, duríssimo, mas se fizerem as coisas direito, vão ganhar. O tratamento de um seqüestro deve ser assim o tempo inteiro: não tem polícia e não tem imprensa. Forma-se um comitê com um número ímpar de pessoas. As decisões devem ser tomadas por consenso, e só em último caso devem ir a voto. Desconheçam a primeira exigência de dinheiro que eles fizerem, porque sempre vão chutar lá em cima. A primeira contraproposta de vocês deve ser sempre lá embaixo. Vocês devem ter uma idéia de qual é o teto que podem ou estão dispostos a pagar. Jamais façam qualquer tipo de ameaça aos seqüestradores. E não se apavorem, porque eles percebem. Vocês têm que impor regras, com firmeza, tais como os horários em que aceitam atender telefones.

De todas as recomendações do advogado, uma coincidia com o que pensava Giudice: o "chute para cima" dado pelos seqüestradores quando da primeira exigência de pagamento pelo resgate. Desde que começou na repressão a seqüestros, o delegado trabalha com uma estatística absolutamente informal, que ele chama de "conta burra", mas que atualiza a cada dez, quinze dias:

– Eu tomo os seqüestros ocorridos no período, registro o primeiro valor pedido pelos bandidos e o último valor, nos casos em que é pago o resgate. Somo cada uma das duas colunas e faço a média. Não é nada científico, é só uma conta, mas não tem erro: no final a família vai pagar entre 3% e 15% do que foi pedido inicialmente.

Outro conselho de Fragoso seguido por Patrícia foi a montagem do comitê, do qual passaram a fazer parte, além dela, os dois sócios de Washington e André Midani. A necessidade de um número ímpar de membros os fez chamar para o grupo o jornalista Juca Kfouri, que vinha atuando informalmente como porta-voz da família – ainda que fosse sempre para dizer aos repórteres que não havia novidades, que ninguém fizera contato algum. Midani foi o destacado para ser o negociador, o que o obrigou a mudar-se para a casa de Washington, onde passava dias e noites ao lado do telefone. Quando soube, dias depois, que Midani fora o escolhido, o delegado Giudice respirou aliviado. O nome de sua preferência era o de Gabriel, mas seu temor era que o escolhido fosse Javier:

– Desde o primeiro dia eu achei o Javier muito duro e disse que meu candidato era o Gabriel, que me pareceu um sujeito mais frio. E para negociar é melhor alguém assim. Porque o duro mostra emoção para o seqüestrador e dificulta a negociação.

É por isso que ele raramente coloca policiais de sua equipe para negociar com seqüestradores em nome das famílias:

– Eu posso dar uma aula de como falar com um seqüestrador, palavra por palavra. Mas se o bandido falar para mim "eu vou cortar a orelha dele", eu respondo: "Você vai cortar a orelha da puta que te pariu. E assim que eu te pegar eu te mato, seu filho de uma puta". Não adianta, é da natureza, eu falo assim. Sobe o óleo, acabou. Polícia fala assim. Aí mela. Então polícia não põe a mão no telefone.

Apesar de formalmente estar fora do caso, o delegado falava com freqüência com Patrícia ou outros membros do comitê, apenas para saber se estava tudo bem e se a família precisava de alguma ajuda. Mas as relações de Giudice com o grupo esfriaram depois que vazou a informação, passada por ele a seus superiores, de que os seqüestradores tinham feito o primeiro contato com a família.

Dois dias depois da entrega das flores e do relógio, uma mulher encontrou no piso de um ônibus um panfleto oferecendo os serviços de uma cartomante. Num cantinho do papel estava escrito à mão, em letras minúsculas e sem pontuação: "washington publicitário agrodora largo do arouche 246". A mulher associou o nome às notícias que ouvira do seqüestro (nem toda a imprensa atendera ao pedido de silêncio da família) e entregou o folheto a um soldado da PM, que o fez chegar às mãos de Wagner Giudice. Destacado para ir atrás da pista, o investigador Vagner Ferreira fez uma breve pesquisa no talonário de entregas da floricultura Agrodora, situada no largo do Arouche, no bairro dos Campos Elíseos, e voltou para a DEAS com informações importantes para o chefe:

– No dia 12 de dezembro uma mulher de cabelos longos e óculos escuros comprou um buquê de rosas e mandou entregá-lo para Patrícia Viotti. Junto com as flores seguiu o envelope contendo o relógio e a mensagem. A mulher tinha leve sotaque castelhano.

Nos sete dias seguintes os seqüestradores emudeceram. Os longos períodos de silêncio eram os piores para parentes e amigos e também para a equipe da W/Brasil, que além do desespero tinha que tocar a agência. Assim como Gabriel fizera com Ruy Lindenberg, Javier transferiu o grosso de sua atividade para o vice-presidente de atendimento, Ronaldo Gasparini. Uma folheada nos compromissos riscados com a palavra "cancelado" na agenda de Gabriel que compreende aquele período mostra que ele acabava dando tempo integral à solução do seqüestro:

09:00 Ver site com Drauzio Varella
10:00 Reunião com Ricardo Guimarães (grupo Prax)
14:00 Apresentação na Seguradora Unibanco AIG

20:00 Jantar com Rodrigo da Registrada (grupo Prax)
22:00 Show da Magdalena de Paula no Baretto

Tão ansiosa quanto a família e os amigos de Washington, a equipe da W/Brasil – gente que trabalhava a poucos metros dele todos os dias, por anos seguidos – tinha que manter a agência em pleno funcionamento. O pique para sustentar o padrão na ausência do chefe foi tal que, quando Washington foi libertado, a agência conseguira dois novos clientes – a Nazca, fabricante de cosméticos, e a Mabesa, grande multinacional do setor de fraldas e absorventes femininos –, ambos conquistados por Alexandre Grynberg, diretor de atendimento, que conta como isso ocorreu:

– As duas contas estavam sendo disputadas em processo de concorrência. Na Nazca, o Ronaldo Gasparini e eu levamos um rolo de filmes da agência, fizemos um *speech* e ganhamos a conta. No caso da Mabesa, chegamos a fazer um filme especialmente para o futuro cliente e apresentamos uma bela proposta de casamento entre planejamento e linha criativa.

Mas é sem saudades que Grynberg se recorda daquele período:

– Foram dias muito tristes, e essa tristeza contaminou os clientes. Ninguém pedia trabalho ou passava *jobs* para nós. Uns disfarçavam, desconversavam, e a grande maioria só ligava mesmo para prestar solidariedade e pedir informações.

Solidariedade era sempre bem-vinda, mas informação ninguém tinha. Nem mesmo Juca Kfouri, encarregado de falar com a imprensa duas vezes por dia, sempre para repetir a mesma frase: nada de novo. Uma noite Juca terminava seu programa esportivo na rádio CBN quando o telefone tocou. Era Gabriel, contando que Fernando Henrique Cardoso acabara de ligar para Patrícia. O presidente da República não só se solidarizou com ela, mas reiterou que considerava Washington "um cidadão de quem todo o Brasil tem orgulho" e que o governo federal faria tudo para que o seqüestro terminasse o mais depressa possível. No fim, FHC colocou à disposição da família os serviços da Polícia Federal ou de qualquer outro organismo do Ministério da Justiça. O que Gabriel queria era que Juca tentasse colocar essa notícia no *Jornal da Globo* que iria ao ar no fim da noite:

– No *Nacional* não dá mais, o jornal está no último bloco. Se conseguíssemos passar essa notícia para o *Jornal da Globo* seria muito bom. Quem sabe essa intervenção pessoal do presidente intimide esses filhos da puta que estão com o Washington.

Localizado na redação, no Rio, o responsável pelo *Jornal da Globo* era o jornalista William Waack, a quem Juca transmitiu a notícia e pediu que fosse divulgada. Segundo o relato de Juca, Waack estranhou o pedido, alegando não se tratar exatamente de uma notícia:

– Mas a quem interessa isso, Juca?

– A quem? A nós: à família e aos amigos do Washington.

A notícia não saiu. A versão de William Waack é diferente. Segundo ele, Juca não disse que o autor da chamada era o presidente da República, mas que o governo federal se pusera à disposição da família e que a divulgação dessa notícia ajudaria a intimidar os seqüestradores:

– Da forma como ele me passou, não era mesmo uma notícia. Eu só soube que o telefonema tinha sido dado pelo Fernando Henrique semanas depois, quando isso me foi dito pelo próprio presidente.

Antes que os seqüestradores voltassem a se manifestar, uma nova peça entrou no tabuleiro: os ingleses – assim mesmo, no plural, porque foram dois. Eram os homens da Control Risk, empresa britânica de consultoria especializada em "administração de risco e inteligência corporativa", cujos serviços haviam sido recomendados à família por José Carlos Fragoso. Com 25 anos de existência e escritórios espalhados por vários cantos do mundo, a Control Risk se orgulhava de ter tido insucesso – leia-se a morte da vítima – em apenas três casos entre 1600 que administrara nesse período. E ainda assim, ressaltavam, um dos três morreu de infarto, o outro assediou a namorada de um guerrilheiro e foi executado por isso, enquanto o terceiro terminou sendo morto porque não conseguia se locomover e acompanhar o grupo que o seqüestrara e era perseguido por tropas militares. A partir de informações extraídas de um monumental banco de dados instalado em Londres, a Control Risk despacha seus homens para o mundo. São quase todos ex-oficiais de inteligência ou de operações das Forças Armadas britânicas – eventualmente é convocado algum ex-servidor da CIA ou do Shin Bet, o serviço de inteligência militar israelense. Uma bem-sucedida intervenção da Control Risk, após o seqüestro de um executivo americano por guerrilheiros colombianos, acabaria se convertendo em um grande sucesso de Hollywood, o filme *Prova de Vida*, estrelado por Russel Crowe e Meg Ryan (na película a empresa se chama "Luthan Risk"). Seus agentes são regiamente remunerados. "Nenhum de nossos homens de campo", afirmou um diretor da empresa, em Londres, "ganha menos que um consultor sênior de organismos internacionais" – algo em torno de US$ 250 por hora de trabalho. O pagamento das contas, ao final de uma operação, tanto pode ficar a cargo de uma empresa de seguros (algumas incluem na apólice o direito de usar os serviços da Control Risk), como de pessoas físicas, jurídicas e até, em alguns casos, de governos.

Três dias depois do seqüestro, o norte-americano James Wygand, então presidente para o Cone Sul da Control Risk, apresentou-se na W/Brasil. Sessentão parecido com o ator Lee Marvin, eterno vilão do cinema, "Jim" Wygand era um pacato economista formado na Universidade de Wisconsin, que nos anos 60 interessou-se por política monetária brasileira. Esteve algumas vezes no Brasil e quando retornou aos EUA fez PhD na Universidade da Carolina do Norte. Wygand trabalhava como consultor econômico do Congresso americano ao ser convidado para assumir a direção do escritório da Control Risk para o Mercosul, sediado em São Paulo. Tratava-se de um homem frio, segundo ele uma característica essencial para se tratar com seqüestradores:

– No momento em que é seqüestrada, a pessoa se transforma em uma mercadoria. O eixo da negociação com o seqüestrador, portanto, é um só: você vai me entregar a mercadoria do jeito que você pegou, com todos os dedos e orelhas, e nós vamos fixar um preço a ser pago por isso. Tudo passa a se resumir a uma transação comercial.

Reunido com Patrícia, Gabriel, Javier, Midani e Juca, o grandalhão Jim Wygand expôs em poucas palavras o que era o trabalho da sua empresa:

– A polícia tem duas funções simultâneas: pegar o bandido e trazer a vítima de volta. Nosso trabalho é diferente: só temos que nos preocupar com a vítima. Isso pode gerar algumas áreas de conflito de interesse entre nós e a polícia.

No mais, suas recomendações eram parecidas com as que a família recebera: manter a imprensa e a polícia à distância, jamais dizer que aceitariam pagar o primeiro pedido, o encarregado de atender telefones devia estar preparado para ouvir ameaças e insultos etc. Wygand confirmou também o que a família já sabia pela "conta burra" de Wagner Giudice: na média, o resgate pago gira em torno de 10% do exigido inicialmente.

O homem da Control tinha motivos de sobra para não esperar qualquer colaboração da polícia paulista. O secretário de Segurança Pública, Marcos Vinicius Petrelluzzi, já reclamara várias vezes do *ranking* internacional dos seqüestros da Control, atualizado mensalmente no *site* da empresa, que atribuía à capital paulista o grau 5 de risco nesse tipo de crime, um dos mais altos do mundo, abaixo apenas de lugares como Bogotá, na Colômbia, e a Cidade do México. A empresa respondia que, na verdade, a situação real era muito mais grave, uma vez que um seqüestro só se convertia em estatística da Control Risk se a empresa fosse procurada pela família ou por alguma seguradora, como lembra Wygand:

– O Petrelluzzi nunca foi um grande fã da gente. Quando saiu o relatório da Control classificando São Paulo com o índice 5, ele disse: "Esses ingleses não sabem do que estão falando, o crime está sendo reduzido aqui". A criminalidade seria muito mais elevada se incluíssemos nas nossas estatísticas lugares como Capão Redondo, Jardim Ângela e outros bairros da periferia.

Ao fim da conversa com o comitê, Wygand explicou que ele era apenas um executivo da empresa, e não um agente, e que o encarregado da operação estava a caminho, voando de Londres para São Paulo. Era um ex-major da Marinha britânica com larga experiência em contra-insurgência e seqüestros em Angola, Moçambique, Colômbia e México. Na casa de Washington, no dia seguinte, o enviado da Control Risk explicou a que vinha – e não era muita coisa além do que já se tinha ouvido de José Carlos Fragoso: em essência, manter a polícia e a imprensa fora do caso e aguardar o novo contato dos seqüestradores. Para desespero geral, estes continuavam mudos, sem dar de Washington qualquer notícia além do envio do relógio.

A quinze minutos de sua casa, onde a reunião acontecia, Washington iniciava sua segunda semana de padecimentos. Minutos depois de ter sido colocado dentro do cubículo, no dia do seqüestro, ele viu as luzes piscarem, sinal de que ia entrar alguém e, conforme estabelecia o regulamento interno dos criminosos, colocou-se com o rosto de frente para a parede do fundo, de costas para a porta. Esta foi aberta por alguns segundos, tempo suficiente apenas para atirarem um colchonete de espuma no chão. Só no dia seguinte Washington teria uma pista de que seus captores não eram bandidos comuns: junto com o café da manhã, colocaram no chão um exemplar da revista britânica *The Economist*.

Durante os 53 dias que passou no cativeiro, Washington teve todos seus movimentos anotados à mão e digitados nos computadores. A cada hora, minuto, segundo havia alguém diante do pequeno monitor de 8 polegadas, instalado na sala contígua ao cubículo, que transmitia em preto e branco as imagens captadas pela lente colocada dentro do cubículo. Um dia de registros, colhido ao acaso, dá uma idéia do inferno em que Norambuena e seu bando transformaram a vida do publicitário. Durante as quase 1300 horas que passou nas mãos dos seqüestradores, ele permaneceu com a luz permanentemente acesa e com som em alto volume – cada CD trocado era registrado pelo plantonista. Os responsáveis por sua guarda anotavam também qualquer

17:20 EL TIPO SE SIENTA Y SE MOJA LOS BRAZOS Y LA CARA, LUEGO SE RECUESTA EN SU KING ZAY.

19:40 SE LE ENTRA LA COMIDA Y LA CARTA, CUANDO LOS GUARDIAS ESTAN AFUERA LO PRIMERO QUE HIZO FUE COGER LA CARTA Y LEERLA, LUEGO DE ESO SE SENTO A COMER, APARENTEMENTE EL TIPO SE COMIO CON CALMA.

19:50 EL TIPO VUELVE A LEER LA CARTA Y AHORA SE PONE A LLORAR, SE ACERCA A LA PUERTA A PEDIR UNA BEBIDA.

20:00 ENTREGO GUARDIA AT. ESTÁ ESCRIBIENDO.

20:00 At está sentado escribiendo la calle está tranquila

20:05 sale entro en Trago - Musica caetano V

20:20 se puso a llorar se paro a la puerta a llorar
y se sento - sigue llorando
se soba el pecho

Durante 53 dias o interior do cubículo foi controlado pelos seqüestradores de Washington, que registraram cada segundo de sua vida no cativeiro.

12:27 = se paro se arrecuesta a la pared
se mira los manos se pone hablar y se
pone a llorar
1-06 = sale Cumbrerri Entra DJAVAN
1-07 = se para a Orinar
1:20 = los cros le entran el almuerso
1:40 = se para toma agua y se sienta o escribe
2:03 = se para a orinar
2:07 = sale DJAVAN Entra [illegible]
2:23 = sale el cro flaco
2:33 = se para a Orinar
2:44 = pasa una patrulla de la [illegible]
2:45 = se para se quita la camiseta la calor
lo tiene un poco desesperado se hecha a

movimento entranho na rua, como passagem de viaturas policiais, e entrada e saída de vizinhos. Esta é a folha completa do acompanhamento de Washington no dia 22 de janeiro de 2002, quando fazia 43 dias que ele – aqui tratado como "Átila" – estava trancafiado no cubículo:

00:00 – Recebi o plantão. Toño
00:10 – Passa uma patrulha da GARRA.
00:15 – Sai Bob Marley, entra Chico Buarque.
00:25 – Átila desperta. Urina, lava as mãos e começa a escrever.
01:00 – Pára de escrever e começa a ler a revista Cult *que lhe demos.*
01:15 – Átila defeca. Lava as mãos e fala sozinho, olhando para a parede esquerda.
01:20 – Sai Chico Buarque, entra Cranberries.
01:30 – Átila tira a haste dos óculos e parece escrever alguma coisa com ela na parede emborrachada.
01:35 – Volta a escrever e ler escritos anteriores.
01:40 – Um companheiro serve o café da manhã. Átila come tudo.
02:00 – Entrego o plantão.

02:00 – Recebo o plantão. Carlos.
02:05 – Sai Cranberries, entra Unos Tangos.
02:10 – Átila se deita e dorme.
02:55 – Sai Unos Tangos, entra Rita Lee.
03:15 – A mesma patrulha da PM passa duas vezes. Veículo Corsa, dois soldados.
04:00 – Entrego o plantão. Átila dormiu quase todo o tempo.

04:00 – Recebo o plantão. Júlio.
04:10 – Átila urinou.
04:20 – Saem dois sujeitos da casa ao lado.
04:48 – Falou sozinho com a porta. Sentou-se no chão e voltou a escrever.

05:20 – Átila levantou-se, andou de um lado para o outro do cubículo. Levantou a camiseta, olhou para a própria barriga por alguns minutos, sorriu muito e começou a chorar.
05:36 – Parece estar mais tranqüilo. Urinou de novo.
06:00 – Entrego o plantão sem novidades.

06:00 – Recebo o plantão. Christian.
06:10 – Sai Rita Lee, entra Tchaikovsky.
06:15 – Átila lê sentado coisas que escreveu antes.
06:20 – Sai Tchaikovsky, entra Djavan.
06:35 – Fica de pé. Continua lendo perto da câmera.
06:50 – Senta-se e defeca. Levanta e dorme.
07:15 – Sai Djavan, entra Chitãozinho e Xororó.
07:30 – Átila parou de ler.
07:45 – Passa uma patrulha da PM, com quatro homens armados.
08:00 – Entrego o plantão sem novidades.

08:00 – Recebo o plantão. Frederico.
08:05 – A luz do cubículo queimou.
08:10 – Um companheiro entra e troca a lâmpada.
08:15 – Sai Chitãozinho e Xororó, entra Bob Marley.
08:20 – Dois compas entram com o almoço de Átila e uma carta [uma mensagem dos próprios seqüestradores]. *Quando deixam o cubículo, ele lê a carta, senta e almoça.*
08:35 – Átila almoça, come tudo, escova os dentes e deita.
08:40 – Deitou de bruços, está escrevendo.
09:02 – O Velho sai de casa.
09:05 – Tocam a campainha, é o homem do gás.
09:10 – Sai Bob Marley, entra a incomparável, a única [sic] *Madonna.*
09:20 – Átila bate na porta e pede uma bebida.
09:35 – Um guarda põe um copo plástico com conhaque no cubículo. Átila leva 15 minutos para beber tudo.
09:50 – Continua escrevendo.

10:00 – Entrego o plantão. Átila esteve um pouco pensativo, mas tranqüilo.

10:00 – Recebo o plantão. Magro.
10:05 – A. está recostado, escrevendo.
10:10 – Sai Madonna, entra Ira!
10:15 – Passa uma patrulha da Polícia Civil.
10:30 – Átila fica em pé diante da câmera com uma folha de papel onde escreveu: "Estou pronto para sair daqui".
11:00 – Sai Ira!, entra Caetano Veloso.
12:00 – Entrego o plantão. Átila passou todo o tempo escrevendo e relendo o que escreveu. Urinou três vezes e há cinco minutos dormiu.

12:00 – Recebo o plantão. Roberto.
12:05 – Sai Caetano, entra Jorge Benjor.
12:30 – Átila dorme.
12:40 – Passa uma viatura da PM com dois pacos [soldados].
12:40 – Sai Jorge Benjor, entra Rachmaninoff.
13:14 – Saem três companheiros.
13:35 – Átila acordou. Escovou os dentes, urinou e dormiu de novo.
13:45 – Sai Rachmaninoff, entra Zezé di Camargo.
13:55 – Átila acordou, bebeu água e começou a escrever apoiado nos joelhos.
14:00 – Entrego o plantão. Sem novidades.

14:00 – Recebo o plantão. Pancho.
14:05 – Está escrevendo, a rua está tranqüila.
14:10 – Átila tira a camiseta e se abana com ela diante da câmera. Está com calor.
14:20 – Um compa *aumenta o ar do ventilador do cubículo.*
15:00 – Toño coloca o café da manhã dentro do cubículo. Átila olha feio para a comida, mas come.

15:10 – Átila se aproxima da porta e fala algo como "sinto dores no peito".
15:12 – Sai Zezé Di Camargo, entra Madonna.
15:15 – Entra uma pessoa estranha na casa ao lado.
15:30 – Átila volta a escrever.
16:00 – Entrego o plantão. Na última meia hora Átila parou de escrever e andou de um lado para o outro do cubículo, movendo os braços, como se fizesse jogging.

16:00 – Recebo o plantão. Bruno
16:05 – Sai Madonna, entra Chico Buarque.
16:15 – Passou uma moto da PM com um paco.
16:20 – O Velho sai da casa.
16:25 – Átila tira a camiseta e as calças e anda só de cuecas dentro do cubículo, abanando-se com o caderno.
16:30 – Átila volta a escrever.
17:00 – Sai Chico Buarque, entra Beethoven.
17:10 – Átila chora sentado no banco.
17:15 – Volta a escrever.
17:20 – Sai Beethoven, entra Beatles.
17:40 – Chora novamente.
18:00 – Entrego o plantão. Átila esteve muito nervoso, mas agora está sentado no chão, escrevendo, aparentemente tranqüilo.

18:00 – Recebo o plantão. Fernando.
18:15 – Sai Beatles, entra Jorge Aragão.
18:52 – Começou a chorar novamente.
19:00 – Parou de chorar.
19:20 – Passou uma Blazer da Polícia Militar. Levava dois pacos *relaxados.*
19:30 – Um compa *entra com o almoço.*
19:40 – Átila come só a metade de almoço. Escova os dentes e volta a escrever, agora de pé, andando de um lado para o outro.

19:45 – Sai Jorge Aragão, entra Bono Vox.
19:55 – Bruno sai para buscar os bilhetes.
20:00 – Entrego o plantão. Nos últimos minutos da minha guarda, a luz da casa apagou por alguns segundos e logo voltou.

20:00 – Recebo o plantão. Pablo.
20:00 – Átila está muito inquieto, talvez por causa do apagão. Está de pé diante da câmara, falando algumas coisas incompreensíveis. Parece muito irritado.
20:10 – Sai Bono Vox, entra Jorge Benjor. Átila escreve.
20:45 – Átila dorme.
21:00 – Sai Jorge Benjor, entra Frank Zappa.
22:00 – Entrego o plantão.

22:00 – Recebo o plantão. Magro.
22:00 – Sai Zappa entra Rachmaninoff.
23:00 – Sai Rachmaninoff, entra Zezé di Camargo.
02:00 – Átila passou todo o plantão dormindo.

Como parte das anotações manuscritas caiu nas mãos da polícia, a análise grafológica mostrou, por exemplo, que embora os plantonistas se identificassem com dez nomes diferentes, eram apenas quatro os que de fato cumpriam essa tarefa.

Durante o período em que esteve encarcerado, Washington viveu alguns incidentes com seus seqüestradores. O primeiro foi por causa dos cigarros. A partir do dia 11 de dezembro começou a aparecer na contabilidade dos computadores o registro de um gasto novo: cigarros (o que fez a polícia supor que nenhum dos seqüestradores era fumante). Eram os pacotes de cigarros comprados para o refém, até então um tabagista incontrolável que chegava a fumar dois maços por dia – de Marlboro, como sabiam seus captores. De todos os pedidos feitos por Washington (sempre por meio de bilhetes, pois eles jamais se comunicaram verbalmente), só dois foram atendidos: os cigarros e papel e caneta para que pudesse escrever – atividade que tomava rigorosamente todo seu tempo e que, segundo declarou depois, "certamente me impediu de enlouquecer lá dentro". O caderno que lhe deram, porém, vinha acompanhado de uma crueldade adicional: era um modelo "universitário", com 200 páginas pautadas e presas em espiral, cuja última capa trazia impressa a Declaração Universal dos Direitos dos Animais. Ali Washington poderia ler, todos os dias, direitos que a lei assegurava aos bichos e que estavam sendo negados a ele:

Artigo 3º
1. Nenhum animal será submetido nem a maus tratos nem a atos cruéis.
Artigo 4º
1. Todo animal [...] tem o direito de viver livre [...]
2. Toda a privação de liberdade [...] é contrária a este direito.

Há uma ironia macabra nessa história. Se de fato fossem comunistas, como alegariam depois, os seqüestradores de Washington certamente saberiam que esses mesmos artigos foram utilizados no Brasil, setenta anos antes. A diferença entre os dois casos é que o advogado Sobral Pinto recorreu à Declaração para tentar aliviar as torturas de que era vítima o ex-deputado comunista alemão Arthur Ewert (codinome "Harry Berger"), preso pelo governo Vargas após a frustrada revolta comunista de 1935.

Quando fazia dez dias que estava preso, Washington, que já havia reclamado de dores no peito, renovou um pedido aos seqüestradores:

Senhores,
Desculpem a insistência, mas não tenho dúvida de que existe alguma coisa mais útil do que não fazer nada, que podemos fazer hoje pelo final desse episódio.
Continuo cada vez pior.

A coisa da bebida forte a cada entrada dos guardas tem me ajudado o peito. Mantenham, por favor.
Um Dormonid ou similar também ajudaria.

Passados dois dias e sem que ninguém lhe desse resposta, Washington resolveu infringir o regulamento e começou a dar chutes e pontapés nas paredes do cubículo. As luzes passaram a piscar, ele colocou a máscara no rosto e postou-se de frente para a parede do fundo. Alguém abriu a porta e fechou-a imediatamente. Mais piscar de luzes e só alguns minutos depois é que ele percebeu que a pessoa tinha entrado apenas para puni-lo – retirando o maço de Marlboro aberto que estava no chão. Além da privação da liberdade, Washington agora estava sem a companhia dos seus cigarros. Aí pelo quarto, quinto dia, ele percebeu que, pensando bem, até dava para sobreviver sem cigarros. Quando achou que talvez estivesse se livrando do vício, alguém fez piscar as luzes, abriu a porta e colocou no chão do cativeiro um maço de Marlboro novinho. Em vez de avançar desesperado sobre ele, Washington passou algum tempo tentando descobrir o significado daquele tira-e-põe de cigarros. Claro, pensou, se eu voltar a fumar agora, daqui a alguns dias eles me tiram os cigarros outra vez. Decidiu recusar o presente de grego de seus carcereiros com uma afronta: abriu o maço, retirou um por um os vinte cigarros, despedaçou-os dentro do saco plástico que haviam deixado na cela, urinou lá dentro, fechou a boca do saco e deixou-o junto da porta, para ser retirado pelo primeiro que entrasse. A reação dos seqüestradores foi uma surpresa para Washington: eles recolheram o saco cheio de urina e cigarros e puseram outro maço de Marlboro dentro do cubículo. Washington parecia estar querendo provar para seus captores que não dependia deles para tudo e repetiu a provocação: abriu de novo a caixinha, jogou os cigarros em outro saco plástico e outra vez urinou lá dentro. Quando o guarda de plantão entrou no cubículo, levou consigo não só o saco plástico, mas o caderno e a caneta Bic que o refém usava para escrever. A vingança do bando bateu pesado. Depois de três dias sem escrever – cartas para a mulher,

Declaração Universal dos Direitos dos Animais

Unesco, Bruxelas, 27 de Janeiro de 1978

Art. 1º Todos os animais nascem iguais diante da vida e têm o mesmo direito à existência.

Art. 2º a - Todo animal tem direito ao respeito.
b - O homem, como espécie animal, não pode exterminar os outros animais ou explorá-los violando seus direitos, tem o dever de pôr os seus conhecimentos a serviço dos animais.
c - Todo animal tem direito à consideração, à cura e a proteção do homem.

Art. 3º a - Nenhum animal deverá ser maltratado e submetido a atos cruéis.
b - Se a morte de um animal é necessária, deve ser instantânea, sem dor nem angústia.

Art. 4º a - Todo animal que pertence a uma espécie selvagem, tem o direito de viver livre no seu ambiente natural terrestre, aéreo ou aquático e tem o direito de reproduzir-se.
b - A privação da liberdade, ainda que para fins educativos, é contrária a este direito.

Art. 5º a - Todo animal que pertence a uma espécie, que vive habitualmente no ambiente do homem, tem o direito de viver e crescer segundo o ritmo e as condições de vida e liberdade, que são próprias de sua espécie.
b - Qualquer modificação deste ritmo e destas condições imposta pelo homem para fins mercantis, é contrária a este direito.

Art. 6º a - Todo animal que o homem escolher para companheiro tem o direito de uma duração de vida, conforme a sua longevidade natural.
b - O abandono de um animal é um ato cruel e degradante.

Art. 7º Todo animal que trabalha tem o direito a uma razoável limitação do tempo e intensidade do trabalho, a uma alimentação adequada e ao repouso.

Art. 8º a - A experimentação animal, que implica em sofrimento físico e psíquico, é incompatível com os direitos do animal, quer seja uma experiência médica, científica, comercial ou qualquer outra.
b - As técnicas substitutas devem ser utilizadas e desenvolvidas.

Art. 9º No caso do animal ser criado para servir de alimentação deve ser nutrito, alojado, transportado e morto sem que para ele resulte ansiedade ou dor.

Art. 10º Nenhum animal deve ser usado para divertimento do homem. A exibição de animais e os espetáculos que utilizam animais são incompatíveis com a dignidade do animal.

Art. 11º O ato que leva à morte de um animal sem necessidade é um biocídio, ou seja, um delito contra a vida.

Art. 12º Todo ato que leva à morte um grande número de animais selvagens é um genocídio, ou seja, um delito contra a espécie.

Art. 13º a - O animal morto deve ser tratado com respeito.
b - As cenas de violência de que os animais são vítimas, devem ser proibidas no cinema e na televisão, a menos que tenham como fim mostrar um atentado aos direitos do animal.

Art. 14º a - [illegible]

Uma crueldade adicional: na contracapa do caderno que os seqüestradores deram para o refém escrever seu diário, a Declaração Universal dos Direitos dos Animais.

o filho e os amigos e um diário com anotações desde o primeiro momento do seqüestro –, Washington descobriu que dependia mais do caderno e da caneta do que dos cigarros. No quarto dia puseram de novo no cubículo uma caneta e apenas uma folha de papel, que ele utilizou para mandar um bilhete aos seqüestradores:

Senhores,
Desculpem alguma grosseria. Não tinha a intenção. Queria apenas manifestar minha decepção pelas promessas feitas e não cumpridas.
Estou muito mal.
Mãe Cleusa do Gantois me apareceu e avisou que eu ia morrer de infarto aqui se não resolvesse logo. Tenho lutado mas estou cada hora pior. Por favor, fiquem de olho. Arrumem um calmante pra valer. Esse não é nada. Ou liberem a bebida com os guardas. Não sou alcoólatra nem vou fazer barulho. Pelo contrário: duas, três doses por período podem me acalmar e me ajudar a não explodir.
Estou apavorado.
[...] Por isso que mais do que uma entrevista, diálogo, eu estou reivindicando que venham me ouvir alguns minutos. Hoje escrevi sobre que essa é a minha última possibilidade de oferta consciente e isso é verdade.
Mas tive uma idéia que vale a pena ouvir.

A julgar pelo silêncio dos seqüestradores, ninguém estava interessado na nova idéia. Pela primeira vez ele chorou:

– Eu chorava por três motivos: primeiro porque estava puto com aquilo, como um jogador que é expulso do campo injustamente. Chorava de medo da situação, não um medo físico, mas medo de estar ali. E chorava de saudade de mim, do Washington que andava na rua, em liberdade.

Ele percebeu que havia feito uma besteira ao deixar seus seqüestradores descobrirem que escrever era a única forma de se sentir por alguns instantes fora dali, com o pensamento fora do cubículo.

– Eu escrevia, escrevia, escrevia doidamente. Escrevi tanto que esvaziei a tinta de várias esferográficas. A cada não sei quantos dias eles tinham que colocar uma caneta nova. Quando eles perceberam que eu gostava muito disso, roubavam o caderno e a caneta porque sabiam que isso, ao contrário da privação dos cigarros, me deixava desesperado. Eu gritava dentro do cubículo: "Devolvam essa porra, seus filhos da puta! Vocês roubaram a porra do caderno, devolvam!".

Ao concluir que os seqüestradores não iam mesmo devolver suas coisas, ele decidiu se vingar. Enquanto resistiu – dois ou três dias –, Washington prendeu os intestinos. Durante esse período, o balde amarelo de plástico que era usado como vaso sanitário permaneceu vazio. Quando percebeu que não agüentava mais, sentou-se e se aliviou, deixando meio palmo do balde coberto de fezes. Fez a higiene e começou a pôr a vingança em prática. Discretamente, sem deixar que os guardas percebessem, cada vez que passava perto do balde, ele o empurrava com o pé alguns centímetros em direção à parede do fundo. Uma hora depois, o balde estava quase encostado no lado oposto da porta. Quando a luz interna piscou, o coração de Washington batia incontrolavelmente: era agora. Ele colocou a máscara no rosto e postou-se de pé diante da parede do fundo, com a perna esquerda levemente encostada no balde, para saber exatamente onde ele se encontrava. Ao ouvir o barulho do trinco da porta se abrindo, esperou uma fração de segundo e, num gesto rapidíssimo, agarrou o balde e atirou todo seu mefítico conteúdo sobre a pessoa – ou as pessoas, ele não sabe – que acabara de entrar. Ele esperava tudo como reação, menos o que ocorreu: nada. Ninguém deu um pio, pronunciou uma interjeição, nada. A música continuou no último volume, como sempre, e a porta foi trancada como se nada tivesse acontecido. Seu espanto, no entanto, não terminaria aí. Passaram-se o que ele calcula que tenham sido umas quatro horas sem que nada acontecesse – tempo em que teve de conviver com a insuportável fedentina que exalava da merda e da urina respingadas no chão e nas paredes do pequeno cômodo.

Quando as luzes piscaram de novo, outra surpresa. Enquanto ele permanecia de pé, usando a máscara e com o rosto voltado para a parede, alguém entrou no cubículo e começou a limpá-lo. Embora não tenha visto nada nem ninguém, pela rapidez com que a limpeza foi realizada Washington acredita que duas ou três pessoas fizeram o serviço. Jogaram água, passaram o rodo, espargiram desinfetante em *spray* em cada canto, até que não houvesse nenhum resquício da sujeira ou do cheiro. As pessoas saíram, a porta se fechou e minutos depois a luz piscou outra vez. Ele pôs a máscara, ficou de frente para a parede, a porta abriu e fechou de novo. Quando tirou a máscara, viu que tinham deixado um conjunto de moleton limpo para ele se livrar do que vestia, meio respingado pela melequeira que provocara horas antes. Sem entender a reação dos seqüestradores, acomodou-se sobre o colchonete e tentou dormir. Ele ainda procurava conciliar o sono, meia hora depois, quando a luz piscou de novo. Washington levantou-se e, pela enésima vez, pôs a máscara e virou-se para a parede. Entraram o que ele imagina terem sido três homens, encapuzados e armados de cassetetes de borracha dura, que o algemaram com as mãos às costas e durante algum tempo – cinco minutos, dez minutos? – se puseram a espancá-lo com brutalidade. Quando pararam de bater, saíram sem dar uma palavra, sem emitir um único som. Foram precisas duas semanas para que as equimoses e hematomas desaparecessem do corpo de Washington.

W/Bras
W/BRASIL

W/
B R A S

18

Diante da pistola de um PM, o refém graceja: "Abaixa isso, meu. Eu sou o Washington Olivetto, corintiano".

Como costumava fazer todo final de ano, dias antes do Natal – e, portanto, menos de dez dias após o seqüestro –, Jim Wygand convocou a imprensa para uma entrevista-relatório sobre as atividades da Control Risk no mundo em 2001. Alguns jornais já tinham dado notas insinuando que a empresa inglesa estava trabalhando no caso de Washington e um repórter perguntou se a informação era verdadeira. O americano desconversou, derivou e acabou não respondendo, o que para os jornalistas soou como uma confirmação. Ao ler a entrevista, no dia seguinte, um indignado Gabriel Zellmeister passou a mão no telefone e desancou Wygand:

– Com sua resposta o senhor deixou vazar deliberadamente a notícia. Com isso o senhor está colocando em risco a vida do Washington para fazer propaganda da sua empresa. Isto tem um nome: safadeza.

O americano ainda tentou explicar que não era isso, e que todos os anos a Control Risk chamava a imprensa para o relatório, mas Gabriel não estava para conversa:

– Ocupando o posto que ocupa o senhor devia saber que sua informação é uma excelente munição para os bandidos que seqüestraram o Washington.

E desligou o telefone. Dias depois, o primeiro consultor inglês da Control Risk embarcava de volta para Londres, sendo substituído por outro, mais jovem e também ex-oficial das Forças Armadas britânicas. Como o antecessor, este também não falava uma sílaba de português e não decidia nada. Seu trabalho era juntar as informações – métodos empregados no seqüestro, estilo da operação, forma de comunicação dos seqüestradores –, cruzar com os dados acumulados nos computadores de Londres e, baseado também em sua experiência profissional, dar conselhos. Como fazem normalmente os agentes da Control, ele não punha a mão no telefone, não negociava, não escrevia nada, só aconselhava. E os conselhos básicos eram sempre os mesmos: manter a polícia e a imprensa fora do caso e aguardar o começo das negociações com os seqüestradores – que permaneciam mudos.

O arranca-rabo de Gabriel com Wygand acabou por fazer emergir um sentimento que preocupava pelo menos dois membros do comitê. Além do próprio Gabriel, Juca Kfouri também acreditava que o caminho mais seguro para que o seqüestro terminasse sem riscos para Washington era contar com a ajuda da equipe da DEAS. Porém, o temor de que os seqüestradores se sentissem desafiados – afinal, a primeira exigência deles tinha sido manter a polícia longe das negociações – obrigou o comitê a tomar uma atitude intermediária: o delegado Giudice seria informado de tudo o que acontecesse, mas não veria os originais das mensagens que fossem enviadas pelo bando nem teria acesso a valores eventualmente negociados para a libertação. Alguns dias depois da decisão, os ingleses estavam fora do jogo, dispensados pelo comitê.

No dia 20 de dezembro, um motoboy de uma das empresas previamente selecionadas pelo bando entregou, na portaria do prédio de Washington, um envelope dirigido a Patrícia. Dentro dele havia um bilhete impresso em computador, escrito em português sem erros, no qual os seqüestradores exigiam US$ 18,5 milhões para libertar o publicitário – um volume de dinheiro que, em cédulas de US$ 100, pesaria 180 quilos. A confirmação da concordância deveria ser feita sob a forma de um anúncio classificado a ser publicado nos dias 22 e 23 de dezembro no *Estado de S. Paulo* e no *Jornal do Brasil* oferecendo um automóvel Porsche. No final do bilhete, um sinal de que os seqüestradores esperavam uma negociação: eles diziam que a quantia a ser publicada no anúncio seria entendida como em milhões de dólares. Nos dias determinados lá estava o anúncio de um Porsche por 425 mil – sem especificar se eram dólares ou reais –, acompanhado do número de um celular pré-pago. A partir da madrugada de sábado, quando os dois jornais começaram a circular, André Midani não desgrudou mais dos dois aparelhos – que, no entanto, permaneceram em silêncio. A ausência de novos contatos dos seqüestradores despertava um pesadelo para o qual o delegado Giudice já advertira o comitê: os métodos de trabalho revelavam que os criminosos pareciam preparados para manter Washington no cativeiro por até três ou quatro meses.

A proximidade do Natal deixou em estado de alerta as redações, mas nenhum sinal foi dado pelos seqüestradores. No cativeiro da rua Kansas, a porta de entrada da casa tinha sido decorada com uma inocente e natalina guirlanda de folhas de plástico e bolas coloridas. Não há registros, seja feitos por Washington, seja por seus carcereiros, de que ele soubesse que aquela era a noite (ou o dia) de Natal, tamanha a confusão mental a que fora submetido todo o tempo, com as luzes acesas o dia inteiro e a infernal e ininterrupta música em volume altíssimo. Enquanto o refém padecia num cubículo minúsculo e quente, uma parte de seus captores – três casais e mais uma mulher – foram celebrar as festas na casa de praia que haviam alugado em Ilhabela. A julgar pelos gastos registrados na minuciosa contabilidade, festejaram à tripa forra: entre bebidas, ceias, passeios de lancha, aluguéis de carros, motos e parapente, o grupo torrou quase 20 mil reais em menos de três dias. Em uma das máquinas fotográficas dos seqüestradores capturadas pela polícia foram encontradas fotos em que eles, homens e mulheres, se deixavam fotografar nus à beira de uma piscina.

O Ano Novo gerou uma nova onda de boatos nas redações. Primeiro disseram que Washington tinha sido libertado durante o estouro de um cativeiro em Ribeirão Pires, na região do ABC paulista. No dia 30, circulou a falsa notícia de que o resgate fora pago e que sua soltura estava sendo esperada em Bertioga, no litoral Sul de São Paulo. As horas se passavam, a virada do ano se aproximava, mas dos seqüestradores não veio nenhum sinal. À meia-noite, o cantor Lulu Santos conseguiu colocar uma platéia de dezenas de milhares de pessoas que se aglomeravam na praia de Copacabana, no Rio de Janeiro, cantando com ele em homenagem a Washington a canção *Tempos Modernos.* Na manhã seguinte, a caixa postal do computador do publicitário receberia outra declaração de carinho, desta vez de um vizinho que, como Lulu, torcia por sua libertação. Era um *e-mail* do escritor Mario Prata, dono de um apartamento também na alameda Franca, no prédio em frente ao de Washington, mas alguns andares mais baixo:

De: Mario Prata
Enviada em: 1 de janeiro de 2002
Para: Washington
Assunto: Viva!!!
Washington:
Daqui da minha janela fico olhando para cima. Para as suas. Lá embaixo está toda a imprensa brasileira esperando você chegar. Afinal, hoje estamos começando 2002. Volto agora para Floripa [Florianópolis, em Santa Catarina, onde o escritor mantém uma segunda casa], *onde ainda não acontecem essas merdas. Há dias vou de meia em meia hora até a janela. Você não voltou ainda. É que eu queria estar ali, na hora em que você chegar. Dar um sorrisinho gostoso. O cara está vivo. Viva 2002. Imagine você que todos querem subir até o meu apartamento para ver se conseguem alguma tomada do seu. Pode? E mais: acham que eu estou sabendo de alguma coisa, de tanto que saio e entro.*
Bem, meu caro, estou indo para a minha ilha e não vou ver a sua chegada. Mas a Franca – francamente – te recebe de braços e calçadas abertas.
Some não, cara. Beijos.
Prata

Manifestações como essas chegavam aos montes à casa de Washington e à sede da W/Brasil. Vinham de anônimos admiradores de todo o país (um deles, mineiro, enviou para Patrícia uma medalha de Nossa Senhora Desatadora de Nós) e também de gente famosa: o então deputado federal e hoje senador Aloizio Mercadante ocupou a tribuna do Congresso para um discurso apaixonado: "Como liderança política, assumo o papel de quem deve propor e executar soluções que acabem com a violência. Como cidadão, apelo mais uma vez: libertem Washington Olivetto!!". Juca Kfouri arranjou tempo para escrever um artigo intitulado "Um corintiano em apuros", publicado no jornal esportivo *Lance!*, no qual começava contando que Washington era um corintiano tão fanático que tinha quadros com fotos do time na sala de jantar de casa. Mesmo sem fazer nenhuma referência ao seqüestro, ele passa alguns torpedos no texto:

> *Tomara que ele esteja podendo ao menos, em meio a tamanho sofrimento, acompanhar as coisas do Corinthians. Quem sabe até possa estar escrevendo o livro que tem na cabeça para a coleção "Camisa 13", sobre dois amigos alvinegros, um brasileiro e outro norte-americano. O brasileiro, que passou pelo jejum de títulos e por todas as desgraças corintianas, alimenta o americano com o noticiário do clube e dá ao gringo só boas novas: o Corinthians sempre vence, é decacampeão e até Pelé jogou no Timão. O melhor é que o americano existe, é um dos principais publicitários dos Estados Unidos e virou corintiano em 1999, quando foi com o Washington ver a decisão do Campeonato Brasileiro, entre Corinthians e Galo, no Morumbi.*

Houve quem preferisse buscar no silêncio de um templo a ajuda de Deus para o seqüestrado, como aconteceu com Roberto Carlos. Embora Washington só viesse a saber disso muitos meses depois de solto, durante o período do seqüestro o cantor esteve várias vezes na igreja de Santa Rita de Cássia, em Ipanema, no Rio, pedindo pela libertação do amigo que o fizera vender um milhão de discos em um único dia. Uns usavam a fé, outros a tribuna, a Internet e os jornais. Muitos anônimos recorreram ao velho correio, mesmo sem saber como fazer para a carta chegar ao destino. Foi assim, por exemplo, que Delizete

Correia de Souza, residente em Maripá, cidadezinha de pouco mais de 2 mil habitantes, escondida na zona da Mata em Minas Gerais, conseguiu que sua carta de solidariedade a Washington chegasse às mãos de Ruy Lindenberg (que continuava encarregado de receber a correspondência dirigida ao chefe), apesar de desconhecer onde ficavam a agência ou a casa dele. No lugar destinado no envelope ao nome e endereço do destinatário, ela escreveu:

> *Eu não sei o endereço do sr. Washington Olivetto, mas espero que os Correios de São Paulo sejam tão eficientes que entreguem direitinho essa humílima correspondência na casa ou na empresa dele.*
> *Pelo que agradeço.*
> *Delizete*

Quando fala daqueles dias, Ruy lembra que, embora tivesse trabalhado muitos anos com Washington (entre 1990 e 1995 e entre 2000 e 2002), e testemunhado o poder da fama sobre as pessoas, ficou impressionado com as manifestações que leu e ouviu:

– Todos revelavam extrema sinceridade e muita emoção. Descobri que, além do brilho do sucesso, que sempre atrai muita gente, o Washington reúne um número inacreditável de admiradores sinceros, fãs mesmo. Isso certamente é fruto das incontáveis pessoas que ele cativou ao longo da vida.

Os seqüestradores só voltariam a se manifestar no dia 5 de janeiro – e de forma macabra. No meio da tarde apareceu na casa de Washington um entregador que deixou um pacote para Patrícia. Quando ela e Midani o abriram, viram dois quilos de carne bovina, crua, fatiada em pedaços – e foram precisos intermináveis segundos até constatarem que ali não havia nenhuma parte do corpo de Washington. Se era esse o estado de pânico que os seqüestradores queriam infligir à família e aos amigos, eles tinham conseguido. Dentro do pacote uma mensagem repetia as mesmas exigências anteriores, simplesmente ignorando os anúncios do Porsche. O valor era o mesmo e os novos anúncios deveriam ser publicados nos mesmos jornais, mas desta vez no caderno de empregos, oferecendo trabalho a um arquiteto. Cada ano de experiência exigida seria entendido como um milhão de dólares. Nos dias 8 e 9, um classificado de 28 palavras foi publicado no *Estadão* e no *Jornal do Brasil*:

> *ARQUITETO – ADMITE-SE*
> *Com um ano de experiência, empreendedor e criativo. Solicita-se enviar currículo com foto recente. Salário a negociar pelo telefone (11) 9764.7996, de 11 às 15 horas.*

Poucas pessoas – só os membros do comitê e os seqüestradores – sabem exatamente quantos bilhetes foram enviados pelo bando e se chegou a haver alguma negociação em torno do valor exigido. Temendo pela segurança de Washington, nem à polícia a família transmitiu essas informações. A insistência dos seqüestradores em nunca fazer contatos telefônicos reforçou, para o delegado Giudice, as suspeitas iniciais de que o bando fosse formado por estrangeiros que, falando, se identificariam: "Se for assim, é sinal de que eles podem até ter apoio de brasileiros", disse ele a seus superiores, "mas não é alguém em que confiem o suficiente para trabalhar como negociador".

A primeira semana de janeiro trouxe uma dor de cabeça adicional para a família e os amigos de Washington. A revista *Época*, semanário pertencente às Organizações Globo, decidira publicar uma grande reportagem sobre o problema dos seqüestros em São Paulo, e escolheu para estampar na capa uma foto de arquivo de Washington. Foi escolhida uma foto posada em que ele aparece com o olhar assustado, sob um fundo completamente negro, ao lado da qual vinha o título:

> *SEQÜESTRO*
> *Como funciona a máquina criminosa que cresceu 323% em São Paulo, assusta as famílias e humilha o país.*

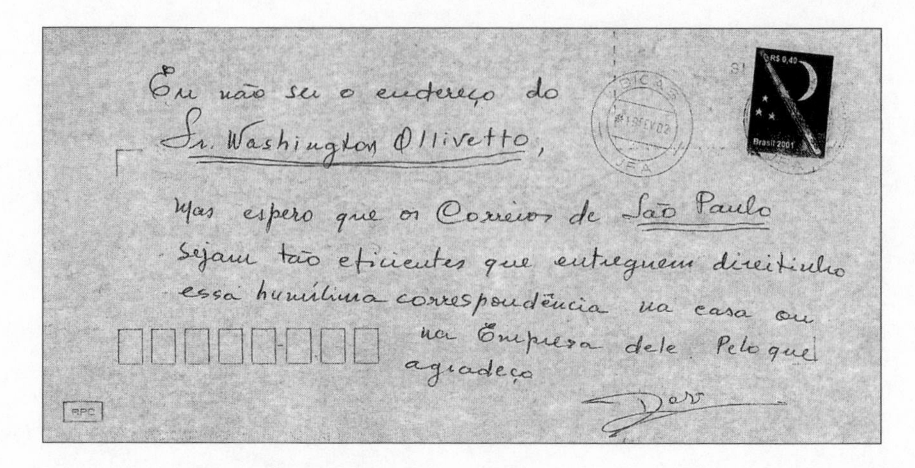
Eu não sei o endereço do
Sr. Washington Ollivetto,
Mas espero que os Correios de São Paulo
sejam tão eficientes que entreguem direitinho
essa humílima correspondência na casa ou
na Empresa dele. Pelo que
agradeço

Em meio a manifestações
de solidariedade vindas de todo
o mundo, até o correio
era usado. E mesmo
por quem nem sabia o endereço
de Washington.

Identificando a foto havia uma legenda de dez palavras:

Washington Olivetto, seqüestrado em São Paulo no dia 11 de dezembro.

A revista dedicou dezesseis páginas ao tema, e embora Washington fosse o assunto da capa, apenas meio parágrafo falava dele:

Entre eles, está o publicitário Washington Olivetto, de 50 anos, abordado quando saía de carro de sua agência, a W/Brasil, em São Paulo, no início da noite de 11 de dezembro. As semanas seguintes foram de terror para a família. Nos feriados de fim de ano, as luzes da cobertura onde ele mora, no bairro dos Jardins, permaneceram acesas madrugadas adentro. [...] Um dos mais conhecidos publicitários do país, Washington Olivetto foi levado por cinco homens vestidos com coletes da Polícia Federal. A família passou todo o fim do ano à espera de notícias.

A ausência de qualquer informação sobre o personagem da capa ou sobre seu seqüestro não deixava dúvidas de que a revista utilizara Washington como chamariz para os leitores. O restante da reportagem eram entrevistas com ex-seqüestrados, seus familiares e com um seqüestrador preso. Em um boxe aterrorizante, um médico que dizia ter recebido oito seqüestrados em sua clínica contava como reconstituíra orelhas e dedos arrancados de seus pacientes. O inusitado estava no fato de que a conta de propaganda da revista era administrada pela W/Brasil (seis meses antes a agência recebera o Grand Prix do Clio Awards, considerado o mais importante prêmio de propaganda do mundo, com a campanha de comerciais para a TV produzida para *Época* e intitulada "A semana"). Essa estreita relação entre a W/Brasil e a revista levou os jornalistas que cobriam o caso a imaginar, equivocadamente, que a reportagem de capa fora vazada deliberadamente pela agência. Gabriel e Javier ficaram indignados. No dia 9 de janeiro, Marcos Dvoskin, na ocasião diretor-geral da Editora Globo, responsável pela publicação de *Época*, recebeu uma dura carta de trinta parágrafos, assinada pelos dois sócios de Washington, que logo no começo diziam a que vinham: a agência estava dispensando a conta de publicidade da revista.

> *Em primeiro lugar o fizemos em respeito a toda a imprensa brasileira, à família de Washington Olivetto, seus colegas e amigos. [...] A W/Brasil sairá prejudicada financeira e também moralmente.*
>
> *A grande maioria da imprensa brasileira tem atendido ao pedido das famílias de vítimas de seqüestro (principalmente aquelas em cativeiro) para não publicar matérias especulativas.*
>
> *Se não oficializássemos imediatamente o rompimento da W/Brasil com* Época, *estaríamos [...] traindo centenas de jornalistas que estão, sem uma única exceção, respeitando o pedido da família, dos colegas e amigos de Washington Olivetto de não publicar matérias especulativas.*

Um telefonema de Roberto Irineu Marinho, sócio e principal dirigente das Organizações Globo, para Gabriel, no dia seguinte, aplainou parte das arestas. Gabriel explicou por que ele e Javier agiram assim:

– Se não fizéssemos o gesto dramático de dispensar a conta, estaríamos autorizando toda a mídia, da Internet aos noticiários mais escandalosos, a publicar o que quisesse, pois pareceria que havíamos "boicotado" a imprensa para beneficiar um cliente nosso.

Marinho entendeu as razões de Gabriel, e disse que iria comunicar essa explicação para seus principais diretores, mas a agência não voltou atrás. Além de permanecer todo o tempo disponível para a família de Washington e de ter que descascar abacaxis como esse, Gabriel não podia perder inteiramente de vista o dia-a-dia da W/Brasil. E esta, diante das circunstâncias, continuava produzindo normalmente. Sob a batuta de Ruy Lindenberg, a equipe de criação produziu, naquele período, além de anúncios, folhetos e *outdoors*, nada menos que dezessete filmes de TV para a Grendene, FNAC, Vésper, Yakult e Bombril. Um deles, criado pelo redator Rondon Fernandes e pelo diretor de arte Rodrigo Corbari para a rede de lojas FNAC, acabaria recebendo o Leão de Bronze do Festival de Cannes daquele ano.

Após mais dez angustiantes dias de silêncio dos criminosos, no dia 15 de janeiro uma Kombi de uma loja de materiais de construção entregou no apartamento da alameda Franca duas latas de tinta Suvinil branca. Junto com elas, no entanto, vinha apenas a nota fiscal da compra, sem nenhuma mensagem. Desesperada, Patrícia telefonou para a loja e falou com o gerente:

– Acabo de receber duas latas de tinta, mas estou estranhando que não tenha vindo um bilhete com elas.

O sujeito não entendeu direito a conversa, falou com alguém e voltou ao telefone:

– Estão me dizendo que tinha um bilhete sim. Ele não foi entregue?

– Não, não tem bilhete nenhum aqui. Só chegaram as notas.

– Ah, não se preocupe, deve ter ficado na Kombi. Depois eu vejo isso, amanhã a senhora pode passar aqui para saber se achamos o bilhete.

– Amanhã não dá, meu senhor. Estou participando de uma gincana e preciso ler esse bilhete já. O bilhete é mais importante que as latas.

– Então me liga em dez minutos que vou ver o que posso fazer.

Como ele supunha, o bilhete tinha caído num vão da Kombi e foi recolhido pelo motorista de Patrícia minutos depois. Nele os seqüestradores insistiam no resgate de US$ 18,5 milhões e afirmavam que sequer consideraram a contraproposta feita no anúncio do Porsche. Exigiam que novos anúncios oferecendo emprego a um arquiteto fossem publicados nos mesmos jornais, deixando claro que o "tempo de experiência" exigido seria entendido como a proposta da família, sempre em milhão de dólares.

Os anúncios foram publicados com o mesmo "um ano de experiência" de antes, mas uma nova palavra – "evidentemente" fora acrescentada ao texto anterior:

ARQUITETO – ADMITE-SE
Com um ano de experiência, empreendedor e criativo. Solicita-se enviar currículo com foto recente. Salário, evidentemente, a negociar. Favor ligar para (11) 9764.7996, de 11 às 15 horas.

Ao ser informado da remessa das latas de tintas (mas não do conteúdo do bilhete e dos valores exigidos), Wagner Giudice foi com sua equipe à loja de materiais de construção e soube que a compradora tinha sido uma mulher surda-muda de aproximadamente 40 anos, miúda, com os cabelos pretos presos num coque. Foram os investigadores Paulo Swami e José Antonio dos Santos (este ainda com o pé imobilizado pelos tiros recebidos no ABC), que se lembraram de que no seqüestro do publicitário Geraldo Alonso o comprador de um dos veículos também se fazia passar por surdo-mudo. Os policiais juntaram um pacote de fotos de mulheres suspeitas de envolvimento em seqüestros anteriores e as mostraram aos vendedores da loja.

Cinco dias depois da publicação dos anúncios, os seqüestradores enviaram a Patrícia uma carta postada em uma agência dos Correios no bairro de Vila Maria, na zona Norte de São Paulo, insistindo no mesmo valor do resgate. Como nos anúncios havia uma insinuada indagação a respeito do estado de saúde de Washington ("enviar currículo com foto recente"), eles responderam com dureza. "Nós só daremos informações sobre a saúde dele", escreveram os seqüestradores, "quando considerarmos necessário." E só voltaram a fazer contato oito dias depois, em 31 de janeiro, quando o entregador de uma farmácia deixou na portaria do prédio de Washington um pacote com produtos de beleza masculinos. Dentro dele havia uma mensagem insistindo nos US$ 18,5 milhões e pedindo que a resposta fosse dada novamente sob a forma de um anúncio a ser publicado no sábado seguinte, dia 2 de fevereiro. A polícia descobriu que, pouco depois do meio-dia daquela quinta-feira entrara na drogaria Farma Rede, na movimentada rua Teodoro Sampaio, no bairro de Pinheiros, uma mulher jovem, de cabelos longos e lisos, de óculos escuros e usando um colar cervical de espuma em volta do pescoço. Dirigiu-se ao balconista, o paraibano Alberto Gomes, e apenas perguntou-lhe, em voz baixa e com forte sotaque hispânico, se a farmácia fazia entregas em domicílio. Diante da resposta afirmativa, ela própria retirou alguns produtos na prateleira de cosméticos, entregando-os ao balconista. Após ter pago em dinheiro os R$ 110 da conta, ela entregou-lhe um envelope em que estava colada uma tarja adesiva com o nome e o endereço de Patrícia, e fez sinal para que ele fosse entregue junto com a encomenda (um colar cervical também fora usado por um dos seqüestradores do empresário Abílio Diniz, anotaram os policiais). Como se saberia mais tarde, a encarregada de comprar os cosméticos era a colombiana Martha Lígia Urrego Mejía (que no Brasil se fazia passar por "Maité Anália Belon"), mulher do também seqüestrador Alfredo Augusto Canales Moreno, chileno que usava o codinome de "Ruben Oscar Sanches".

A quinze minutos de táxi da Farma Rede, e na mesma hora em que Martha enviava o bilhete para Patrícia, "Cristian", o carcereiro de plantão no cativeiro de Washington, substituía o CD de Bob Marley por um de Tchaikovsky. Embora fosse dia claro, ele acabara de receber o jantar, que era quase sempre o mesmo: uma quentinha de alumínio contendo arroz, feijão, frango e salada de verduras. Nos arquivos dos computadores a polícia encontrou anotações que revelavam que a cada dez dias, mais ou menos, os seqüestradores registravam o que supunham ser o peso do refém:

15 de dezembro *80 kg*
21 de dezembro *77 kg*
30 de dezembro *75 kg*
11 de janeiro *73,5 kg*
20 de janeiro *73 kg*
29 de janeiro *72 kg*

Depois do espancamento de que fora vítima, Washington passou vários dias sem qualquer forma de comunicação com os seqüestradores. A primeira manifestação deles após o incidente com o balde de fezes e urina foi uma mensagem deixada dentro do cubículo – como todas as demais, impressa em papel de computador. Nesta, no entanto, não havia qualquer preocupação em ocultar o péssimo português do bando:

Senhor Olivetto:
Como a gente falo, você tem que ficar calmo seu desespero não tem que sair de controlo, não adianta fazer insultos para nós. O senhor e uma pessoa que tem muita educação e os insultos não falam muito bem de você.

O senhor pede que nós acreditemos em você mais você mesmo é responsável por tudo este lentidão, o senhor estivera em sua casa si houvera acreditado en nós, você e uma pessoa muito inteligente não entendemos como pensô que seu seqüestro era uma ninharia.

Oje comprendendo sua intranqüilidade pedimos-lhe que por um minuto entenda que as coisas tem seu ritmo, que por sua e nossa segurança tem que ser feitas com muita precaução, nós não vamos danhar tudo por sua pressão ou por seu desespero.

Paciência que a entrevista será feita nos próximos dias e tudo dara certo para você assim como para nós.

PS: Si o senhor precisa de alguma comida ou bebida especial o alguma outra coisa e só pedir a os guardas.

Os cinqüenta dias em cativeiro haviam feito Washington perder completamente a noção de tempo. Nas primeiras semanas ainda tentou calcular o tempo registrando discretamente na parede de borracha, com a haste dos óculos, toda vez que um CD era substituído. Como sabia que cada disco costuma ter entre 55 e 63 minutos de duração, aquele passou a ser seu calendário. Mas a esperteza logo foi descoberta pelos seqüestradores, e a partir de então eles passaram a trocar os

CDs a cada cinco, dez, quinze minutos. Entre os bilhetes para os seqüestradores, foi encontrado um que revelava que Washington havia perdido a noção exata do tempo:

Senhores,
Mais um dia se passou e espero tenha sido produtivo para o nosso episódio.

Estou aqui tentando administrar meus estados – físico e emocional – totalmente destruídos. As dores no coração, os tremores e os calafrios permanecem, mas hoje graças a Deus a cabeça doeu menos.

Me dediquei como um louco a passar a limpo um dos meus dois cadernos e assim não pensei e por conseqüência não chorei apesar do desespero. Sinto que vou explodir a qualquer momento mas por enquanto estou me controlando.

Pedi uma bebida forte ao guarda, é bom porque relaxa o formigamento no peito, mas ele não me deu. Por favor liberem com ele.

Até agora não tive resposta dos senhores se minha família sabe de minha situação física, mas ainda tenho esperança de ter – como disse, qualquer atenção no meu estado vale muito.

Senhores – Aconteceu algo de bom hoje? Existe alguma coisa em que eu possa ajudar?

Hoje, 2 de fevereiro é dia de Iemanjá, rainha dos mares. Que Iemanjá abençoe todos nós e que nos leve a todos no rumo certo. Tenho certeza de que nesse momento muitos estão orando por todos nós, para que isso se acabe em paz, amor e harmonia. Se houver algo que possamos fazer ainda hoje, por favor me digam.

Estou aqui tentando segurar o meu desespero.

Ao contrário do que Washington imaginava, a perita Luciana Quintanilha, do Instituto de Criminalística da polícia, comprovou que esse bilhete foi escrito quatro dias antes, em 29 de janeiro. Foi também nesse período que ele decidiu tentar novamente um recurso emocional para sensibilizar os seqüestradores. Para isso, respondendo a uma carta deixada no cubículo por seus algozes, revelou um segredo do casal, uma intimidade só compartilhada, além dele e da mulher, por um restrito número de parentes e amigos: Patrícia estava fazendo tratamento hormonal, na tentativa de engravidar. Como todas as demais, esta carta não está datada, mas Washington acredita que tenha sido escrita nos últimos dias de janeiro:

Senhores:
Patrícia me ama loucamente, não suporta a idéia de me ver cinco minutos afastado ou sofrendo. E além do mais está no tratamento para engravidar, sendo que essa é a última oportunidade, já que ela faz 44 anos este ano. Trata-se de seu grande sonho, inadiável. Não há tempo a perder.

Gabriel, além de grande amigo, precisa de mim na agência já e sabe que os prejuízos dessa minha ausência podem ser definitivos.

Por isso tenho certeza de que os dois não usaram nem usariam o tempo como fator "favorável" de negociação. Nem permitiriam que ninguém usasse.

O próprio Javier, normalmente muito frio, nesse caso tenho certeza de estar totalmente emocional. Me quer muito bem, sabe da nossa batalha pela gravidez. Por isso tenho certeza que nenhum deles usou o tempo, como sei que não estão usando agora.

Perdoem a insistência mas acho que nesse momento podem me ajudar mais que minha família. Preciso da entrevista e diálogo ou orientação do que fazer.

A insistência e o argumento emocional – e verdadeiro – não produziram qualquer resultado e sequer mereceram resposta dos seqüestradores.

No meio da tarde de sexta-feira, dia 1º de fevereiro, o carcereiro Flaco ("Magro", em espanhol) registrou que Washington tivera outra crise de choro mas que depois se tranqüilizara e voltara a encher as páginas de seu caderno-diário. Na mesma tarde, a 152 quilômetros de distância do cativeiro da rua Kansas, um corretor de imóveis da cidade de Serra Negra procurou a polícia para dizer que na noite anterior notara movimentos estranhos em uma das muitas chácaras de veraneio existentes na estância turística. Ele namorava junto à cerca viva de uma casa ocupada por turistas e por entre a folhagem viu alguns homens e mulheres conversando em língua estrangeira e fumando maconha. Na garagem da casa podia-se ver um automóvel Vectra e uma perua Toyota Hilux, importada. Como Serra Negra havia sido palco, meses antes, de uma apreensão de 40 quilos de cocaína pura, o corretor de imóveis resolveu revelar suas suspeitas à polícia. Depois de colocar alguns policiais militares observando a chácara, o delegado de polícia da cidade, Sidnei de Oliveira Poloni, conseguiu com o juiz Sérgio Araújo Gomes um mandado de busca e apreensão para que o lugar fosse vistoriado e as pessoas interrogadas. Sem saber quantos homens havia lá, nem se eles estavam ou não armados, Poloni recorreu a seus colegas das vizinhas cidades de Amparo e Águas de Lindóia. No fim da tarde, 23 policiais civis e militares armados cercaram silenciosamente a chácara (até o carcereiro de plantão naquele momento na delegacia de Serra Negra, Benedito dos Santos, foi convocado para a operação). Às seis e meia da tarde, quando Washington ouvia pela enésima vez a voz de Madonna no alto-falante do cativeiro, a campainha do portão de ferro da chácara soou. Foi Maurício Norambuena, de bermudas, camiseta laranja e barba por fazer, quem se aproximou para atender. Ao chegar ao portão, deu com o tenente Marcelo Tozzi e o sargento Edivaldo Delangelica, ambos da PM, fardados e armados, um com uma metralhadora Beretta calibre 45 e o outro com uma escopeta calibre 12. Com ar de espanto, o chileno quis saber o que estava acontecendo e prontificou-se a buscar as chaves para que o portão pudesse ser aberto e os policiais entrassem. Com os dois canos da escopeta apontados para o peito do suspeito, Tozzi ordenou que ele permanecesse parado:

– O senhor não vai sair daqui. Grite para que alguém lá de dentro traga as chaves.

Ele reagiu sem sobressaltos. Ordenou em castelhano que trouxessem a chave e abriu o portão para os policiais – aos quais se agregaram o delegado Poloni e mais alguns investigadores e PMs. Norambuena só pareceu se espantar quando começaram a saltar o muro de cerca viva soldados e policiais civis armados de pistolas, metralhadoras e escopetas. Ainda assim, a segurança com que o chefe dos seqüestradores falava – só ele falava – deixou o tenente Tozzi receoso de ter cometido uma besteira ao invadir a casa, como ele próprio admitiria mais tarde. Norambuena se dizia jornalista argentino, exibiu uma carteira de correspondente da revista *National Geographic* e insistiu na presença do cônsul argentino para desfazer aquela situação. Tozzi cochichou com o delegado Poloni:

– Doutor, acho que estamos cavando nossa cova. Ele está ameaçando denunciar a polícia de Serra Negra ao governo argentino. E se estivermos colocando em risco as relações entre dois países?

O delegado o tranqüilizou:

– Estamos fazendo tudo dentro da lei, com mandado judicial. Se eles forem inocentes, a história acaba aqui.

Os temores dos policiais foram desaparecendo aos poucos. Na hora de revistar a casa, primeiro foram encontradas duas pistolas automáticas, uma delas com a insígnia do Corpo de Carabineiros do Chile gravada no cano. Depois os policiais acharam um pacote de dólares e, em seguida, uma gaveta repleta de perucas masculinas e femininas, bigodes e barbas postiças. Já não havia mais dúvidas de que fossem criminosos, mas os policiais não atinavam qual poderia ser o crime. Os suspeitos foram separados uns dos outros, para que não pudessem se comunicar, e mantidos sob a guarda de homens armados. O que mais intrigou os policiais, porém, foi um maço de nove folhas manuscritas com caneta azul e letras miúdas, encontrado no fundo falso de uma pasta de executivo. Eram cartas, e a primeira delas começava com três palavras: "*Pata, meu amor*".

"Pata" é o apelido carinhoso com que Washington Olivetto trata sua mulher, Patrícia. A megaoperação montada pela quadrilha de Norambuena começava a desmoronar. Meia hora depois, Wagner Giu-

O tenente Marcelo Tozzi,
o delegado Sidney Poloni e o sargento
Edivaldo Delangelica:
e se esse cara for jornalista mesmo?

dice recebia um telefonema de Fernão Dias Paes Leme, delegado de polícia de Atibaia, cidade a meio caminho entre São Paulo e Serra Negra. Conhecido por seu fortíssimo sotaque caipira, Paes Leme contou o que sabia:

– Ô Wagnão, o Sidão de Serra Negra pegou uns *cabra estranho* por lá. São seis gringos. Tem arma, tem maconha e tem umas cartas muito estranhas.

Giudice ligou em seguida para o delegado Poloni, pediu a ele que lesse por telefone as cartas encontradas na pasta. Poloni mal conseguiu terminar a primeira frase:

– Olha, tem uma dirigida a "Pata, meu amor", tem outra falando de tratamento para engravidar...

Giudice pediu que ele esperasse cinco minutos. Ligou para a casa de Washington e pediu a Juca Kfouri que passasse o telefone para Patrícia, a quem fez uma só pergunta:

– Dona Patrícia, me desculpe a indiscrição, mas a senhora está fazendo tratamento para engravidar?

Diante da resposta afirmativa dela, Giudice quase caiu da cadeira:

– Então nós pegamos os seqüestradores do Washington.

Ligou de novo para Serra Negra:

– Sidão, você tem nas mãos os caras que fizeram o Washington Olivetto. Faça o seguinte: põe um em cada lugar, não deixa eles conversarem, apreende tudo o que tem nessa casa, tranca essa merda, tira os PM daí, dá ordem para eles tirarem a mão de tudo, porque eu vou para aí agora. E silêncio na rede: não podemos vazar que esses caras estão presos, porque eu acho que o cativeiro não é aí.

Giudice arrebanhou oito homens de sua equipe e estava pronto para deixar a sede da DEAS quando tocou o celular. Era sua mulher contando que estava no hospital, a caminho da sala de operações, com uma crise aguda de apendicite. Quando ele disse que estava partindo para Serra Negra para resolver um caso importante, ela desabafou:

– Por mim tanto faz que você venha pro hospital ou vá para Serra Negra. Eu não tenho marido mesmo, né?

Tamanha eloqüência não dava margem a dúvidas: ele não iria a Serra Negra. O que, na verdade, nem tinha tanta importância, pois os suspeitos estavam presos e isolados e ele mandaria para lá seus homens mais experientes. Nas primeiras horas de sábado chegou à sede do DEIC um comboio de quinze veículos da DEAS, da Delegacia de Serra Negra e da Polícia Militar com os seis seqüestradores presos. Cada um deles veio em um camburão diferente, todos guardados por policiais armados. Depois de lavrado o flagrante, começaram os interrogatórios. À exceção de Norambuena, que confessou o crime, os demais se mantiveram mudos, ou no máximo admitiam ter trabalhado na logística da operação sem saber que se tratava de um seqüestro. Com o mesmo ar arrogante de sempre, Norambuena contou que era dirigente de uma organização chilena intitulada Frente Patriótica Manuel Rodríguez, que receberia a metade do que viesse a ser obtido como resgate pela libertação de Washington. A outra metade, disse ele, iria para o MIR – Movimento de Esquerda Revolucionária, também chileno. Sempre se dirigindo ao delegado Godofredo Bittencourt, diretor do DEIC, como "general", Norambuena tinha a evidente preocupação de tentar caracterizar-se como praticante de crime político. Tanto é que declarou que exigia ser tratado como "prisioneiro de guerra", e não como um bandido comum. Pressionado para revelar o endereço do cativeiro de Washington, ele se recusou:

– General, mesmo que o senhor me torture por 24 horas seguidas, eu não direi. Por uma simples razão: não sei onde é o cativeiro. Depois que a casa foi montada para receber o refém eu estive lá uma vez para vistoriá-la internamente. Mas fui levado e retirado com os olhos vendados. Exatamente para a eventualidade de ocorrer uma situação como a que estamos vivendo agora. Não sei dizer onde fica o cativeiro.

Aquele impasse, porém, não beneficiava o seqüestrador. Se de fato o crime havia sido executado por um grupo de quinze a dezoito pessoas, como a polícia acreditava, e só seis tinham sido presos, havia entre nove e doze deles sob risco de prisão. Norambuena surpreendeu os policiais com uma proposta:

– Neste sábado, às onze da manhã, tenho um ponto telefônico marcado com um companheiro. Com uma ordem minha, o senhor Olivetto será libertado incólume. Mas só depois de amanhã, segunda-feira, para que haja tempo de desmontarmos a operação.

Para fazer o telefonema, porém, o chileno exigia que ele mesmo escolhesse um telefone público na cidade, aleatoriamente, para evitar que a ligação fosse gravada e o destinatário da chamada identificado pela polícia. Ou seja: ele estava propondo trocar a liberdade de Washington pela possibilidade de fuga de seus cúmplices. A maioria dos policiais achava que aquela história era fantasiosa e que, "com um bom cacete", Norambuena acabaria revelando o endereço. O diretor do DEIC e Wagner Giudice, porém, temiam que qualquer outra alternativa pusesse em risco a vida de Washington. Depois de muita parlamentação entre os policiais envolvidos no caso, acabou prevalecendo a opinião de Bittencourt e Giudice. Antes de aceitar a negociação sugerida pelo seqüestrador, contudo, era preciso consultar a família, uma vez que se tratava de uma operação que também envolvia riscos. O diretor da Divisão Anti-Seqüestro foi o encarregado de contar a Patrícia e ao comitê o que tinha acontecido nas últimas horas. A família concordou. Pouco antes das onze da manhã o delegado Bittencourt, acompanhado de dois homens de confiança de Wagner Giudice, os investigadores Paulo Lew e José Antonio dos Santos, deixou o prédio do DEIC, no centro velho de São Paulo, levando com eles no carro da polícia o seqüestrador Norambuena. Rodaram por cerca de dez minutos e num dado momento, quando se aproximavam do bairro da Mooca, na zona Norte, ele apontou um orelhão na calçada e avisou:

– É este.

Algemado e cercado pelos policiais armados, Norambuena discou um número (o qual, como tinha sido acertado, não foi visto por ninguém mais) e pronunciou apenas três frases curtas, em espanhol, ouvidas por seus acompanhantes:

– Aqui fala o comandante Ramiro. Fomos presos. Libertem o cavalheiro.

A partir daí não se teve mais qualquer notícia de Washington ou do cativeiro. Faltavam dez minutos para as cinco da tarde e ele ouvia Caetano Veloso no cubículo quando um caminhão carregado de contêineres destinados ao porto de Santos perdeu os freios e derrubou um poste na altura do número 2053 da movimentada avenida dos Bandeirantes, na zona Sul da cidade. Chamada para reparar o problema e substituir o poste, a Eletropaulo, empresa encarregada de distribuição de energia na capital, teve que desligar o circuito de fornecimento da região, o que acabaria só acontecendo às oito e quarenta. Nessa hora, como em todos os demais endereços do bairro do Brooklin, foi apagada a luz da casa onde estava Washington, situada a menos de 500 metros do local do acidente. A julgar pelo estado em que foi encontrado o lugar, tão logo a luz apagou os seqüestradores que guardavam Washington abandonaram a casa às pressas, temendo que o apagão fosse obra da polícia para cercá-los no escuro. A polícia encontrou restos de espuma em aparelhos de barbear, garrafas de vinho destampadas e consumidas pela metade, roupas, documentos, livros, revistas, caixas de remédio, preservativos, papéis, fotografias, mapas e câmeras espalhados por todos os cômodos.

Preso no cubículo e sem saber o que se passava, Washington foi tomado de pânico. "Pensei que por não conseguir receber nada como resgate", diria ele depois, "os filhos da puta tivessem decidido se vingar e me matar por asfixia, já que com o corte de luz o sistema de ventilação do cubículo também apagou". O único jeito era gritar, coisa que ele fez durante alguns minutos até perceber, desolado, que sua voz jamais seria ouvida do lado de fora. Com a haste dos óculos – a mesma que ele usara para escrever "PATRICIA MEU AMOR TE AMO TE ADORO" na parede do cubículo –, Washington começou a descascar as pontas do revestimento de plástico que revestia o lugar. Conseguiu soltar um pedaço, puxou com toda a força, arrancou mais alguns milímetros, puxou de novo e descobriu, desesperado, que por baixo do plástico havia uma sólida parede de madeira. Puxa daqui, arranca mais um pedaço de lá e quando ele viu uma pequena fresta na quina da madeira, voltou a gritar por socorro.

Na casa contígua ao cativeiro a jovem carateca faixa-preta e quintanista de Medicina na USP Aline Dota, de 22 anos, estranhou os ruídos que pareciam vir do vizinho. Grudou o ouvido na parede mas isso não ajudou muito. Foi então que teve a idéia de recorrer a um instrumento de trabalho, o estetoscópio. Ao encostá-lo na parede, não teve dúvidas: alguém na casa ao lado gritava por socorro. Ela contou à mãe, Nora, o que ouvira e em seguida ligou para a Polícia Militar, que registrou o seguinte diálogo no boletim T121, cuja gravação se iniciou às 22h4m5s:

– Polícia Militar, soldado Tânia às suas ordens.
– É... Boa noite. Por favor, será que dá pra mandar uma unidade aqui na rua Kansas, no número...
– O que está acontecendo?
– Tem uma pessoa presa na casa ao lado, e tá pedindo socorro.
– Pedindo socorro?
– É, pedindo socorro.
– Mas a senhora sabe o que está acontecendo?
– Não, nada, nada.
– Então a senhora aguarde aí e passe esses dados para a viatura que está a caminho.
– Mas por favor, ele está pedindo socorro, pedindo para chamar a polícia, está dizendo que foi seqüestrado.

Três minutos depois Aline liga de novo:

– Polícia Militar.
– Oi, por favor, é que eu acabei de ligar para aí, para falar de um seqüestro...
– Hã?
– E ele acabou de me falar que é o Washington Olivetto.

Certo de que tinha sido condenado à morte por asfixia, Washing-

Escrita na parede do cubículo
com as hastes dos óculos, a declaração
de amor à mulher, Patrícia.

ton continuava gritando por socorro. Ele não ouviu nada quando várias viaturas da PM cercaram a casa. Os policiais saltaram o muro dianteiro e no andar térreo só encontraram um filhote de pastor alemão (que, descobriu-se depois, tinha sido batizado pelos seqüestradores com o nome de "Kotcho"). Iluminando a escada com lanternas, sete PMs armados subiram ao primeiro pavimento, onde puderam ouvir a voz de Washington vindo do cubículo. Enquanto o soldado Josué Julião dos Santos, de 26 anos, arrombava a portinhola a golpes de pé-de-cabra, o tenente Cláudio Biagio, 23 anos, temendo que ainda pudesse haver algum seqüestrador com o refém, engatilhou e apontou sua pistola calibre 380 para dentro do cubículo. Eram 22:10 quando a porta foi posta abaixo. Ao ver um policial com a arma apontada para seu rosto, um Washington sorridente e de braços abertos gritou:

– Abaixa esse negócio, meu! Eu sou o Washington Olivetto, corintiano!

Epílogo

Mauricio Hernandez Norambuena, Alfredo Augusto Canales Moreno, Marco Rodolfo Rodrigues Ortega, Karina Dana Germano Lopez, Martha Lígia Urrego Mejía e William Gaona Becerra foram condenados em primeira instância a dezesseis anos de prisão, pena que se iniciaria em regime fechado, com a possibilidade de progressão. A promotoria recorreu da sentença ao Tribunal de Justiça de São Paulo. Convidado pelos presos a continuar a defendê-los no TJSP, o advogado Iberê Bandeira de Mello queixou-se de que até então só recebera, como honorários advocatícios, o custo de suas viagens ao Chile. Um representante da Frente Patriótica Manuel Rodríguez viajou ao Brasil para conversar com o advogado – ocasião em que se queixou de ter que pagar "pela cagada" feita no Brasil por seus compatriotas em nome da FPMR. Ao final, sem acordo, Bandeira de Mello renunciou à causa. Por unanimidade de votos o Tribunal de Justiça de São Paulo corrigiu a pena de todos para trinta anos de reclusão em regime fechado, sem direito a recurso.

Em agosto de 2004, o Chile solicitou a extradição de Norambuena, para que cumprisse lá as duas penas de prisão perpétua a que está condenado, pedido denegado pelo Supremo Tribunal Federal. O relator do caso, ministro Celso de Mello, rejeitou a alegação de motivação política dos crimes cometidos, razão pela qual o réu não podia desfrutar da proteção assegurada pela Constituição a presos políticos.

Quatro meses depois o juiz Miguel Marques da Silva, da Vara das Execuções Criminais de São Paulo, determinou que Norambuena permanecesse preso por mais 360 dias no RDD (Regime Disciplinar Diferenciado), que impõe ao detento normas mais rígidas de segurança. A pena está sendo cumprida na prisão de segurança máxima de Presidente Bernardes, a 580 quilômetros de São Paulo.

*

Dias após a libertação de Washington Olivetto, a Frente Patriótica Manuel Rodríguez publicou um editorial em sua página na Internet afirmando expressamente "não ser autora da operação em São Paulo". Essa informação reforça a certeza da polícia paulista de que o bando estivesse agindo "*por la libre*", ou seja, para obter apenas benefício pessoal, sem qualquer motivação política. Policiais experimentados asseguram jamais ter visto comportamento semelhante ao do grupo de Norambuena (consumo de drogas e bebida, exibicionismo, promiscuidade sexual e prática de tortura contra o refém) em qualquer operação de natureza política.

*

Suspeitas levantadas por parlamentares do Chile de que Cuba pudesse ter tido alguma ligação com o seqüestro fizeram o presidente Fidel Castro enviar uma enérgica nota pessoal à Chancelaria chilena, afirmando "de modo categórico" que seu país não mais apoiava qualquer grupo clandestino chileno, tal como o fizera durante a ditadura do general Augusto Pinochet (1973-1990). Segundo o presidente cubano, "tão logo se produziu a abertura política no Chile, Cuba, que de certa forma contribuiu para essa saída, decidiu não oferecer qualquer tipo de cooperação a atividades clandestinas".

*

No final de janeiro, a proprietária do imóvel da rua Kansas, onde Washington estava preso, Milena Martinelli de Freitas, soube que a casa tinha sido alugada sem sua autorização pelo ex-marido, Luiz Cláudio

Matarazzo. Conversando com vizinhos, seus advogados Marcelo Hartmann e Rodrigo Felberg confirmaram a suspeita, mas não entendiam por que o dinheiro dos aluguéis não era depositado na conta de Milena. Com essa informação na mão, conseguiram que o juiz da 38ª Vara Cível autorizasse uma diligência na casa em questão. A data marcada pelo juiz para a visita dos advogados e oficiais de Justiça poderia ter-se convertido em uma tragédia: 5 de fevereiro, terça-feira, três dias depois da libertação de Washington.

*

Após a prisão dos seqüestradores, a equipe do Instituto de Criminalística da polícia paulista descobriu que pouco podia fazer com os *notebooks* apreendidos com a quadrilha: estavam todos protegidos por uma senha desconhecida. Mesmo recorrendo aos mais sofisticados programas de desencriptação existentes, o máximo a que se chegou foi saber que a senha tinha oito dígitos – que tanto podiam ser letras, números ou ambos. Após tentar todas as alternativas (inversão de datas de nascimento dos seqüestradores, combinação das iniciais dos nomes de seus pais e mães com nomes de ícones da esquerda etc.), os técnicos do IC observaram que havia uma característica comum a quase todos os membros do bando: a paixão pelo futebol. Foi então que o pesquisador Onias Tavares de Aguiar perguntou a um de seus colegas:

– Como é mesmo o nome daquele famoso clube de futebol chileno?

Foi Claudemir Santos quem respondeu:

– Colo Colo.

Bingo. Digitado o nome do time, surgiram nas telas dos micros mais de 6 mil páginas de anotações sobre todo o desenrolar do seqüestro.

*

Durante os 53 dias em que Washington esteve nas mãos dos seqüestradores, a W/Brasil produziu mais de cem peças publicitárias, entre as quais quarenta filmes para TV e cinema e 55 anúncios destinados à veiculação em jornais, revistas e *outdoors*, além de *banners* e folhetos.

*

No dia 8 de julho de 2004, quando a W/Brasil completava dezoito anos, Patrícia deu à luz um casal de gêmeos, Antônia e Theo, seus primeiros filhos. Quando os bebês completaram quatro meses a mãe achou que era hora de batizá-los. A idéia era realizar a cerimônia na igreja São José, no Jardim Paulistano, onde se casara sua mãe, já falecida. A fila de crianças a serem batizadas lá, porém, era tão longa que a desanimou: só havia horários disponíveis em meados de março de 2005. Foi então que Washington teve a idéia de convidar um nome especial para oficiante da cerimônia:

– Já que não dava para realizar esse desejo da Patrícia, pelo menos que sua frustração fosse compensada por alguém que nos encheria a todos, a ela, a mim e, no futuro, às crianças, de enorme orgulho: o meu querido dom Paulo Evaristo Arns.

Washington pediu ao jornalista Juca Kfouri, também amigo do cardeal e arcebispo emérito de São Paulo, que intermediasse o pedido. Ele temia que, se falasse direto com dom Paulo, iria deixá-lo sem jeito de dizer "não", pois meses antes escrevera a orelha do livro *Corintiano, graças a Deus*, de autoria do religioso. Minutos depois, já estava falando ao telefone com dom Paulo, que de bom grado aceitou o convite. A única exigência dele era que, em virtude de sua idade [83 anos], a cerimônia se realizasse em sua casa, no bairro do Jaçanã. Na hora de decidir a data, o cardeal sugeriu:

– Que tal daqui a dois sábados?

Fechado. Também a pedido de dom Paulo, a cerimônia seria restrita apenas aos padrinhos e parentes mais próximos. Os padrinhos

Um dia depois de libertado,
Washington solta uma
pomba branca sobre os jornalistas
que davam plantão na porta
do seu apartamento.

de Antônia seriam André Midani e Glória Kalil, e os de Theo, Juca Kfouri e Guida Pifstzer. Além de mulheres e maridos de padrinhos e madrinhas, estariam presentes também os avós Antônia, mãe de Washington, e Augusto, pai de Patrícia, com sua mulher Alessandra, César, tio dos gêmeos e irmão de Patrícia, o irmão dos bebês, Homero, que iria também na condição de fotógrafo oficial da cerimônia, acompanhado de Piti, sua namorada, e, claro, os sócios Gabriel e Javier, com suas mulheres Ana Carolina e Zvonka. Para evitar desencontros, o jornalista Thomaz Souto Corrêa, marido da madrinha Guida, sugeriu que se alugasse um microônibus (devidamente abastecido de cachaça, champanhe, doces e salgadinhos) para transportar todos em direção à casa do cardeal.

Na quinta-feira que antecedeu o sábado do batizado, Patrícia e Washington checavam as últimas providências a serem tomadas quando ele perguntou:

– Que dia é hoje?

Patrícia não entendeu:

– Quinta-feira, 9 de dezembro. Por quê?

Ele arregalou os olhos:

– Meu Deus! Não pode ser mera coincidência: nossos filhos Antônia e Theo serão batizados no dia 11 de dezembro de 2004, exatamente três anos depois do dia em que fui seqüestrado.

Washington, Dom Paulo, Patrícia,
Antônia e Theo
no dia do batizado – realizado,
por coincidência, exatos
três anos depois do seqüestro.

Entrevistados

Aldine Saad, Alex Periscinotto, Alexandre Grynberg, Alexandre Peralta, Alexandre Sequera, Aline Dota, André Midani, Andrés Bukowinski, Ângelo Scavuzzo, Breno Altman, Carlos Brickman, Cícero Félix de Barros, Claudemir C. Santos, Claudio Biagio, Claudio Kahns, Edivaldo Benedito Delangelica, Edney Narchi, Edson do Amaral, Elaine Cristina do Nascimento, Ercílio Tranjan, Fernando Mitre, Francesc Petit, Francisco Bueno, Gabriel Zellmeister, Gleidys Salvania, Guilherme Afif Domingos, Hans Dammann, Iberê Bandeira de Mello, Ivan Ângelo, James Wygand, Javier Llussá, José Antonio dos Santos, José Bonifácio de Oliveira Sobrinho, José Carlos Piedade, José Domingos Moreira das Eiras, José Sabóia Ribeiro, José Victor Oliva, Josué Julião dos Santos, Juca Kfouri, Juliana Godoy Rodrigues, Julio Xavier, Kélio Rodrigues, Luciana Quintanilha, Lulu Santos, Marcelo Tozzi, Mário Chamie, Milton Coelho da Graça, Murilo Felisberto, Neno Sbrissa, Nizan Guanaes, Nora Dota, Onias Tavares de Aguiar, Otoniel Santos Pereira, Patrícia Viotti, Paulo Ghirotti, Paulo Roberto Nogueira, Plínio Luengo Gimenez, Renzo Okasima, Ricardo Freire, Ricardo Kotscho, Ricardo Scalamandré, Roberto Nakayama, Rondon Fernandes, Rosa Maria Nogueira, Ruy Lindenberg, Sérgio Paulo Anguinoni, Sidney de Oliveira Poloni, Stalimir Vieira, Telmo Martino, Thomaz Souto Corrêa, Wagner Giudice, Washington Olivetto, William Waack.

Sobre o autor

Fernando Morais nasceu em Mariana, Minas Gerais, em 1946. É jornalista desde 1961. Trabalhou nas redações do *Jornal da Tarde*, *Veja*, *Folha de S. Paulo* e TV Cultura. Recebeu três vezes o Prêmio Esso e quatro vezes o Prêmio Abril de jornalismo. Foi deputado estadual durante oito anos (pelo MDB-SP e depois pelo PMDB-SP) e secretário da Cultura (1988-1991) e da Educação (1991-1993) do Estado de São Paulo. É autor dos roteiros das minisséries documentais *Brasil, 500 anos* e *Cinco dias que abalaram o Brasil*, exibidos pelo canal GNT/Globosat. Escreveu, entre outros livros, *Transamazônica* (Brasiliense, 1970, com Ricardo Gontijo e Alfredo Rizutti), *A Ilha* (Alfa-Omega, 1975, reeditado pela Companhia das Letras em 2001), *Olga* (Alfa-Omega, 1985, reeditado pela Companhia das Letras em 1993), *Chatô, o rei do Brasil* (Companhia das Letras, 1994), *Corações sujos* (Companhia das Letras, 2000), e *Cem quilos de ouro* (Companhia das Letras, 2002). Tem livros traduzidos em dezenove países. Em 2001, *Corações sujos* recebeu o Prêmio Jabuti de livro do ano de não-ficção. Em 2004 *Olga* foi transformado em filme pelo diretor Jayme Monjardim, tendo sido visto por mais de 3 milhões de espectadores no Brasil e indicado para representar o país no Oscar de 2005.

ESTE LIVRO FOI COMPOSTO
EM MINION PARA A
EDITORA PLANETA DO BRASIL
EM MARÇO DE 2005